総合判例研究叢書

商　　法 (2)

有　斐　閣

商法・編集委員

鈴木竹雄
大隅健一郎

序

フランスにおいて、自由法学の名とともに判例の研究が異常な発達を遂げているのは、その民法典が百五十余年の齢を重ねたからだといわれている。それに比較すると、わが国の諸法典は、まだ若い。最も古いものでも、六、七十年の年月を経たに過ぎない。しかし、わが国の諸法典は、いずれも、近代的法制を全く知らなかつたところに輸入されたものである。そのことを思えば、この六十年の間に極めて重要な判例の変遷があつたであろうことは、容易に想像がつく。事実、わが国の諸法典は、それに関連する判例の研究でこれを補充しなければ、その正確な意味を理解し得ないようになつている。

判例が法源であるかどうかの理論については、今日なお議論の余地があろう。しかし、実際問題として、多くの条項が判例によつてその具体的な意義を明かにされているばかりでなく、判例によつて特殊の制度が創造されている例も、決して少くはない。判例研究の重要なことについては、何人も異議のないことであろう。

判例の創造した特殊の制度の内容を明かにするためにはもちろんのこと、判例によつて明かにされた条項の意義を探るためにも、判例の総合的な研究が必要である。同一の事項についてのすべての判決を探り、取り扱われた事実の微妙な差異に注意しながら、総合的・発展的に研究するのでなければ、判例の研究は、決して終局の目的を達することはできない。そしてそれには、時間をかけた克明な努力を必要とする。

幸なことには、わが国でも、十数年来、そうした研究の必要が感じられ、優れた成果も少くないようになつた。いまや、この成果を集め、足らざるを補ない、欠けたるを充たし、全分野にわたる研究を完成すべき時期に際会している。

かようにして、われわれは、全国の学者を動員し、すでに優れた研究のできているものについては、その補訂を乞い、まだ研究の尽されていないものについては、新たに適任者にお願いして、ここに「総合判例研究叢書」を編むことにした。第一回に発表したものは、各法域に亘る重要な問題のうち、研究成果の比較的早くでき上ると予想されるものである。これに洩れた事項でさらに重要なもののあることは、われわれもよく知つている。やがて、第二回、第三回と編集を継続して、完全な総合判例法の完成を期するつもりである。ここに、編集に当つての所信を述べ、協力される諸学者に深甚の謝意を表するとともに、同学の士の援助を願う次第である。

昭和三十一年五月

編集代表
小野清一郎　宮沢俊義
末川博　我妻栄
中川善之助

凡　例

一　判例の重要なものについては、判旨、事実、上告論旨等を引用し、各件毎に一連番号を附した。

二　判例年月日、巻数、頁数等を示すには、おおむね左の略号を用いた。

大判大五・一一・八民録二二・二〇七七　（大審院判決録）

（大正五年十一月八日、大審院判決、大審院民事判決録二十二輯二〇七七頁）

大判大一四・四・二三刑集四・二六二　（大審院判例集）

最判昭二二・一二・一五刑集一・一・八〇　（最高裁判所判例集）

（昭和二十二年十二月十五日、最高裁判所判決、最高裁判所刑事判例集一巻一号八〇頁）

大判昭二・一二・六新聞二七九一・一五　（法律新聞）

大判昭三・九・二〇評論一八民法五七五　（法律評論）

大判昭四・五・二二裁判例三・刑法五五　（大審院裁判例）

福岡高判昭二六・一二・一四刑集四・一四・二一一四　（高等裁判所判例集）

大阪高判昭二八・七・四下級民集四・七・九七一　（下級裁判所民事裁判例集）

最判昭二八・二・二〇行政例集四・二・二三一　（行政事件裁判例集）

名古屋高判昭二五・五・八特一〇・七〇　（高等裁判所刑事判決特報）

東京高判昭三〇・一〇・二四東京高時報六・二・民二四九　（東京高等裁判所判決時報）

札幌高決昭二九・七・二三高裁特報一・二・七一　（高等裁判所刑事裁判特報）

前橋地決昭三〇・六・三〇労民集六・四・三八九　（労働関係民事裁判例集）

その他に、例えば次のような略語を用いた。

裁判所時報＝裁　時　　家庭裁判所月報＝家裁月報

判例時報＝判　時　　判例タイムズ＝判　タ

目次

変態設立事項　今井　宏

発起人の責任　　竹内敏夫

会社の権利能力の範囲

――とくにその目的による制限――

大隅健一郎

はしがき

会社の権利能力がその定款に定められた目的により制限されるか否かについては、近時学説においては否定的見解がかなり有力になつてきているが（上柳「会社の能力」株式会社法講座第一巻八五頁以下参照）、判例は一貫してこれを肯定している。しかし、その判例の態度にもかなり顕著な変遷が見られる。すなわち、はじめは会社の目的を極めて厳格に解し、かつその権利能力をかかる目的の範囲内にせまく限定したが、その後次第にこれを拡張しようとする努力を示すに至つた。会社の権利能力が定款所定の目的により制限されるという理論は、会社が自己に不利益な取引から生ずる義務の履行を免れようとする場合に便利な責任免脱の口実を与えるから、訴訟に際してはややもすると「会社の目的の範囲外である」とする抗弁が提出される。その結果、これに関する判例は極めて多数にのぼり、下級審の判決を加えるならば無数といつてもよいほどである。このことは右の理論が取引の安全に対する危険を包含することを示すものであり、それが判例の態度の変化を促す原因となつたのであるが、それはさらに会社の権利能力が定款所定の目的により制限されるとする基本的な立場そのものの反省をも必要とすることを示唆するものとも考える。本稿では、大審院及び最高裁判所の判例を中心として判例法の変遷を概観し、問題考察の資としたい。

一　緒　説

会社は法人であるから(商五四I、有一II)、一般権利能力を有することはもちろんであるが、その特別権利能力、すなわち会社が現実に享有し又は負担することをうる権利義務には、その法人たることにもとづき一定の制限がある。その制限として、法令及び性質による制限があることについては異論はないが、そのほかに目的による制限がみとめられるか否かについては学説がわかれている。

法人格は法律の附与するところであるから、法人の権利能力が法令の制限に服することは当然である(民四三参照)。かような権利能力の法令による制限としては、会社が他の会社の無限責任社員となることを禁ずる商法第五五条及び有限会社法第四条の規定があり、別に特殊の会社については特別法によりこれをみとめられる場合もある(外国人土地法四)。

また会社は自然人と異り肉体を有しないから、性・年齢・生命・身体・親族関係のような自然人の自然人たる性質を前提とする権利義務を有することはできない。例えば、生命権・身体上の自由権・親権・扶養を受ける権利・相続権などを享有することはできない。しかし、その他の権利は、単に各種の財産権のみに限らず、名誉権や商号権のごとき人格権ないし人格権的性質を帯びる権利・代理権・社員権・他の会社の機関たる能力・遺贈を受ける権利などをも享有することができる。もっとも会社が他の会社の機関たることをうるか否かの点については、(註一)一方において会社も定款所定の目的の範囲内においては他の株式会社の発起人(もちろん発起人は厳密な意味における法人の機関ではないが)となることをみとめる判例【1】があると同時に、他方においてわが法制のたて前として法人は他の法人の役員となりえないとする判例【2】のあることを注意しなければならない。

【1】「上告人ハ原院ニ於テ会社ハ株式会社ノ発起人ト為ルコト能ハサルモノナルニ其（株式会社総房中央銀行）発起人中ニハ株式会社匝瑳銀行同流山銀行等ノ七会社之ニ加入シ云々、左レハ株式会社総房中央銀行ノ設立ハ無数ナレハ従テ第一審被告等ハ同銀行ノ株主ト為ルヘキモノニ非ストノ抗辯ヲ提出シタルコトハ原判決摘示中ニ記載アリテ明白ナル所ナリ。依テ原院ハ右抗辯ヲ判断スルニ当リテハ上告人タル会社ノ定款ニ依リテ定マリタル目的ノ範囲内ニ株式会社総房中央銀行ノ如キ銀行ノ設立発起ノ行為ヲ為スコトヲモ包含スルヤ否ヤヲ確定セサルヘカラス。然ルニ事玆ニ出テス漫然右銀行ノ発起人中ニハ会社アルコトハ原告ノ争ハサル所ナルモ商法ニ於テハ其第一一九条（現行商法一六五条）ニ於テ発起人ノ数ニ関スル規定ヲ為シタル外発起人ノ資格ニ付何等ノ制限ヲ置カサルカ故会社モ自然人ト同シク株式会社ノ発起人ト為ルコトヲ得ルモノト解スルヲ相当トスヘク云々ト判断シタルハ畢竟理由不備ノ裁判ト云ハサルヘカラス」（大判大二・二・五民録一九・二九）。

【2】「我カ法制ノ体系ハ本来自然人ヲ以テ法人ノ役員ト為ス主義ヲ採リ来リ（中略）。蓋シ法人ノ機関ニ関シ他ノ法人ヲ以テ其ノ役員ニ充ツルヲ得ヘキ規定ノ存セサル場合ニ於テハ他ノ法人ノ役員又ハ代表者タル自然人ヲシテ法人ノ機関タラシムルニ非レハ他ノ法人ノミヲ以テ構成員ト為スノ法人ニ在リテハ終ニ其ノ機関ヲ欠クニ至ルノ結果ヲ生スヘク又法人ノミヲ以テ構成員トスル法人ニ限ラス自然人ト法人ト共ニ構成員トナレル法人ニモ亦移シテ以テ同様ニ律スルコトヲ得レハナリ」（大判昭二・五・一九刑集六・一九四）。

以上の点についてはあまり異論がなく、実際上も問題を生ずることが少いのに反して、会社の権利能力が定款所定の目的により制限されるか否かについては、すでにそれ自体について異論があるのみならず、これを肯定するとしてもいかに制限されるかが明瞭でなく、実際上争いを生ずる余地がすこぶる多い。以下これに関する判例の立場をあとづけることとしたい。（註二）

註（一）　会社の取締役・清算人などはその性質上自然人たることを要すると解するのが、わが国の通説である。しかし、法人実在説をみとめる以上、法人が他の法人の機関となることは理論上不可能ではない（大隅・会社法論二八四頁、田中

誠・会社法一四頁、大森・会社法講義一六六頁）。イギリスの会社法は明文をもつて法人が株式会社の取締役となりうることをみとめており（一九二九年法一四四条、一九四八年法二〇〇条）。またドイツの一部の学説及び判例も法人が株式会社の清算人となることをみとめている（Goldschmit, Aktiengesellschaft, 1927, §295 Anm. 6)。

註（二）　この問題に関する判例の総合的研究としては、大隅「会社の権利能力の範囲」民商法雑誌一巻一号、柚木「法人の能力の限界に関する判例法の検討」国民経済雑誌八〇巻三号四号、津曲「法人の行為能力」法律時報一三巻などがある。右の拙稿は昭和九年に執筆したものであつて、これにその後の資料を加えて書き改めたものが本稿である。なお会社の権利能力の範囲に関する理論的研究としては、上柳「会社の能力」株式会社法講座第一巻八五頁以下がある。

二　権利能力の目的による制限

会社の権利能力は定款に定められた目的、すなわち会社の目的たる事業によつて制限されるというのが、明治三六年一月二九日の判決以来とられている判例の立場である。これによれば、会社の機関がその目的以外の事項に関し会社の名をもつてなした行為が会社に対して効力を有するものであるかどうかについては、商法に何らの規定がないから民法の規定によつて決することを要するが、民法第四三条によれば、法人はその定款記載の目的の範囲内においてのみ権利を有し義務を負うものとされているから、会社についても同様に解すべきであるとするのである【3】【4】。すなわち、判例は民法第四三条の規定が直ちに会社にも適用あるもののごとくに述べている。しかし、同条は本来公益法人に関する規定であつて、私法人一般に関する通則ではないから、それが営利法人たる会社に当然適用ありとなしえないことはいうまでもない。この規定の趣旨を会社に及ぼすとしても、そのためには、この規定の基礎は公益法人の法人たることに存し、それはいわば法人一般の性質にもとづく原則を定めたものであり、従つて同じく法人たる会社にも類推適用されるものと解しなければならない。その意味において、判例の立言はいささか不正確のそしりを免れない。かように判例は、民法第四三条の規定を基礎として会社の権利能力は定款所定の目的により制限されると解しているのであるから、却つてかかる規定のなかつた民法施行前にあつては、会社はその目的たる営業の範囲外における法律行為といえども絶対になしえないものではないと解していたのである【5】。

【3】「会社ノ法定代理人カ其目的以外ノ事項ニ関シ会社ノ名ヲ以テ為シタル行為ハ会社ニ対シ効力ヲ有スルモノナルヤ否ヤノ事項ニ関シテハ旧商法中更ニ何等ノ規定存セサルヲ以テ其事項ハ民法ノ規定ニ因リ之ヲ決セサルヘカラス。然リ而シテ本件係争契約締結当時既ニ施行セラレタル現行民法第四三条ニ依レハ法人ハ其目的ノ範囲内ニ於テノミ権利ヲ得義務ヲ負フモノニシテ其目的以外ニハ人格ヲ有セサルモノナレハ其目的ノ範囲外ニ於ケル業務担当社員ノ行為ハ縦令ヒ会社ノ名義ヲ以テ為サレタルトキト雖モ之ヲ会社ノ事務ナリト云フヘカラス。既ニ会社ノ事務ニアラサル以上ハ其行為カ会社ニ対シ効力ヲ生シ得ヘキモノニアラサルヤ勿論ナリトス。故ニ原院カ甲第一号証契約（社長が会社創業の際から尽力した好意に対し謝意を表するため控訴人四名に対し金二千円を贈与すべきことを約諾したもの）ハ被上告会社ノ目的以外ノ事項ニ関シテ業務担当社員タル社長深山始三郎カ締結シタルモノナル事実ヲ認メ民法第四三条ノ規定ヲ適用シ上告人ニ対シ敗訴ヲ言渡シタルハ毫モ不法ニアラス」（大判明三六・一・二九。民録九・一〇六）。

【4】「法人ハ法令ノ規定ニ従ヒ定款又ハ寄附行為ニ因リテ定マリタル目的ノ範囲内ニ於テ権利ヲ有シ義務ヲ負フコトハ民法第四三条ニ規定スル所ナレハ株式会社ノ取締役ハ其定款ニ定メタル目的以外ノ業務ヲ為スコトヲ得サルモノニシテ若シ取締役カ定款ニ定メタル目的以外ノ行為ヲ為シタリトモ其行為ハ会社即チ法人ノ為シタル行為ト為ラスシテ独リ取締役ノ責任タルニ止マルコトハ商法第一七七条（現行商法第二六六条ノ三）ノ規定ニ依リ明瞭ナリトス」（大判明三七・五・一〇。民録一〇・六四〇）。

【5】「民法第四三条ニ依レハ法人ハ法令ノ規定ニ従ヒ定款又ハ寄附行為ニ因リテ定マリタル目的ノ範囲内ニ於テ権利ヲ有シ義務ヲ負フヘキモノナレハ商事会社モ民法施行後ハ其目的ノ範囲内ニ於テハ権利義務ノ主体タルコトヲ得ルモ其範囲外ニ至リテハ決シテ権利義務ノ主体タルコトヲ得ルモノニ非ルハ固ヨリ論ヲ俟タスト雖モ民法施行前ニ於テハ別段此ノ如キ規定ナカリシカ故ニ商事会社ハ其目的タル営業ノ範囲外ニ於ケル民法上ノ法律行為ト雖モ絶対ニ之ヲ為スヲ得サルモノニ非ルコトハ本院カ従来判例トシテ是認シタル法理ナリトス。而シテ本件上告会社ノ為シタル保証契約ハ明治二九年四月中ノ成立ニ係ルヲ以テ原判決ノ如ク単ニ上告会社ノ目的タル業務ニ関係ヲ有セサル法律行為タルノ理由ヲ以テ直ニ之ヲ無効ト為スコトヲ得ス」(大判明三四・一二・二一民録七・一一・七七)。

人は権利能力を有する範囲内においてのみ法律上有効に行為することができる。従つて、上述のごとく会社の権利能力が定款所定の目的の範囲内に限定されるとするならば、その行為能力もまたこの範囲に限定されることとならざるをえないのであつて、(註一)会社の「目的ノ範囲外ニ渉ル事項ニ関シテハ、縦令其ノ行為カ該会社ノ名義ヲ以テ為サレタルトキト雖モ、之ヲ以テ会社ノ行為ナリト謂フ」ことをえず(函館控判大三・一〇・二九新聞九七八・一七)、その行為は会社に対して効力を生ずることなく(大判明三六・一・二九民録九・一〇六既出【3】)、会社はこれにもとづく債務履行の責任を負わないことはいうまでもない【6】。もとより当事者間の特約をもつてかかる行為を会社の行為として有効ならしめることはできないのであつて、その約束自体が無効といわなければならない。ただ合名会社及び合資会社に関しては特別の規定があつて、総社員の同意をもつてその目的の範囲外の行為をもなしうるものとされている(註二)(商七二条・一四七条)【7】。

【6】「会社ハ定款ニ依リテ定マリタル目的ノ範囲内ニ属スル行為及其ノ目的タル事業ヲ遂行スルニ必要ナル行為ニ限リ之ヲ為スノ能力ヲ有スルコトハ従来当院ノ判例トスルトコロニシテ今茲ニ之ヲ変更スル要ヲ見ス。而シテ原審ハ本件保証行為ヲ以テ村井鉱業株式会社ノ目的ノ範囲内ニ属スル行為ニ非サルハ勿論又其目的遂行ニ必要ナル行為ニモ属セサルモノナリト認定シタルカ故ニ被上告人ニ於テ保証債務履行ノ責ナキヤ明ナリ」(大判昭三・四・四新聞二八六六〇・一六)。

【7】「証拠ニ依リ訴外面川合名会社ハ総社員ノ同意ヲ得テ本件債務ヲ引受ケタル事実ヲ認定シ得ヘキヲ以テ仮令右債務引受行為カ前記会社ノ目的ノ範囲外ノ行為ナリトスルモ其行為ノ有効ナルコト商法第五八条（現行商法七二条）ノ規定ニ依リ明白ナリ」（大判昭七・二・五法学一・上七七八）。

註（一）　多数説は、本文所説のごとく定款所定の目的により法人の権利能力が制限され、ひいて行為能力もまた制限されるものと解しているが、これに対し、定款所定の目的により法人の権利能力は制限されることなく、その行為能力のみが制限されるとする説がある（末川・判例民法の理論的研究一頁、谷口「公益法人の在り方について」私法四号八五頁）。　この説によれば、民法第四三条は公益法人の行為能力のみの制限に関する規定と解されるわけである。

註（二）　商法第七二条の規定は通常、会社がたまたま臨時的にその目的の範囲外、従つて権利能力の範囲外の行為をなす場合に、その都度一々定款変更の手続をとり、行為が終つたのち再び定款を旧に復するの煩を免れさせようとする趣旨に出たものと説明されるが、実際上存在理由の乏しい規定である（大隅・全訂会社法論上巻七三頁）。　この規定に意味をもたせるとすれば、会社の機関が総社員の同意をもつてその目的の範囲外の行為をなす場合には会社に対する責任を免れるとするにあるとおもうが、これも総社員の同意がある以上法の特別の規定をまつまでもなく当然のことであるといえる。

三　目的の範囲内の意義

会社の権利能力が上述のごとく定款によつて定まつた目的の範囲内に限られるとするならば、そのいわゆる会社の「目的の範囲内」とはいかなる範囲を意味するかが、まず問題でなければならない。これに関する判例の態度を見るに、二度の変遷を経て次第にひろく解するようになつている。

（一）　前期（明治時代）　この時代の判例は、会社の定款に定められた目的の範囲内の行為の意義を極めて厳格に解した。わけても初期の判例は極端に厳格な態度をとり、目的の範囲内の行為とは目的自体に属する行為を指し、かつその目的は定款に明記された事項のみに限るとした。大体において明治四〇年頃までの判例がこれに属する。かような見地から、明治三六年の判決は、会社の社長が会社の創業に際し尽力した者に対し謝意を表するため金二千円を贈ることを約した契約をもつて会社の目的の範囲外であるとし（既出【3】参照）、ついで明治三七年の判決は、銀行の定款記載の営業科目と登記したそれとが齟齬するときは、その銀行の権利能力の範囲は前者によつて決すべきであり、銀行の営業科目に荷為替の保証がない以上、それは銀行の目的の範囲外の行為であるとし【8】、さらに明治四〇年の判決は、手形の支払保証が特定の銀行の目的の範囲内の行為であるか否かは、その銀行の定款に規定する目的中に包含せられるか否かにより定むべきであるから、定款で手形の支払保証を除外していないからといつて、一般銀行業者の目的の範囲内にある手形の支払保証をその銀行の目的の範囲内にありと断定するのは誤りであるとした【9】。

【8】「本件ニ於テ被上告銀行ノ営業科目ハ甲第三号証ナル定款ノ如クニシテ其中ニハ他人ノ債務ヲ保証スルコトノ記載アラサルニ因リ被上告銀行ノ取締役カ登記シタル営業ノ目的カ乙第一号証ノ如ク銀行営業トアリテ其意義広汎ナリトモ其登記ハ取締役カ過失ニテ為シタルモノト見ル外ナク随テ取締役カ登記簿ニ被上告銀行ノ営業科目ヲ誤リテ広汎ニ登記スルモ之カ為メ被上告銀行ノ営業科目カ変更セラルヘキモノニ非ス。此場合ニ於テモ亦被上告銀行ノ営業科目ハ依然定款ニ定メタルモノニ外ナラサルカ故ニ被上告銀行ノ取締役カ定款ニ反シ其営業科目ニ属セサル本件係争ノ荷為替ノ保証ヲ為シタルコトニ関シ被上告銀行ハ責任ヲ有セサルモノトス」（大判明三七・五・一〇民録一〇・六四〇）。

【9】「凡ソ株式会社ノ目的ハ其ノ定款ニ依テ定マルモノナレハ手形ノ支払保証ヲ為スコトカ株式会社タル上告人ノ目的ノ範囲内ナルヤ否ヤハ上告人ノ定款タル乙第四号証ニ規定スル目的中ニ包含スルヤ否ヤニ依リ之ヲ定メサル可カラス。然ルニ原判決カ乙第四号証ニ手形ノ支払保証ヲ除外セサルノ故ヲ以テ一般銀行営業者ノ目的ノ

範囲内ニ在ル手形ノ支払保証ハ上告人ノ目的ノ範囲内ニ在リト断定シタルハ違法ニシテ上告ハ其理由アリ」（大判明四〇・二・一二民録一三・一〇一）。

これらの判決の結果が経済生活の現実に即せず、取引安全の保護の見地から見て是認されえないものであることは明かである。そこで、明治四一年から四五年頃までの判決は、理論としては大体において従来と同じ立場をとりながらも、事実をなるべく広くみとめることにより、会社の権利能力の範囲を拡張しようと苦心するに至つた。その代表的なものとしては、金銭の貸借を目的としない会社であつても、その目的とする営業のために金銭を借入れるがごときはその目的遂行のためにする行為であつて、会社の目的の範囲内に属するものにほかならなく、しかも商人の行為はその営業のためにするものと推定すべきことは商法第二六五条第二項（現行商法五〇三条二項）の規定するところであるから、それが営業のためにするものでないことを主張する者はその証明の責に任じなければならないとする明治四一年の判決【10】、及び銀行が小切手中に支払保証の記載をなしその支払の義務を負担するは、預金又は貸付に関する行為にほかならないとする明治四四年の判決【11】をあげることができる。前の判決が強いて商法第二六五条第二項（現行商法五〇三条二項）の規定を援用し、また後の判決が小切手の支払保証を無理に預金又は貸付に関する行為の中に包含せしめているところに、苦心のあとを見ることができるわけである。しかし、かような苦しい解釈をしなければならないのはひつきよう、会社の目的の範囲内の行為をもつて目的自体に属する行為となし、かつその目的を定款に明記された事項にのみ限定しようとする基本の理論の破綻を示すものにほかならない。従つて、その理論自体が反省されることとなるのは自然である。

【10】「金銭ノ貸借ヲ目的トセサル会社ト雖モ其目的トスル営業ノ為メニ金銭ヲ借入ルルカ如キハ其目的遂行

ノ為メニスル行為ニシテ畢竟其目的ノ範囲内ニ属スルモノニ外ナラス。而シテ商人ノ行為ハ其営業ノ為メニスルモノト推定スヘキコトハ商法第二六五条(現行商法五〇三条)第二項ノ規定スル所ナレハ其営業ノ為メニスルモノニ非サルコトヲ主張スル者ニ於テ之ヲ証明スル責ニ任セサルヘカラス。故ニ会社ノ支配人カ会社ノ為メニ金銭ヲ借入レタルトキハ会社ノ営業カ金銭ノ貸借ヲ目的トセサル場合ト雖モ反証ナキ限リハ其営業ノ為メニ之ヲ為シタルモノト推定スルヲ当然トスルヲ以テ其行為ハ右推定ニ基キ会社ノ目的遂行ノ為メニシタルモノニシテ支配人ノ権限ニ属スルモノト謂ハサルヲ得ス」(大判明四一・二・一七民録一四・一一一)。

【11】「銀行カ小切手ニ支払保証ノ記載ヲ為シ其支払ノ義務ヲ負担スルハ預金又ハ貸付ニ関スル行為ニ外ナラサルカ故ニ原判決カ一面ニ於テ小切手ニ支払保証ノ記載ヲ為スヲ以テ手形行為ニアラスト為シ他ノ一面ニ於テ小切手ニ支払保証ノ記載ヲ為スヲ以テ銀行取引ノ範囲ニ属スルモノト説示スルモ其間何等矛盾スル所アルナシ」(大判明四四・三・二〇民録一七・一五〇)。

(二)　後期(大正以後)　この時代になつて、会社の「目的の範囲内の行為」の語は著しく自由な見地から解釈されるに至り、会社の権利能力もかなりひろい範囲においてみとめられることとなつた。会社の権利能力の範囲をなるべく広く解しようとする傾向は、まず大都市の下級審の判決によつてひらかれ、漸次大審院の判決を動かしていることが注目せられる。例えば、明治三九年の東京控訴院判決は、手形の支払保証のごときは銀行取引を営業とする会社の目的の範囲内にあるものとし(東京控判明三九・五・一一新聞三六五・一九)、また明治四一年の東京地方裁判所の判決は、会社の代表社員がその資格においてなした行為は一応会社の目的たる営業のためにするものと推定することをうべく、かつ会社が他の会社との取引上他会社の負担する債務のために担保を供与する行為のごときは、会社の目的遂行の手段としてなしたもので、その目的の範囲内の行為とみとめるを至当とすとし(東京地判明四一・四・二六新聞四九七・一一)、さらに法人はその目的たる事業及びその事業をなすに必要な行為をなすことができ、従つて馬匹購入を目的とする法人がその目的を達するためになす手形の振出行為をもつて、その目的の範囲外の行為となすことはできないとした（東京地判明四一・一二・一五新聞五四七・一六）。ほぼ類似の立場から、明治四三年の大阪地方裁判所の判決は、定款に何ら定めるところがなくとも、営業のため必要なる限り約束手形の振出は会社の目的の範囲内に包含されるとし（大阪地判明四三・一二・一〇新聞六三二・一三）、また明治四二年の名古屋控訴院判決は銀行のなす債権譲渡を（名古屋控判明四二・一二・四最近判例集六・八〇）、四三年及び四五年の東京控訴院判決はそれぞれ銀行のなす債権譲渡（東京控判明四三・一〇・三一新聞六九八・二四）及び手形の支払保証（東京控判明四五・六・二八新聞八一二・二三）を会社の目的の範囲内の行為とみとめている。これらの判決は単にその結論においてばかりでなく、その理論構成においても爾後の大審院の判例への途をひらいているものといえるが、かような判決がいかにしてもたらされたかについて考えるに、わが国経済の発展による会社企業の興隆にともない、会社と一般第三者との間の複雑な取引関係においては、会社の内部関係よりも取引の相手方たる公衆を保護する必要が痛感されるに至り、それがまず事実審たる下級裁判所の判決に反映したものと見るべきであろう。それと同時に、法律学において法人擬制説に代わり法人実在説が有力となつてきたことも、何ほどかの影響を及ぼしているものと考えられる（田中誠二・大正一〇年判例民法五二四頁参照）。

かかる機運に促されて、従来の判例理論に新らしい転機をもたらしたのは、大正元年一二月一五日の大審院判決であつた。この判決によれば、「会社ノ定款ハ其会社ノ目的トスル所ノ事業並ニ其事業ノ経営ニ関スル条項ヲ定ムル根本ノ規約ヲ包含スルモノニシテ、冗漫ヲ避ケ簡潔ヲ旨トスルヲ以テ単ニ其大綱ヲ掲ケ細目ニ渉ラサルヲ常トス。故ニ定款ノ条項ニ則リ会社ノ目的タル事業ノ性質範囲ヲ定ムルニ当リテハ、定款中ニ具体的ニ記載セル文言ノ本来ノ意義ノミヲ標準トシテ決スルコトヲ得ス、却テ其記載事項ヨリ推理演繹シ得ヘキ事項ハ仮令定款中ニ於テ具体的ニ之ヲ指示サセルモ尚ホ其記載事項中ニ包含セラルルモノト推断スルコトヲ妨ケサルモノトス。従テ定款中ニ於テ之ニ相当スル文言ヲ以テ記載セラレサル事項ト雖モ定款中ニ記載セル目的事項中ニ自ラ包含セラレタルモノト認メラレ得ヘキモノハ、会社目的ノ一部ヲ成スヘキモノナルノミナラス会社ノ目的ヲ達スルニ必要ナル事項ハ定款中ニ記載セサルモ其目的ノ範囲内ニ於ケル会社ノ業務タル性質ヲ有スルモノトス」とされるのである(大判大元・一二・二五民録一八・一〇八二)。かような立場から右の判決は、銀行業者の業務である貸付中には間接に金銭の融通をなすことにより与信行為の一つに属する手形債務の保証をも包含するものとみとめているのである【12】。すでにこの判決において、定款によつて定められた目的の範囲内に属する行為とは、目的自体に属する行為のみならず、目的を達するに必要な行為をも包含する趣旨が示されているが、この点は大正三年六月五日の判決により、「会社ハ定款ニ依リテ定マリタル目的ノ範囲内ニ包含スル事項及其ノ目的タル事業ヲ遂行スルニ必要ナル事項ニ依リ権利能力を有スル」として、一層明確にされた【13】。爾来今日に至るまで多数の大審院又は最高裁判所の判決及び下級裁判所の判決は、いずれもこれと同じ立場に立つている。それゆえ、現在までの判例により確立された理論としては、「会社ハ其ノ定款ニ定マリタル目的ノ範囲内ニ属スル行為ノミナラス」、「縦令直接ニハ会社ノ定款所定ノ目的ノ範囲ニ属セサルモ」「其目的タル事業ヲ遂行スルニ必要ナル行為ヲモ為ス能力ヲ有シ」【14】【15】、かつそのいわゆる「定款ニ定メタル目的ノ範囲ハ、之ヲ記載シタル文言ニ拘泥シテ制限的ニ解釈スヘキモノニ非スシテ、其ノ記載文言ヨリ推理演繹シ得ヘキ事項ヲモ包含スルモノト解スヘキ」ものとする【16】にあるといえる。

【12】（本文の引用につづいて）、「而シテ上告会社ハ明治二三年法律第七二号銀行条例ニ準拠シ銀行業ヲ営ムヲ以テ目的トスルモノナルハ乙一号証ノ記載ニ依リ原院ノ確定シタル事実ニシテ銀行業者ハ貸付ヲ以テ業務ト為スコトハ同条例ニ規定スル所ナリトス。然ルニ金銭ノ貸付ハ一ノ与信行為ニシテ直接ニ金銭ノ融通ヲ為スヲ目的トスルモノナレハ之ヲ目的トシテ事業ヲ営ム所ノ上告会社ハ間接ニ金銭ノ融通ヲ為スニ因リテ与信行為ノ一ニ属スル手形債務ノ保証ヲモ其業務トシテ取扱フモノト認ムルコトヲ得ヘク上告会社ノ定款中ニ明示セラレ其目的事業ノ一部ヲ成ス所ノ貸付中ニハ之ト同種同性質ナル手形債務ノ保証ヲモ包含スルモノト解釈スルコトヲ得ヘシ」（大判大元・一二・二五民録一八・一〇八二）。

【13】「会社ハ定款ニ依リテ定マリタル目的ノ範囲内ニ包含スル事項及其目的タル事業ヲ遂行スルニ必要ナル事項ニ依リ権利能力ヲ有スルモノナルモ会社カ其目的タル事業ヲ遂行スルニ必要ナル事項ノ如何ニ付テハ法律上一定ノ標準アルナク定款ニ依リテ定マリタル会社ノ目的ト其為シタル行為トヲ対照審究シテ判定ス可キ事実問題ニ属スルヲ以テ上告会社ノ如キ毛糸紡績及ヒ「モスリン」其他毛織物ノ製造販売ヲ目的トスル会社ト雖モ取引先ナル他人ノ破綻ヲ救済スルコトカ其取引関係ヲ持続スルニ付必要ニシテ之カ為メ手形ニ裏書ヲ為シタル如キ場合ニ於テハ其行為ハ会社ノ目的タル事業ヲ遂行スルニ必要ナルモノト謂ヒ得ヘシ。然レトモ商人ノ行為ハ其営業ノ為メニスルモノト推定ス可キ規定ハ会社ニ付テハ係争行為カ其目的タル事業ヲ遂行スルニ必要ナルトキ即チ会社ノ権利能力ノ定マリタル後ニ適用ス可キモノニシテ会社ノ目的遂行ノ為メニ必要ナルヤ否ヤヲ定ムルニ付テ適用スヘキモノニアラス」（大判大三・六・一五民録二〇・四四二）。

【14】「会社ハ其定款ニ定マリタル目的ノ範囲内ニ属スル行為ノミナラス其目的タル事業ヲ遂行スルニ必要ナル行為ヲモ之ヲ為ス能力ヲ有スルモノニシテ其目的タル事業ヲ遂行スルニ必要ナル行為ナルヤ否ヤハ各場合ニ付判定スヘキ事実問題タル可ク会社カ或株主ニ其帳簿書類ヲ閲覧セシムルコトヲ約スルハ会社ノ経済ノ状況財政ノ基礎事業ノ成否等ニ付キ其株主ノ有スルコトアル可キ疑惑若クハ危虞ノ念ヲ除去シ延ヒテ会社ノ信用ヲ増進セシメ業務繁栄ニ資スルコト尠カラサル可ク従テ会社ノ目的タル事業ヲ遂行スルニ必要ナルモノト謂ヒ得可キコト実験則上明ニシテ其閲覧ニ供ス可キ帳簿書類ハ必スシモ商法所定ノモノニ限ルヘキニアラス。故ニ原裁判所カ上告会社ノ取締役カ被上告人ニ本訴帳簿書類ノ閲覧ヲ為サシムル契約ヲ為シタルハ業務執行ノ必要ニ出テタルモノニ

シテ即チ其行為ハ会社ノ目的タル事業ヲ遂行スルニ必要ナルモノナレハ其為シタル契約ハ有効ナル旨ヲ判示シタルハ不法ニアラス」（大判大一〇・一一・二 民録二七・一八七〇）。

【15】「他人ノ債務ヲ引受クルカ如キハ縦令直接ニハ会社ノ定款所定ノ目的ノ範囲ニ属セサルモ仍ホ其ノ目的タル行為遂行ノ必要上之ヲ為スコトアルヘキハ言ヲ俟タサル所ニシテ斯ル引受ハ畢竟会社ノ目的タル行為ノ範囲ニ属スルモノト言ハサルヘカラス」（大判昭一〇・四・一三 民集一四・五三一）。

【16】「会社ハ定款ニ定メタル目的ノ範囲内ニ於テ権利ヲ有シ義務ヲ負フモノナレハ其ノ目的ノ範囲外ニ渉ル行為ヲ為ス能力ヲ有セサレトモ定款ニ定メタル目的ノ範囲ハ之ニ記載シタル文言ニ拘泥シテ制限的ニ解釈スヘキモノニ非スシテ其ノ記載文言ヨリ推理演繹シ得ヘキ事項ヲモ包含スルモノト解スヘキノミナラス定款ニ具体的ニ記載シタル事業ヲ遂行スルニ必要ナル事項モ亦目的ノ範囲内ニ属スルモノトシテ之ヲ為スノ能力ヲ有スルモノト謂ハサルヘカラス。是当院判例ノ夙ニ認ムル所ナリ。而シテ或事項カ会社ノ定款ニ定メタル事業ヲ遂行スルニ必要ナルモノナルヤ否ハ各場合ニ付判断スヘキ事実問題ニシテ鉄道事業ヲ経営スル株式会社カ炭鉱採掘事業ノ兼営ニ依リ会社ノ金融ヲ図リ其ノ経済ヲ充実セシメントスル場合ナルニ於テハ其ノ採掘事業ハ会社ノ目的タル事業ヲ遂行スルニ必要ナルモノト謂フヘク而モ特別ナル事情ナキ限リハ其ノ兼営ハ会社ノ金融ヲ図リ経済ヲ充実セシムル趣旨ニ出テタルモノト推測スヘキモノトス。本件被上告会社カ福岡県鞍手郡西川村新延炭坑ニ於テ石炭ノ採掘権ヲ取得シ之カ登録ヲ為セルコトハ当事者間ニ争ナキ所ニシテ該採掘事業カ被上告会社ノ定款ニ明記ナキコト同炭坑ヨリ採掘スル石炭カ原料炭ニシテ燃料用ニ適セサレハトテ之ヲ売却シ若ハ其ノ他ノ処分ヲ為シテ会社ノ金融ニ資スルコトヲ得サルニ非サルヲ以テ斯ル事実ハ右採掘事業カ被上告会社ノ鉄道事業ヲ遂行スルニ必要ナラサルコトヲ判断スヘキ理由ト為スニ足ラサルノミナラス該採掘事業カ定款ニ記載ナキ一事ニ依リテハ鉄道事業ヲ遂行スルニ必要ナラサルコトヲ判断スルヲ得サルヲ以テ原審ニ於テハ石採掘権ノ取得カ会社ノ金融ヲ図リ経済ヲ充実セシムル目的ニ出タルヤ否ヲ審査シタル上其ノ目的ノ範囲内ニ属スルヤ否ヲ判定セサルヘカラサルモノトス」（大判昭六・一二・一七 新聞三三六四・一八）。

四　目的の範囲内か否かの判定

以上述べた通り、これまでの判例によれば、会社は定款に定められた目的の範囲内において権利能力を有し、かつそのいわゆる目的の範囲内とは定款所定の目的たる事業に属する事項及びその事業を遂行するに必要な事項を意味するものと解されている。しかし、学説においては、この解釈はせまきに失するものとして、会社の目的の範囲内とは、会社の目的たる事業の遂行に必要な事項のみならず、会社事業の遂行上起りうべきすべての事項ないし会社の目的に反しない一切の事項を包含するものと解する見解が少くない（竹田・民商法雑誌八巻六号一九八頁、松本・日本会社法論四一頁、近藤・註釈日本民法総則一七二頁。なお大隅・民商法雑誌一巻一号一〇九頁参照）。確かに会社事業の遂行に必要な事項の語は、これを厳格に解するならばかなり狭くとられるおそれがあるが、しかし会社事業の遂行に必要であるとか、会社事業の遂行上起りうべきとか、又は会社の目的に反しないというのはいずれも抽象的概念であつて、言葉自体の意味からは必ずしも明確な限界を定めることはできないのであつて、具体的事実の判断に当つてこれらの観念をいかにみとめるかが実際上最も重要な問題となる。この点において妥当であるならば、表現方法の巧拙はとにかくとして、いずれの見解をとるかにつき強いて争うことを要しないものともいえる。

それでは、特定の行為が会社の目的たる事業を遂行するに必要であるか否かを決するにつき、判例はいかなる態度をとつているかというに、それは昭和一三年二月七日の判決を転機として重要な変化を示している。それゆえ、その前後を区別して見なければならない。

（一）前　期　これは昭和一二年に至るまでの時代であつて、この期の判例は、或る行為が会社の目的たる事業の遂行に必要な行為であるか否かを決するについては、「法律上一定ノ標準ナク、定款ニ依リテ定マリタル会社ノ目的ト其ノ為シタル行為トヲ対照審究シテ判定スヘキ事実問題」であり（大判大三・六・五民録二〇・四四二【13】、大一〇・一一・二民録二七・一八七〇【14】、昭六・一二・一七新聞三三六四・一八【16】）、従つて会社の「目的タル事業ノ性質其ノ他諸般ノ情状ヲ参酌シテ具体的ニ各場合ニ付之ヲ定ムル」ほかないものとしている（大阪控判昭二・八・一七新聞二七三八・七）。そしてこの点に関し争がある場合の立証責任については、既述の明治四一年二月一七日の判決は、附属的商行為に関する当時の商法第二六五条第二項（現行商法五〇三条二項）の規定を援用して、「商人ノ行為ハ其営業ノ為メニスルモノト推定スヘキコトハ商法第二六五条第二項ノ規定スル所ナレハ、其営業ノ為メニスルモノニ非サルコト――従つて会社の目的の範囲外なること――ヲ主張スル者ニ於テ之ヲ証明スル責ニ任セサルヘカラス」としたが（大判明四一・二・一七民録一四・一二二【10】）、大正三年六月五日の判決は、「商人ノ行為ハ其営業ノ為メニスルモノト推定スヘキ規定ハ会社ニ付テハ係争行為カ其目的タル事業ヲ遂行スルニ必要ナルトキ即チ会社ノ権利能力ノ定マリタル後ニ適用ス可キモノニシテ、会社ノ目的遂行ノ為メニ必要ナルヤ否ヤヲ定ムルニ付テ適用ス可キモノニアラス」（大判大三・六・五民録二〇・四四二【13】）として、明かに右の立場を抛棄した。その結果、或る行為が会社の目的たる事業の遂行に必要な行為であることは、これを主張する者において立証することを要し、「反証ナキ限リ直ニ会社事業ノ遂行ニ必要ナル行為ナリト推定スルヲ得」ないとされた【17】。ただその立証としては、多くの場合その行為のなされるに至つた基礎たる事実、例えばその行為は会社の金融のためになされたとか、従来からの取引関係にもとづいてなされたというような事実の確定をもつて足るとされた。

【17】「本件ニ於テ上告会社ハ綿糸ノ製造販売及各種織物ノ製造販売加工請負其ノ他之ニ関連スル一切ノ附帯事業ヲ目的トスル会社ニシテ本件手形ニ於ケル上告会社名義ノ裏書ハ単ニ訴外日本「クレープ」株式会社ニ金融ヲ得セシムルノ目的ヲ以テ為サレタルコトハ原審ノ確定セル事実ナレハ右裏書ハ上告会社ノ目的タル事業ノ遂行ニ必要ナリトノコトハ之ヲ主張スル被上告人ニ於テ立証スル責アルモノトス。何トナレハ会社ハ定款ニ依リテ定マリタル目的ノ範囲内ニ属スル行為及其ノ目的タル事業ヲ遂行スルニ必要ナル権利能力ヲ有スルモ其ノ目的タル事業ノ遂行ニ必要ナリヤ否ヤハ各場合ニ付判定スヘキ事実問題ニ属シ反証ナキ限リ直ニ会社事業ノ遂行ニ必要ナリト推定スルコトヲ得サレハナリ」(大判大一一・七・一七民集一・四〇四)。

しかし、かような大審院の判例の態度にもかかわらず、その後も下級裁判所においては、会社の行為は一応会社事業の遂行に必要にしてその目的の範囲内にあるものと推定すべきであり、その反対の事実はこれを主張する者において立証の責に任じなければならないとする趣旨の判決が繰り返された(東京控判大四・二・二五評論四・商法一二五、東京地判大九・五・二〇評論九・商法五三九、同大九・九・二一評論九・商法五七八、浦和地判大一二・四・二四評論一二・商法二八八、東京地判大一四・一一・六評論一四・諸法四二九、東京控判大一五・五・一一新聞二五九六・一五)。ことに問題が手形行為に関する場合においてその傾向が著しく、問題の手形の振出引受が会社の目的の範囲内にないことを明かにみとめながら、手形行為が抽象的無因行為であることを理由に会社の手形上の責任をみとめた判決さえも見られた(東京地判昭四・一一・一六評論一九・商法三三)。これは、会社の権利能力の範囲をできるだけ広く解するのでなければ、実際取引の要求に応じえないことを示すものにほかならない。そこで大審院の判決も、或は「鉄道事業ヲ経営スル株式会社カ炭鉱採掘事業ノ兼営ニ依リ会社ノ金融ヲ図リ其ノ経済ヲ充実セシメントスル場合ナルニ於テハ、其ノ採掘事業ハ会社ノ目的タル事業ヲ遂行スルニ必要ナルモノト謂フヘク、而モ特別ナル事情ナキ限リハ其ノ兼営ハ会社ノ金融ヲ図リ経済ヲ充実セシムル趣旨ニ出テタルモノト推測スヘキモノトス」(大判昭六・一二・一七新聞三三六四・一八【16】)とし、或は「商人ノ行為ハ其ノ営業ノ為ニスルモノト推定スヘキモノナルコトハ商法第二六五条第二項（現行商法五〇三条二項）ノ明示スルトコロナルヲ以テ、商人タル上告会社ニ於テ本件約束手形ノ振出ヲ受ケ之ヲ裏書譲渡シタル行為ハ反証ナキ限リ上告会社ノ営業目的ノ範囲ニ属スルモノナリト推定スヘキハ当然」であるとして（大判昭九・三・七、法学三・一〇七一）、既述の大正三年六月及び大正一一年七月の判決をすてて再び明治四一年二月の判決と同様の態度に復帰し、叙上の下級審判決への接近を示すに至つた。

以上が、大正の初年から昭和一二年までにおける判例の基本的な態度であつた。それでは、このような態度の下に具体的にはいかなる事項が会社の目的たる事業の遂行に必要な行為と解されたであろうか。さきに述べた通り、実際上はこれが最も重要な問題でなければならない。

19

多数の判例を概観するに、最もしばしば問題となつているのは、手形の振出・裏書・引受・保証又は小切手の支払保証などの手形行為及び小切手行為、貸金又は借財などの消費貸借、他人の債務の保証及びこれに対する担保物の供与、債権譲渡及び債務の引受等である。これらの行為が会社の目的たる事業を遂行するために必要であり、会社の権利能力の範囲内にあるとされた事例としては、輸出入商品の仲買及び委託売買並びに貨物取扱業を目的とする会社が石炭の売買及びこれにともなう運賃の契約をなし、かつその運賃融通のため約束手形の振出をなすこと【18】、会社が手形の振出引受等の行為をなすこと【19】、毛織物の製造販売を目的とする会社が取引先の破綻を救済しその取引関係を持続するため手形の裏書をなすこと（大判大三・六・五民録二〇・四四一【13】）、銀行業者が他人の振出に係る手形の引受をなすこと【20】、銀行が手形債務の保証をなすこと（大判大元・一二・二五民録一八・一〇八二【12】）【21】、運送業会社がその営業資金を他に貸付けること【22】、織物の売買を業とする会社がその買取先なる織物製造業者のために加工用の生地仕入に関し保証をなすこと【23】、会社がその姉妹会社のために債務の引受をなし【24】、又は他人の債務を引受けること(大判昭一〇・四・一三 民集一四・五三二【15】)などをあげることができる。

【18】「上告会社ノ目的カ「輸出入商品ノ仲買及同上物品ノ委託売買並ニ貨物取扱業」ナル以上ハ上告会社ノ為メニ石炭ノ売買及ヒ之ニ伴フ運賃ノ契約ヲ為シ並ニ其運賃融通ノ為メ約束手形ヲ振出スカ如キハ其目的ノ範囲内ノ行為ト認ムルヲ相当トス」(大判大二・六・二一 民録一九・四七四)。

【19】「会社ハ其ノ目的タル事業ヲ遂行スルニ必要ナル行為ヲ為スノ能力ヲ有スルモノニシテ会社カ其ノ金融ノ必要上手形ノ振出引受等ノ行為ヲ為スハ通常ノ事例ナレハ手形ノ振出引受等ヲ為スハ会社ノ目的タル事業ヲ遂行スルニ必要ナル行為ニ属スルモノト解スルヲ相当トス。(中略) 故ニ原院カ訴外長島弘ハ上告会社ノ社長取締役トシテ大正一二年五月二九日金額一万五千円受取人訴外東京興業信託株式会社支払人上告会社支払地東京市満期日同年七月二七日ト定メタル為替手形ヲ振出シ即日之ヲ引受ケタルモノナル処右手形ノ振出引受ハ弘個人ノ必要上其ノ取締役タル資格ヲ濫用シテ為サレタルモノナルモ尚会社ノ目的タル事業ヲ遂行スルニ必要ナル行為タルヲ妨ケスト判断シ上告会社ハ手形所持人タル被上告人ニ対シ右手形上ノ責任ヲ負担スヘキ旨判示シタルハ不法ニ非ス」(大判昭三・七・一九 評論一七・商法五八〇)。

【20】「銀行業者カ他人ノ振出ニ係ル手形ニ対シ支払ノ引受ヲ為スハ金融ノ手段トシテ往々行ハルル所ニシテ銀行ノ事業ヲ遂行スルニ必要ナルモノト謂ヒ得ヘキヲ以テ其ノ引受ハ銀行ノ目的ノ範囲内ニ属スルモノト認メ得ヘク縦令銀行ト振出人トノ間ニ資金関係対価関係存セサレハトテ手形ノ引受カ客観的ニ銀行ノ目的ノ範囲内ニ属スル以上ハ或ハ引受行為ヲ為シタル代表者ノ責任問題ヲ生スルコトアルヤモ図ラレサルモ引受人トシテノ銀行ノ手形上ノ責任ニハ何等ノ影響ヲ及ホササルモノトス。故ニ原院カ株式会社琴平銀行ノ頭取石田甚吉カ本件為替手形ニ引受ヲ為シタル事実ヲ認メ振出人赤沢静五郎ト同銀行トノ間ニ之カ資金関係対価関係存スルヤ否ニ付審理ヲ為サスシテ同銀行ヲ合併シタル上告銀行ノ手形上ノ責任ヲ認メ因テ以テ被上告人ノ相殺ノ意思表示ヲ容認シタルハ不法ニ非ス」(大判昭六・六・二一 法律新報二六八・一四)。

【21】「貸付ハ金銭ノ融通ヲ目的トスルモノナレハ貸付ノ業ヲ営ム銀行ハ直接ニ金銭ノ消費貸借ヲ為スコトヲ

得ルハ勿論反証ナキ限リ間接ニ金銭ノ融通ヲ為スノ方法タル手形ノ支払保証ヲモ為スコトヲ得ルモノト推定スヘク従テ定款ニ定メラレタル目的事業タル貸付ニハ手形ノ支払保証ヲモ包含スルモノト解スルヲ相当トス」（大判昭四・一二・二評論一九・商法二七四）。

【22】「株式会社ハ定款ニ因リ定マリタル目的ノ範囲内ニ於ケル事項ノミナラス其ノ目的タル事業ヲ遂行スルニ必要ナル事項ニ付権利ヲ有シ義務ヲ負ヒ得ヘキモノナルヲ以テ運送業倉庫業及ヒ之ニ附帯スル一切ノ業務ヲ営ムコトヲ目的トスル被上告株式会社カ其ノ営業資金ヲ他ニ貸付クルカ如キハ資金ノ保管又ハ利用ノ方法ニ外ナラサルモノトシテ固ヨリ被上告会社ノ目的タル事業遂行ノ為メ必要ナル事項ニ属スルモノト推認スルヲ当然トス」（大判昭一〇・六・一三法学五・一一一三）。

【23】「織物ノ売買ヲ業トスル商事会社カ其買取先ナル織物製造業者ノ為ニ加工用ノ生地仕入ニ関シ保証ヲ為スコトハ必スシモ常ニ同会社ノ目的ニ反スル無効ノモノト断スルヲ得ス。蓋シ右ノ織物業者ハ会社ノ保証アルカ為仕入上ニ多大ノ便宜ヲ得延テ保証ヲ為シタル会社ニ於テモ有利ナル条件ノ下ニ加工製品ノ購入ヲ為スコトヲ得ルコトトナリ会社ノ目的タル織物売買業ノ遂行発展ニ資シ得ルコトトナルナキヲ保スヘカラサルヲ以テナリ。而シテ原判決ハ本件保証契約ハ上告会社ノ買先ナル訴外亀井伊助ノ為ス生地仕入ニ関シ行ハレタルモノニ係リ而カモ同人ト上告会社トノ間ニ密接ナル取引関係ノ存在スルニ徴シ敢テ上告会社ノ目的ニ反スルモノニ非スト為ス趣旨ナルコト原判文上之ヲ窺知シ難キニ非サルヲ以テ上告会社ニ対シ本件保証ニ付履行ノ責アリト判示シタルハ正当ナリ」（大判大一五・三・二七評論一五・民法一〇七三）。

【24】「商事会社タル大村物産株式会社カ其所謂姉妹会社ノ為メニ債務ノ引受ヲ為スカ如キハ会社ノ目的ノ範囲内ノ行為ニ属スルモノト為スヲ通常トス」（大判昭一三・三・一九法学七・一二七四）。

以上のほか、なお会社の目的たる事業を遂行するために必要であり、会社の権利能力の範囲内の行為であるとされた重要な事例としては、つぎのようなものがある。会社が株主にその帳簿書類を閲覧せしめる旨の契約をなすこと【25】、会社がその事業の経営管理を契約により他人に一任すること【26】、肥料及び米穀の販売を目的とする会社が無尽に加入して金融をはかること【27】、機械類の販売を業とする会社が当該機械類をみずから製作すること【28】、鉄道事業を目的とする会社が金融をはかり経済を充実せしめる目的をもつて石炭採掘事業を行うこと（大判昭六・一二・一七新聞三三六四・一八【16】、同昭九・一二・二六法学四・七四二）、貯蓄銀行でない会社が積立金の取引をなすこと【29】、物品販売業を目的とする会社が物品の取引所における取引をなすこと（東京控判大四・五・五評論四・商法二〇一）、内外物産直輸出入業を目的とする会社が輸出の不能又は不利な場合にその買入れた内国物産を内国にて処分すること（札幌地判大九・三・六新聞一七五九・一七）、親会社が子会社の社債募集につき保証をなすこと（東京地判昭四・一二・六評論一九・商法三六）、石炭採掘販売を目的とする会社がその所有する唯一の炭鉱を売却すること（大阪控判新聞三五〇九・一一）などがこれである。

【25】　「会社カ或株主ニ其帳簿書類ヲ閲覧セシムルコトヲ約スルハ会社ノ経済ノ状況財政ノ基礎事業ノ成否等ニ付キ其株主ノ有スルコトアル可キ疑惑若シクハ危虞ノ念ヲ除去シ延ヒテ会社ノ信用ヲ増進セシメ業務ノ繁栄ニ資スルコト尠カラサル可ク従テ会社ノ目的タル事業ヲ遂行スルニ必要ナルモノト謂ヒ得可キコト実験則上明ニシテ其閲覧ニ供ス可キ帳簿書類ハ必スシモ商法所定ノモノニ限ルヘキニアラス」（大判大一〇・一一・二二民録二七・一八七〇）。

【26】　「会社カ外部関係ニ於テ全然其ノ目的トスル事業ヲ廃止シタルニ非ル以上内部関係ニ於テハ一般商人ト同様必スシモ常ニ会社自ラ該事業ヲ経営管理スルコトヲ要セス。之ヲ契約ニ依リ他人ニ一任スルコトハ敢テ妨ケナキ所ナリ。又営利ヲ目的トスル社団法人ナレハトテ必スシモ年々所謂利益配当ヲ為スコトヲ要セス。苟クモ法人ニ於テ収益ヲ為シ因テ以テ解散ノ際社員ニ分配スヘキ残余財産ヲ増殖スルニ妨ケナキ契約ナルニ於テハ営利法人タル会社ノ本質ト相容レサルモノト謂フヘカラス。（中略）然ラハ本件契約ハ必スシモ営利法人タル会社ノ本質ト相容レサルモノト断スヘカラサルニ原審カ叙上ノ如ク判示シタルハ理由不備ノ違法アリ」（大判昭元・一二・二七民集五・九一二）。

【27】　「無尽ニ加入シ金融ヲ計ルコトハ肥料及米穀ノ販売ノミヲ目的トスル上告会社ノ当該営業上ノ行為ニアラサルコト論ヲ俟タスト雖モ営業ノ利益又ハ便益ヲ計ルカ為ニ利用セラレ得ヘキ行為ニシテ行為ノ性質上固ヨリ

上告会社ノ営業ノ範囲ニ関係ナキ行為ニアラサルヲ以テ上告会社カ本件無尽ニ加入シタル行為ハ反証ナキ限リ上告会社ノ営業ノ範囲内ニ属スル行為ト推定セサルヘカラス」（大判昭三・一・二〇評論一七・商法一二〇）。

【28】「被上告会社ノ目的カ機械類ノ販売ニ在ルコトノ之ヲ看取シ得ヘシト雖会社ハ其ノ目的トスル事業ノミナラス目的タル事業ヲ遂行スルニ必要ナル行為ヲモ之ヲ為スノ能力ヲ有スルモノニシテ被上告会社カ機械類ヲ販売スルニ当リテハ其ノ機械類ヲ或ハ他ヨリ購入スルヲ得策トスルコトアルヘク或ハ自ラ之ヲ製作スルヲ有利トスルコトアリ得ヘキハ実験則上明ナルヲ以テ該機械類ヲ自ラ製作スルコトモ亦会社ノ目的ヲ達スルニ必要ナル行為ニシテ被上告会社ハ之ヲ為スノ能力アリト認ムルヲ得サルニ非ス」（大判昭五・九・一一新聞三一七九・一四）。

【29】「原審ノ認定シタル事実ニヨレハ上告会社ハ会員ヲ募集シテ之ト一日一銭会ナル積立金ノ取引ヲ経営シ会員ヲシテ一口ニ付一銭宛ヲ満三年間上告会社ニ積立テシメ半年毎ニ相当ノ利息ヲ附スルコトヲ約シタリト云フニ在レハ右積立金ノ取引ハ貯蓄銀行法第一条ノ業務ニ属シ前記ノ如ク貯蓄銀行ニ非サル上告会社ノ営ムコトヲ得サル所ニ属スルコト明ナルモ元来会社ハ唯単ニ定款ニ因リテ定マリタル目的ノ範囲内ニ属スル行為ヲ為シ得ルニ止マラス其目的タル事業ヲ遂行スルニ必要ナル行為モ亦之ヲ為シ得ル能力ヲ有スルモノナルヲ以テ上告会社ハ少クトモ其事業遂行ニ必要ナル行為トシテ法律上有効ニ前記ノ積立金取引ヲ為スコトヲ得ルモノト云ハサルヘカラス」（大判昭一二・六・二八新聞四一五四・一四）。

これらと反対に、会社の目的の範囲外の行為とみとめられた事例としては、つぎのものがある。会社がその使用人の窮状を救うために保証をなすこと【30】、銀行が他人の既存債権につき保証をなすこと【31】、飲料水製造販売会社が、売却代金をもつて必要な器具の買入又は借入をなし事業を継続しようとするような特別の事情なくして、その一切の製造用具をあげて他人に売却すること【32】、会社が特別の事情なくして取締役個人の資格において振出された手形に保証をなすこと【33】等がこれである。

【30】「会社使用人カ経済上ノ打撃ニ因リ倒産ノ非運ニ陥リタレハトテ常ニ延テ会社自身ノ信用ヲ害スルニ至ルモノトハ断シ難シ。原審カ本件保証行為ハ社員ノ窮状ヲ救フカ為メ為サレタルコトヲ認定シナカラ更ニ証拠ニ

依リ会社ノ目的タル行為又ハ目的タル事業ノ遂行ニ必要ナル行為ニモ属セサル旨判示シタルハ敢テ実験則ニ背戻スルモノトハ為ス可カラス」（大判昭三・四・四新聞二八六〇・一六）。

【31】「銀行カ普通営業トスルトコロノ取引ハ商法第二六四条第八号（現行商法五〇二条八号）ニ所謂銀行取引ニ属シ金銭又ハ有価証券ノ転換ヲ媒介スルニ在レハ銀行ノ営業ノ範囲ニ属スルモノハ其媒介行為若シクハ之ヲ助成スル附属的行為ナラサルヘカラス。故ニ本件保証ノ如ク他人ノ既存債権ニツキ保証ヲ為スカ如キ与信行為ハ之ヲ普通ノ銀行営業ノ範囲ニ属スルモノト謂フヘカラサルハ勿論本件保証ハ之ヲ銀行営業ノ遂行ノ為メニ為シタルモノト謂フヘカラス。何トナレハ原判決ハ之ヲ以テ支配人カ其資格ヲ濫用シテ自己ノ利益ノ為メニ為シタルモノト認メタレハナリ。故ニ原判決カ本件保証行為ヲ以テ竜ケ崎銀行ノ営業ニ関スルモノニ非スシテ支配人ノ権限外ノ行為ニ属スルモノト為シタルハ正当ナリ」（大判大九・一二・二八民録二六・二一二八）。

【32】「飲料水製造販売ヲ目的トスルカ如キ株式会社ノ建物什器ハ会社カ其営業ヲ遂行スルニ必要欠クヘカラサルモノナルヲ以テ会社カ此等財産ヲ売却スルニ当リテハ一時之ヲ換価シ更ニ其資金ヲ以テ必要ナル器具ヲ買入若ハ借入ヲ為シ事業ヲ継続セントスルカ如キ特別ノ事情アル場合ニアラサル限リ其一切ノ製造用具ヲ挙ケテ他ニ売却スルカ如キハ会社ノ目的タル事業ノ遂行ト矛盾シ会社ノ解散ヲ条件又ハ期限トシテ為サルル場合ヲ外ニシテハ株主総会ノ決議アル場合ト雖之ヲ為スヘカラサルモノナルヲ以テ上告人ノ前記主張事実ハ本件売買ノ効力ヲ決スルニ付重要ナル先決事項ナリト謂ハサルヘカラス。然ルニ原判決ハ本件売買カ上告人主張ノ如キ事実関係ノ下ニ行ハレタルモノナルヤ否ヤヲ確定セスシテ唯漫然幵ハ総株主ノ同意ヲ経タルカ故有効ナリトノミ説明シ去リ之ニ基キ上告人ノ本訴請求ヲ排斥シタルハ畢竟審理不尽若ハ法則違反ノ不法アルモノトス」（大判昭三・四・七新聞二八六六・一五）。

【33】「生命保険会社ノ取締役カ他人ノ振出シタル約束手形ニ付キ手形法上ノ保証ヲ為シタルトキハ其保証ハ保険事業ニ属スル行為ニ非スト雖モ其事業ノ遂行ニ必要ナル限リ会社権能ノ範囲ニ属シ会社ノ保証トシテ有効ナルモノト謂フヘシ。而シテ斯ノ如キ保証ハ反証ナキ限リ保険事業ノ遂行ニ必要ナル行為ナリト認定スルハ経験上ノ法則ニ適合スレトモ其約束手形カ保証ヲ為シタル取締役個人ノ資格ニ於テ振出サレタルモノナルトキハ其保証ハ当該保険事業ノ遂行ニ必要ナルモノニハ非スシテ寧ロ取締役個人ノ為メニ為サレタルモノト解スルヲ相当トス。従テ其保証ヲ以テ取締役個人ノ為メニ為サレタルモノニ非スシテ保険事業ノ遂行ニ必要ナル行為ナリト判示

スルニハ其然ル所以ノ具体的事実ヲ認定セサルヘカラス」（大判大一〇・一・二一民録二七・一〇六）。

以上で前期における主な判例を概観した。既述の通り、ここでは、或る行為が会社の目的たる事業を遂行するに必要な行為であるか否かを決するについては法律上一定の標準はなく、定款所定の会社の目的とそのなした行為とを対照審究して判定すべき事実問題であるとされているから、これらの判例を通じて一定の客観的な基準を求めることはできないが、少くともつぎのことはみとめられる。すなわち、会社が自己の営業資金の調達ないし金融のためになした手形行為・金銭の貸借・債権譲渡その他の財産的行為、会社が取引関係を維持する必要上取引先をして金融をえしめ又はその破綻を救済するためになす手形行為・資金の融通・保証又は担保物の供与等の行為、会社がその財産の保全又は利殖の方法として他の会社の株式を取得する行為のごときは、その会社の目的たる事業の種類のいかんを問わず、一般的に当該会社の目的たる事業の遂行に必要な行為とみとめられるのである。

しかし、或る行為がこのように会社の目的たる事業の遂行に必要であるか否かは会社内部の問題であつて、外部第三者の容易に窺知しえないところである。それゆえ、会社の目的の範囲内の行為であるか否かを各場合の具体的事情にもとづいて判断すべき問題となし、ことにこれを主張する者において立証すべきものとするならば、会社と取引関係に立つ第三者はすこぶる不安不定の地位におかれ、取引の安全は期すべくもない。会社の活動領域が無限にひろげられ、極めて広い範囲において無数の取引を行い、その取引の相手方たる一般人も一々その取引が会社の定款所定の目的といかなる関係に立つかを顧慮していられない実情の下にあつては、かかる解釈は徒らに会社に対し責任免脱の口実を与え、当事者間の紛争を惹起する禍根とならざるをえない。かような考慮が多数の下級審判決を駆つて会社の行為は一応その目的の範囲内にあるものと推定せしめ、また大審院の判決をもこれに追随せしめるに至つたのである。しかしながら、そもそも会社の目的の範囲内の行為であるか否かの決定を各場合の具体的事情にもとづいて判断すべき事実問題であるとする態度自体が問題なのであつて、結局この点についての反省がなされるのでなければならない。すなわち、取引の安全を確保するためには、或る行為が会社の目的の範囲内の行為であるか否かの決定を取引の相手方たる第三者の窺知しえない各場合の具体的事情にかからしめるべきではなくして、何人にも明かなるべきその行為の客観的性質によるべきものとしなければならない。この点は学説において早くから指摘されていたのみならず（竹田・法学論叢九巻三号一二〇頁、田中誠・大正一〇年判例民法五二五頁、大隅・民商法雑誌一巻一号一一二頁）、下級審判決にも同様の立場をとるものが見られた。例えば、昭和三年三月一三日の東京控訴院判決は、「凡ソ或行為カ会社ノ目的ノ範囲内ニ属スルカ否カハ一般的抽象的ニ其行為ノ性質ヨリ観察シテ決スルヲ相当トスヘク、而シテ手形ノ振出引受行為ノ如キハ尠クトモ営利社団タル会社ノ目的事業ノ遂行ノ為メ必要ナル行為ニ属スルモノト解ス」べきものとしている（東京控判昭三・三・一三法律新報一四七・一七、大判昭六・六・一一法律新報二六八・一四【20】もややこれに近い）。しかし、大審院が従来の立場を改めてこれと同様の見解を宣明したのは、昭和一三年になつてからであつた。

（二）後　期　昭和一三年二月七日の大審院判決は、倉庫業・運送業及びこれらに附帯する一般業務を目的とする合資会社の無限責任社員が、会社名義をもつて、実際上は自己個人の利益のためになした重油の買入が、同会社の目的従つて権利能力の範囲内に属し、会社にその売買代金弁済の責任があるか否かの問題に関し、「此ノ重油買入ノ行為カ外形ヨリ観テ被上告会社ノ目的タル前記業務ヲ遂行スルニ必要ナル行為タリ得ヘキモノナルニ於テハ、右行為ハ被上告会社ノ目的ノ範囲内ノ行為ナリト謂フヘク、仮令多村茂義（無限責任社員）カ内心ニ於テ此ノ重油ヲ他ニ転売シ之ニ因ル損益ヲ自己個人ニ帰属セシムル意思ヲ以テ買入ヲ為シタリトスルモ之カ為メ右行為ヲ以テ被上告会社ノ目的ノ範囲外ニ渉ル無効ノ行為ナリト為スヲ得ス。然ルニ原判決ハ多村茂義ニ於テ自己個人ノ為メ被上告会社名義ヲ濫用シテ他ニ転売ノ目的ニテ本件重油ヲ買入レタリトノ事実ヲ認定シ、此ノ事実ノミニ基キ其ノ買入行為ハ仮令被上告会社ノ行為ナリト認メ得ヘキ場合ナリトスルモ被上告会社ノ目的ノ範囲外ノ行為ニシテ無効ナル旨判示シタルモノニシテ、此ノ点ニ於テ会社ノ行為能力ノ範囲ヲ誤解シ且ツ理由不備ノ違法アリ」として、会社の責任をみとめた（大判昭一三・二・七民集一七・五四）。原判決は、その重油の買入が真実会社の目的たる事業遂行の必要上なされたか否かの事実を審究し、これを肯定すべき証拠がないので、右の売買は会社に対する関係においては無効であるとしたのであつて、特定の行為が会社の目的の範囲内に属するか否かは各場合につき判定すべき事実問題であるとする従来の大審院判例の立場を踏襲したものにほかならない。しかるに、右の判決は、重油買入の行為が外形から見て会社の目的たる業務を遂行するに必要な行為たりうべきものなるにおいては、その行為は会社の目的の範囲内の行為であつて、たとえ真実は会社代表者がその行為を自己の個人的利益のためになしたのであつても、これをもつて会社の目的の範囲外の行為となすことをえないとして、原判決を破棄しているのである。これは、明かにこれまでの主観的判定の立場をすてて客観的判定の立場をとるに至つたものにほかならなく、いわゆる特定の行為が「外形ヨリ見テ会社ノ目的タル業務ヲ遂行スルニ必要ナル行為タリ得ヘキモノニ於テハ」云々というのは、「行為の客観的性質から見て会社の目的の範囲内のものとみとめられる限り」というのと異らない。ここにこの判決のもつ劃期的意義がある（大隅・民商法雑誌七巻六号一六八頁参照）。

右の判旨の趣旨は、昭和二七年二月一五日の最高裁判所の判決によつて一層明確にされた。この判決においては、「不動産其他の財産を保全し之が利殖を計ること」を目的とする合資会社塩見社団の代表社員が会社所有の家屋を他の宅地と共に譲渡した行為が、会社の目的従つてその権利能力の範囲内に属するか否かが問題となつている。原審判決がこれを否定したのに対し、右の最高裁判所の判決はつぎのような理由で原審判決を破棄している。

「塩見社団の定款に定められた目的は、不動産その他財産を保存し、これが運用利殖を計るにあることは原判決の確定するところであるが、このことからして、直ちに原判決のごとく本件建物の売買は右社団の目的の範囲外の行為であると断定することは正当でない。財産の運用利殖を計るためには、時に既有財産を売却することもあり得ることであるからである。のみならず、仮りに定款に記載された目的自体に包含されない行為であつても、目的遂行に必要な行為はまた社団の目的の範囲に属するものと解すべきであり、その目的遂行に必要なりや否やは、問題となつている行為が会社の定款記載の目的に現実に必要であるかどうかの基準によるべきではなくして、定款の記載自体から観察して客観的に抽象的に必要であり得べきかどうかの基準に従つて決すべきものと解すべきである。原判決は、当時右社団の目的を遂行するのに本件建物を売却する必要があつた事情は上告人提出の全証拠によるも認められない、と説示しているのであるが、本件建物の売却が同社団の目的の範囲に属するかどうかを判断するには、かかる売却行為が同会社目的遂行に現実に必要であつたかどうかを基準とすべきでないことは、前述のとおりである。けだし、当該行為がその社団にとつて、目的遂行上、現実に必要であるかどうかということのごときは、会社内部の事情で、第三者としては到底これを適確に知ることはできないのであつて、かかる事情を調査した上でなければ第三者は安んじて社団と取引することができないとするならば、到底取引の安全を図ることはできないからである。」（最判昭二七・二・一五民集六・二・七七、大隅・民商法雑誌二八・四・五二）。

このようにして、特定の行為が会社の目的たる事業の遂行に必要なりや否やは、定款の記載自体から観察して客観的に抽象的に必要でありうべきかどうかの基準に従つて決すべきであるとしても、そのためには定款所定の会社事業と当該行為とを対照して、一般にその行為が当該事業の遂行にとつて必要でありうべきかどうかの判断をなされなければならなく、その判断は必ずしも常に容易であるとはいえない。この点につき、昭和三〇年一〇月二八日の最高裁判所の判決が、「一、一般木工品の製造、二、船舶用具の製造、三、埋木の発掘並に加工、四、和洋家具類の製造並に販売、五、生糸の製造並に加工販売、六、統制外物資の斡旋、七、関係事業に対する投資、八、前各号に附帯する一切の事業」を目的とする株式会社が、他人の借地契約上の債務につき連帯保証をなした事件において、右会社がかかる「連帯保証契約をすることは、特段の反証の見るべきもののない本件においては、上告会社の目的遂行に必要な事項と解すべきである。」（最判昭三〇・一〇・二八民集九・一一・一七四八）としていることは注目に値いする。けだし、この判決の態度は、会社のなす行為は原則としてすべて会社の目的の範囲内に属するという一般的なたて前をとつた上で、ただとくに反証のある場合に限り例外的に目的の範囲外とみとめられることがあるとしているものと解せられるのであつて、それは会社の目的の範囲を極度にひろく解し、結局定款所定の目的による会社の権利能力の制限を否定する近時の有力な見解に近づいているものといつて過言ではないからである（末川・民商法雑誌三四・三・一五二）。

以上が昭和一三年二月の大審院判決以後現在に至るまでの判例の基本的な態度であるが、このような態度の下に具体的にはいかなる事項が会社の目的の範囲内の行為とみとめられたであろうか。倉庫業・運送業を目的とする会社の代表者が、会社名義をもつて、実は自己の利益のためになした重油の買入が会社の目的の範囲内の行為と解されたことはすでに述べたが（大判昭一三・二・七民集一七・五四）、そのほかなお、銀行の支店長心得が、銀行の営業上の利益のためではなくして、第三者の利益のために保証契約をなすこと【34】、会社がその姉妹会社のために債務の引受をなすこと【35】、漁業権を抵当として資金の貸付をした銀行がその抵当権実行の結果みずから漁業権を取得すること【36】、会社の代表者がその資格において内実は自己個人の債務支払確保の目的をもつて手形を振出すこと【37】、他人の営業を譲受けた会社が譲渡人の営業上の債務につき債務の引受をなすこと【38】、財産の保存・運用・利殖をはかることを目的とする会社がその所有にかかる家屋・宅地を譲渡すること（最判昭二七・二・一五民集六・二・七七（既述二八頁））、各種器具の製造・加工・販売及び物資の斡旋などを目的とする会社が他人の借地契約上の債務につき連帯保証契約をすること【39】、相互保険会社が金員の預託を受けること【40】、鉱物の採掘・売買を目的とする会社がその本来の事業が不振で収入がなく、営業所の賃借料・社員の給料の支払等に困難し、その資金を支弁するため種々の物資を集めて他に売るブローカー的な仕事をすること【41】、相互保険会社が手形の割引をなすこと【42】、「ソヴィエト連邦内及び対ソヴィエト連邦関係の政治・経済・文化等の諸事情の調査、報告書の発行並びに出版及び右に附帯する一切の事業」を目的とする株式会社日蘇通信社が中里介山著作の大菩薩峠の映画化権を取得すること【43】、実際上会社の目的たる事業と無関係になされた手形の裏書【44】、倉庫業及び建物施設の賃貸を主たる目的とする会社が事業不振に際して靴下の売買をなすこと【45】、土木建築・各種電機工事の請負業・土木用建築資材の販売及びその代理業を目的とする会社がその所有の土地を売却すること【46】などが、いずれも会社の目的の範囲内の行為とされているのである。

【34】「凡ソ他人ノ債務ニ付支払保証ヲ為スカ如キハ定款ニ別段ノ規定ナキ限リ銀行法改正前ノ銀行条例ニ所

謂貸付中ニ包含セル行為ナリト解スルヲ相当トスヘキカ故ニ前示株式会社第百十三銀行支店長心得タリシ相田直吉ノ為シタル本件保証ハ同銀行ノ権利能力ノ範囲内ノ行為ニ属スヘク右直吉カ仮令上掲原審認定ノ如ク第三者ノ利益ノ為メニスル目的ニ出テタリトスルモ苟モ同銀行ノ代理資格ヲ表示シテ右保証契約ヲ為シタル以上該行為ニ付同銀行ニ於テ其ノ責ニ任セサルヘカラサルヤ当然ナリトス」（大判昭一三・三・九判決全集五・八・一五）。

【35】「商事会社タル大村物産株式会社カ其所謂姉妹会社ノ為メニ債務ノ引受ヲ為スカ如キハ会社ノ目的ノ範囲内ノ行為ニ属スルモノト為スヲ通常トス」（大判昭一三・三・一九法学七・一二七四）。

【36】「銀行ハ漁業権ヲ抵当トシテ資金ノ融通ヲ為スコトヲ得ルコトモ亦明ナルヲ以テ銀行カ該抵当権実行ノ結果自ラ競落人トナリ漁業権ヲ取得スルカ如キハ銀行カ其ノ目的タル事業ヲ遂行スルニ必要ナル行為ナリト謂フヘク銀行カ自ラ漁業操作ノ能力ナキノ故ヲ以テ銀行カ叙上ノ如キ場合ニ自ラ競落人トナリ漁業権ヲ取得スル権利能力ナキモノト解スヘキニ非ス」（大判昭一三・六・八民集一七・一二二）。

【37】「手形行為ハ一般ニ会社カ其ノ営業ノ為ニ為シ得ヘキ行為ナルヲ以テ会社ノ代表者カ其ノ資格ニ於テ即会社ノ為ニスルコトヲ示シテ手形行為ヲ為シタル以上縦令其ノ行為ハ内実代表者個人ノ為ニ為シタルモノニシテ会社ノ為ニ為シタルモノニ非サル場合ト雖モ該手形ノ善意ノ取得者ニ対シ会社ハ其ノ責ニ任スヘキモノニシテ是レ即会社カ其ノ目的ノ範囲内ニ於テ義務ヲ負フモノニ外ナラサルモノト解スルヲ相当トス」（大判昭一三・六・一一民集一七・一二四二）。

【38】「若シ果シテ被上告会社ハ該三名ノ営業ヲ承継シタル関係ニ在リトセンカ右三名ノ営業上ノ債務タル本件貸金債務ニ付キ其ノ借用証書ノ書換ニ際シ被上告会社カ新ニ之カ為メニ連帯債務負担ノ契約ヲ為シタリトテ輙ク之ヲ以テ被上告会社ノ目的ノ範囲外ノ行為ト速断スヘカラサルハ勿論ナリ。蓋シ苟クモ会社ノ目的タル事業ヲ遂行スルニ必要ナル行為ナランニハ之ヲ以テ会社ノ目的ノ範囲内ニ在リト為スヘキモノニシテ如上債務負担ノ行為ハ必スシモ会社ノ事業遂行ニ必要ナラサルヲ保シ難キカ故ナリ」（大判昭一三・一二・一六判決全集六・一三八）。

【39】「会社は、定款によつて定まる目的の範囲内において権利を有し義務を負うものであるが、その目的の範囲内というは、定款に目的として掲記された個々の事項の範囲内に限定すべきものでなく、この目的を達成するに必要な行為は、すべて、この範囲内に属すると解すべきである。そして定款に所論の事項を目的として掲記する上告会社が、原判決認定のごとく、株式会社北園商店のために、同商店の被上告人等先代に対する借地契

約上の債務について連帯保証契約をすることは、特段の反証の見るべきもののない本件においては、上告会社の目的遂行に必要な事項と解すべきであるから、右連帯保証契約をもつて上告会社の目的の範囲内に属する行為と判示した原判決は、正当である」（最判昭三〇・一〇・二八民集九・一一・一七四八）。

【40】「生命保険事業を営むことを目的とする会社であつても、時に金員の預託を受けることの如きは、これを客観的抽象的に見て、会社目的の遂行に必要な行為となり得ると解するのが相当であるから、本件の場合における金員の受託が、所論のように上告会社の目的に現実には必要でなかつたとしても、会社目的の範囲内に属するものというを妨げない」（最判昭三〇・一一・二九民集九・一二・一八八六）。

【41】「本件において、控訴会社がその本来の目的たる鉱山関係の事業が不振で収入がなく、その営業所の賃借料や社員の給料の支払等に困難し、その資金を支弁するためになした前示のごとき取引（種々の物質を集めて他に売るというブローカー的仕事をして会社の維持をはかつたその取引）は、すなわち控訴会社の目的たる事業を遂行するに必要な範囲の行為と解してさまたげなく、控訴会社はこの取引から生じた義務を履行する責任あるものとする」（東京高判昭二八・八・五東京高判決時報四・四・民一一六）。

【42】「生命保険会社はその目的たる保険事業に属する行為は勿論その事業遂行に必要なる行為をも為す権能を有するものであつて、会社財産の利用増殖を計る方法として手形の割引をなすが如きことも、会社の事業遂行に必要なるものとして、その権利能力の範囲に属すべきことは多く疑を容れない」（東京高判昭二八・六・一〇東京高判決時報四・二・民四九）。

【43】「会社の定款により定められた目的自体に包含されない行為であつても、社会観念上その目的たる事業を遂行するため相当と思料される行為は、また、会社の目的の範囲内に属する行為と解するのが相当であるところ、元来、著作物の出版といい、映画化というも、ひとしく著作物の利用行為であつて、この間何らのけん連性もないともいい得ないので、同債権者の本件映画化権取得行為は、同債権者の定款所定の目的たる出版事業（ここにいわゆる出版とは、必ずしもソヴィエト連邦に関係した調査報告書の出版に限らず、その他一般の著作物の出版をも含むものを解し得る）にけん連性ある行為といい得る」（東京地判昭二八・一〇・七下級民集四・一〇・一四五一）。

【44】「いわゆる客観的、抽象的に観察するには、手形の場合にあつては当該の手形行為自体を対象とすべきものといわなければならない。何故ならば、もしその手形行為の原因関係等をも対象に含めて、これが会社の目

的の範囲内であるかどうかを定めなければならないものとすれば、それが会社の目的の範囲外である場合には、その事由はいわゆる物的抗弁にあたるから何人にも対抗することができることとなつて、とうてい手形の円満な流通を期することができないからである。本件において成立に争のない乙第一号証によると、控訴会社の定款記載の目的は鋼材及び銑鉄等製鋼用原料の販売仲介とこれに附帯する事業であることが認められ、商品の販売仲介を目的とする会社が取引の必要上他人振出の手形に裏書することのあるのはいうまでもないところであつて、右手形の裏書も客観的抽象的に観察すれば、控訴会社の定款記載の目的である鋼材及び銑鉄屑等製鋼用原料の販売仲介とこれに附帯する事業遂行のために必要であり得る行為に属するものといわれなければならない」（大阪高判昭二九・四・二三高裁民集七・三・三四七）。

【45】「被告の定款はその目的として、倉庫業・農産物の集荷保管に必要な建物及び施設の賃貸・保険代理業・農水産物の売買及び輸出・運送取次業その他以上の業務に附帯する事業を掲げ、一般商品の売買業を掲げていないことが推認せられるけれども、法人の目的の範囲は定款又は寄附行為に記載せられた文言に拘泥して制限的に解釈すべきではなく成るべくこれを広く解釈し、定款又は寄附行為に掲げられた目的を害せず、且つ法人の存続に資する事項はすべてその目的の範囲に属するものとするを相当とする。（中略）例えば、株式会社が災害又は社会的行事に際し一般の慣例に従い応分の義捐をし、或は資金難に当り借入をし、又は本来の事業の不振に際しこれを乗り切るため臨時に原則として何人にもできる商品の売買をしたりすることは、当然にその目的の範囲内に属するものと解するを相当とする。今本件について見るに、前示証人野崎の証言と原告代表者尋問の結果とを総合すると、本件靴下の売買は被告が当時その本来の事業が不振のためその乗切りの臨時的一策として靴下の売買をして利益を得んとしたものであることが明瞭であるが、そうだとすると、これが被告の目的の範囲内に属するものであることは、前の説示により疑問のないところである」（東京地判昭三〇・一・二八下級民集六・一・一二五）。

【46】「前記の目的（土木建築・各種電気工事の請負業・土木用建築資材の販売及びその代理業）を有する債権者会社が、さきに、その目的の範囲内の行為として、これを買入れ現にその所有に属する土地を他に売却することは、その売得金をもつて金融を図り、あるいはその経済を充実させ、もつて業務の遂行に資するところが少くないのみならず、負債整理のためにも、また必要なものといい得べきものであるから、右土地の売却は、債権

者会社の目的を客観的・抽象的に観察して、その目的として掲げられた事業を遂行するに必要な行為と認めるのが相当である」（東京地判昭三一・二・二三下級民集七・一一八）。

これらの判決を通観してまず注意されるのは、そのうちの若干の事例にあつては、実際上会社の目的の範囲内の行為が極度にひろくみとめられ、実質的には会社の権利能力が定款所定の目的によつて制限されるとする前提をはみ出していると見られることである。例えば、鉱物の採掘販売を目的とする会社が各種の物資を集めて他に売るブローカー的仕事を行い【41】、倉庫業及び建物施設の賃貸を目的とする会社が靴下の売買を行うこと【45】が、それぞれの会社の目的たる事業の遂行に必要であるとされているが、かかる結論はいかに客観的・抽象的立場から判断しても困難というほかない。いなむしろ客観的・抽象的立場から判断する限り困難であるといえる。そこで判決は、会社本来の事業の不振にもとづく必要な資金の支弁のためとか、その不振を乗切るための臨時的一策としてとかの具体的事情をとりあげて、問題を肯定しているわけである。しかし、その結果は、或る行為が会社の目的たる事業の遂行に必要なりや否やは、その行為が会社の定款記載の目的に現実に必要であるかどうかの基準によるべきではなくして、定款の記載自体から観察して客観的抽象的に必要でありうべきかどうかの基準に従つて決すべきであるという基本的立場との矛盾を露呈することとならざるをえないのみならず、会社本来の事業の不振を打開するということは、会社の存立にとつて必要であるとはいいえても、会社の目的たる事業の遂行のために必要であるとはなしがたいであろう。これはひつきよう、一方において会社の権利能力の範囲をできるだけ広くみとむべき実際の必要に押されながら、他方において依然として会社の権利能力が定款所定の目的により制限されるとする理論を固執することから生ずる避けがたいジレムマにほかならないのであつて、この点の反省なくしては問題の合理的解決は期待できないといわなければならない。

つぎに、判例の中には会社の権利能力の範囲の問題と会社の代表機関の権限濫用の問題とを混同しているものの存することが注意せられる。例えば、昭和一三年六月一一日の判決が、「会社ノ代表者カ其ノ資格ニ於テ即会社ノ為ニスルコトヲ示シテ手形行為ヲ為シタル以上、縦令其ノ行為ハ内実代表者個人ノ為ニ為シタルモノニシテ会社ノ為ニ為シタルモノニ非サル場合ト雖モ該手形ノ善意ノ取得者ニ対シ会社ハ其ノ責ニ任スヘキモノニシテ、是レ即会社カ其ノ目的ノ範囲内ニ於テ義務ヲ負フモノニ外ナラス」【37】としているのは、これである。或る行為が会社の目的の範囲内のものであるか否かは、各場合の具体的事情によつて決すべきではなくして、もつぱら行為の客観的性質によつて決すべきものと解する以上は、或る行為が会社の権利能力の範囲内に属するか否かは客観的に定まる問題であつて、会社代表者の主観的意図や行為の相手方の善意悪意によつて左右さるべき事項ではない。会社は権利能力の範囲外の行為によつてはかかる事情に関係なく絶対に義務を負わないのに反し、権利能力の範囲内の行為については当然にその責に任ずるのが原則であるが、ただ例外として会社代表者がその権限を濫用した場合において第三者が悪意であるときは、会社はこれを証明してその責を免れることができるのである。従つて、会社代表者の権限の濫用が問題となるのは、本来会社の目的の範囲内の行為についてであつて、ここで初めて第三者の善意悪意が会社の責任に影響を及ぼすのであり、会社の権利能力の範囲内の行為であるか否かは代表機関の権限濫用の問題の先決事項たるわけである。

上述の判決においてもまず問題の手形行為が会社の権利能力の範囲内の行為であることを確定した上

で、たとえその行為が内実代表者個人のためになされたものであつても、それは代表者の権限濫用行為にすぎなく、該手形の善意の取得者に対しては会社はその責に任じなければならない旨を判示すべきであつた。しかるに、前述のごとく「該手形ノ善意ノ取得者ニ対シテ会社ハ其ノ責ニ任スヘキモノニシテ、是レ即会社カ其ノ目的ノ範囲内ニ於テ義務ヲ負フモノニ外ナラス」と述べ、悪意の取得者に対しては目的の範囲外の行為として会社に責任がないかのごとき立言をなしているのは、会社の権利能力の範囲の問題と代表者の権限濫用の問題とを混同するものとの非難を免れないのである。

なお右のごとく、本来会社の権利能力の範囲内に属する行為が、会社の名をもつて、しかも実際には代表者個人の利益をはかるためになされた場合には、その代表者の権限濫用の問題として取扱わるべきであり、この場合においても会社はその行為につき責に任ずるのが原則であるが、例外として相手方の悪意（会社代表者が会社の損失において自己又は第三者の利益をはかる意思を有するのを知ること）を証明するときはその責を免れうるものと解せられる。その理由は必ずしも十分明かにされているとはいえないが、他人の権限濫用を知りながら敢てその行為に関与する者はいわば他人の違法行為に加功するものであつて、その行為にもとづき権利を主張することは信義誠実の要求からいつて許されないものと解すべきである（民一条二項）。このことは、当事者間に通謀がある場合はとくに明かであるが、必ずしも通謀はなくとも、第三者が相手方の権限濫用を知る限り同様に解すべきものとしなければならない。

五　清算会社の権利能力

最後に清算会社について一瞥しておきたい。会社は解散の後といえども清算の目的の範囲内においてはなお存続するのであつて（商一一六条・一四七条・四三〇条一項、有七五条一項）、清算会社は解散前の会社と同一の会社であるが、ただその目的が一定の営業の経営から清算すなわち既存の法律関係の後始末をすることに減縮せられる点が異るのみである【47】。従つて、解散はいわば会社の目的の変更であり、ひろい意味における定款変更の一場合にほかならなく、清算会社が清算の目的の範囲内においてなお権利能力及び行為能力を有することはいうまでもない。そしていわゆる「清算の目的の範囲内」の意義についても「会社の目的たる事業の範囲内」という場合と別異に解すべき理由はなく、すでに見た判例の態度は清算会社の権利能力の範囲の解釈についてもそのまま妥当するものといわなければならない。すなわち、清算の目的の範囲は清算なる文書に拘泥して制限的に解釈すべきではなく、会社は既存の法律関係の後始末たる清算自体に属する事項はもとより、清算を遂行するに必要な事項についても権利能力を有し、かつ或る行為が清算の遂行に必要なりや否やは、その行為が清算の目的に現実に必要であるかどうかの基準によるべきではなくして、清算そのものから観察して客観的に抽象的に必要であり得べきかどうかの基準に従つて決すべきものと解しなければならない。従つて、清算人の職務権限に関する商法第一二四条第一項（商一七〇条・四三〇条一四、有七五条一項において準用）の規定するところは、「専ラ清算人カ当然ノ職務トシテ為シ得へキ範囲ヲ定メタルモノニ過キサルモノナレハ」「会社ノ清算ノ目的ノ範囲内如何ヲ研究スルニハ単ニ同条ノ規定ノミ単ニ同条ノ規定ノミナラス法文全体ノ趣旨ヨリ之ヲ推測」しなければならない【48】。かような見地から判例は、清算会社が会社に功労のあつた者に対しその報酬として慰労金を贈与すること【49】、会社が他人に賃貸した土地の賃料の増額を請求すること【50】、抵当権実行のため競売の申立をなし、かつみずから抵当不動産を競落すること【51】、和議をなし和議条件として債権の一部を免除すること【52】、登録実用新案権の侵害の有無を決するため権利範囲確認の訴を提起すること【53】などは、いずれも清算会社の権利能力の範囲に属するものとみとめている。

【47】「商法第二三四条第八四条（現行商法四三〇条一項・一一六条）ニ依レハ株式会社ハ解散ノ後ト雖モ清算ノ目的ノ範囲内ニ於テ尚存続スルモノト看做サルルヲ以テ会社ハ解散ニ依リ其営業能力ヲ喪失スト雖モ清算ノ目的ノ範囲内ニ於テ其終了ニ至ル迄法人格ヲ持続シ其間人格ニ何等ノ消長ヲ来タサス」（大判大五・三・四民録二二・五一五）。

【48】「株式会社カ解散シタル場合ニ於テハ爾後清算ノ目的ノ範囲内ニ於テノミ存続スルモノナルヲ以テ株主総会ト雖モ其清算ノ目的以外ノ事項ヲ決議スルコト能ハサルヤ固ヨリ論ヲ俟タス。然ラハ清算ノ目的ノ範囲トハ如何ナル事項ヲ謂フモノナルカ法文上明カニ規定スル所ナシ。上告人ハ商法第九一条ニ掲クル事項ヲ以テ清算ノ目的ノ範囲ナリト主張スレトモ同条ノ規定スル所ハ専ラ清算人カ当然ノ職務トシテ為シ得ヘキ範囲ヲ定メタルニ過キサルモノナレハ会社清算ノ目的ハ此清算人カ当然為シ得ヘキ職務ノ範囲内ニ限局セラルルモノト為スコトヲ得ス。故ニ会社ノ清算ノ目的ノ範囲如何ヲ研究スルニハ単ニ同条ノ規定ノミナラス法文全体ノ趣旨ヨリ之ヲ推測セサルヘカラス」（大判大二・七・九民録一九・六二六）。

【49】（【48】引用の記述に続いて）「熟考スルニ会社カ解散前タルト解散後タルトヲ問ハス会社ニ功労アリタル者ニ対シ其報酬トシテ慰労金ヲ贈与スルカ如キハ会社カ当然ニ為シ得ヘキ行為ノ範囲ニ属スルモノト認ムルヲ相当トス。何トナレハ是レ会社ノ目的タル事業又ハ清算事務ヲ遂行スルニ必要ナル行為ナレハナリ。而シテ其功労者ニ対スル慰労金贈与ノ時期ハ解散前ノ功労者ニ対シテハ解散前ニ又清算中ノ功労者ニ対シテハ清算中ニ之ヲ贈与スルコト普通ナルヘキモ解散前ノ功労者ニ対シ解散前ニ贈与ヲ為スノ暇ナク解散シタル場合ニ於テハ清算

中ニ之ヲ贈与スルモ毫モ妨ナキモノト謂ハサルヲ得ス」（大判大二・七・九民録一九・六二六）。

【50】「会社カ解散シタルトキハ清算ノ目的ノ範囲内ニ於テノミ存続シ清算人ハ現務ノ結了トシテ会社所有ノ財産ヲ処分シ及債権ノ取立ニ因リテ得タル金員ニテ債務ノ弁済ヲ為シ残余財産アルトキハ社員又ハ株主ニ分配スヘキモノナリト雖モ其ノ財産ヲ処分スル迄ノ間ニ於テハ善良ナル管理者ノ注意ヲ以テ該財産ヲ管理セサルヘカラサルハ言ヲ俟タサル所ナリトス。故ニ本件被上告会社ノ如ク土地ヲ所有シ之ヲ他人ニ賃貸シ賃料ヲ収得セル場合ニ於テ解散シタルトキト雖モ右土地ヲ処分スル迄ノ間ニ借賃カ土地ニ対スル租税其ノ他ノ公課ノ増減若ハ土地ノ価格ノ高低ニ因リ又ハ比隣ノ土地ノ借賃ニ比較シテ不相当ナルニ至リタルトキハ清算人ハ将来ニ向テ借賃ノ増減ヲ請求スルコトヲ得ヘク之ヲ目シテ清算ノ目的ノ範囲ヲ超越シ若ハ清算人ノ権限ニ属セスト為スコトヲ得サルモノトス」（大判昭五・一二・一民集九・一一一三）。

【51】「清算中ノ抗告会社カ抵当権実行ノ為申立テタル本件競売ニ於テ自ラ抵当不動産ヲ競落シタルハ之ヲ以テ債権ノ弁済ノ資ニ充テンカ為ニシテ債権取立ノ方法トシテ為シタルモノナレハ其ノ行為ハ清算ノ範囲ニ属シ抗告会社カ之ヲ為スノ能力ヲ有スルコト疑ヲ容レス原裁判所カ之ヲ清算ノ範囲外ニ於テ新ニ不動産ヲ取得スルト同一視シテ抗告会社ニ之ヲ為スノ能力ナキモノト為シタルハ謬見タルヲ免レス」（大判大一四・七・一一民集四・四二六。なお大判昭六・一二・二二新聞三三六五・一〇も同趣旨）。

【52】「和議ハ弁済資力ナキ会社ヲシテ各債権者ニ平等ニシテ利益ナル分配ヲ得シムル制度ナルヲ以テ和議条件ニシテ会社ノ現有財産ノ分配ニ比シ債権者ニ有利ナリト認メ得ル限リ仮令債権ノ一部ヲ免除スルコトアルモ清算ノ目的ニ反スルモノト云フヲ得サルノミナラス」（以下略）（大決昭九・七・九民集一三・一三二一）。

【53】「仮令解散ニ因ル清算中ノ会社ナリト雖モ其ノ解散前ニ製造シタル器具機械等ノ装置カ他人ノ登録実用新案ノ権利ヲ侵害シタルモノトシテ之ニ因ル損害賠償請求ノ訴ヲ他ヨリ提起セラレタル場合ニ於テハ其ノ会社ハ該装置カ右他人ノ登録実用新案ノ権利範囲ニ属セサル旨ノ登録実用新案権利範囲確認ノ訴ヲ提起シテ之カ審判ヲ請求スルニ付重大ナル利害関係ヲ有スルモノトス」（大判昭一五・八・一九判決全集七・一一九七）。

むすび

以上において、会社の目的とその権利能力との関係についてこれまでの判例を概観した。これによれば、法人は定款により定まつた目的の範囲内において権利を有し義務を負うとする民法第四三条の規定は会社にも適用され、会社は定款所定の目的の範囲内においてのみ権利能力を有するとなすのが、終始一貫した判例の態度である。しかし、かかる立場に立ちながらも、次第に会社の権利能力の範囲をひろく解しようとする努力がつづけられ、最近では右の立場を前提とする限りにおいては極限的なところまできているといつてよい。そしてかような会社の権利能力の範囲の拡張的解釈については、常に下級裁判所の判決が上級裁判所の判決をリードしているのであつて、今日では下級審判決の中には実際上上述の判例の基本的な立場をふみ越えている事例さえも見られるのである。会社が現代の経済を担う中心的企業形態となり、その活動領域はますます拡大され、極めてひろい範囲において無数の取引を行つている現実の下においては、その取引の相手方も当該取引が会社の定款に定めた目的といかなる関係にあるかを顧慮していられないのが普通であつて、いやしくも会社の名をもつてなされた行為についてはその会社をして責任を負わしめるのでなければ、取引の安全は確保しがたく、社会経済の円滑な運営は期待することができない。事実審理を行う下級裁判所の判決がこの事実を敏感に反映して、会社の権利能力の範囲の拡張的解釈に傾くのは当然であるといえる。もちろん会社の社員は会社財産が定款所定の目的を超えて利用されないことにつき重要な利益を有するが、その保護は株主の差止請求権(商二七二条)や取締役に対する損害賠償請求権(商二六六条)のような会社内部の制度に委ぬべきである。判例は民法第四三条の規定が当然に会社に適用又は類推適用さるべきものと解しているが、この規定は本来民法上の法人たる公益法人に関する規定であつて、私法人一般に関する通則ではない。もちろん民法の公益法人に関する規定であつても、公益法人の法人たる性質にもとづく規定として会社にも妥当しうべきものが存しうることは否定できないが、その然るや否やは会社そのものの法理にかえりみて決すべきであり、この見地からすれば民法第四三条を会社に類推適用することは否定されなければならない。

このように考えるならば、近時の一部の学説のごとく、会社の権利能力は定款所定の目的によつては制限されないものと解するのを至当とせざるをえない。(註一) もつともかかる学説の中にも、会社の権利能力はすべての会社に共通な営利の目的によつて制限されるとする見解と、(註二) 営利の目的による会社の権利能力の制限をも否定する見解とがあるが、いずれにしてもこれらの立場においては、定款所定の目的たる会社事業は会社の権利能力を制限するものではなくして、単に内部的に会社機関の代表権を制限するものたるに止まり、かつその代表権の制限は善意の第三者には対抗しえないものと解せられるのである。(註三) これが今後における判例の進むべき方向であり、すでに判例自体の中にもこの見解への接近が見られることは、さきに指摘した通りである。

なお、会社の権利能力が定款所定の目的により制限されるとする従来の学説及び判例にあつても、会社が風水火災・寺社の祭礼・学校施設の維持拡充など災害・社会的行事・教育事業等につき一般の慣例に従い応分の寄附をなすことは、会社の権利能力の範囲内に属するものとみとめられているが

(【45】参照)、しかしその場合これらの行為も会社の目的たる事業の遂行に必要な行為であるとして、これを会社の目的に関連せしめて理解しようとするのが普通である。これはおそらく会社は営利法人であり、営業をはなれてその生活活動は存在しえないとする考えに出ているのであろう。しかし、法人が社会的実在として現代の社会生活における重要な構成単位として存在しかつ活動している以上およそ社会人としてなすべき行為をなしえなければならないのは当然であって、その意味において会社にあっても営業生活以外の一般社会人として生活領域が存するものといわなければならない。上述の事例のごときはあたかもこれに属する事項であって、これを強いて会社の目的に関連せしめて解するがごときは、その必要がないばかりでなくむしろ不当であるとおもう。これはむしろおよそ会社ないし法人としてなしうべき事項であるか否かの問題である。また会社がその営業につき経営の委任をなすことをうるかどうかの問題(【26】参照)のごときも、およそ会社としてなしうべき事項か否かの問題であって、定款所見の会社の目的に関するところではない。従来の学説判例にはこの点における明確な認識が欠けている。このことは、会社の権利能力の目的による制限をみとめない立場においても重要である。けだし、この見解によるも会社の代表機関の代表権は定款所定の目的により制限されると解されるが、右のごとく会社ないし法人としてなしうべき事項は、会社の目的のいかんに関係なく、当然にすべての会社の機関の代表権の範囲内に属するものといわなければならないからである。

註(一)　田中誠二教授は早くからこの見解をとっていられる(田中誠・会社法提要八二頁、同「会社の目的外の行為と改正会社法」松本先生古稀記念論文集一一九頁)。そのほか近時の学説としては、柚木・判例民法総論上三一九頁、大隅・改訂会社法概説一一頁、大森・会社法講義一六頁、服部・会社法提要一九頁、上柳「会社

の能力」株式会社法講座第一巻九四頁等、なお鈴木（竹）・会社法一一二頁参照。

註(二) 大隅・前掲一一頁。

註(三) もつともこの見解は、会社の目的が登記事項であり（商六三条・一四八条・一六六条一項、有六条）、第三者は会社の目的につき悪意を擬制されること（商一二条）との調和について、若干の困難を感ずることを否定しがたい（上柳・前掲一〇〇頁註三九参照）。

株式会社の定款

服部栄三

はしがき

会社の定款については、商法の規定の各処において言及されており、また商法は会社の設立につき必ず定款を作成すべきことを命じている。従つて定款は極めて高度の重要性を与えられているわけであるが、その割に余り理論的究明がなされていないようである。特に法的拘束力を有するものとしての定款（規則定款）とそれが書面に記載されたものとしての定款（書面定款）との関係が必ずしもはつきりしない。一般には、これにつき、設立の場合の定款作成に所謂定款は規則定款と書面定款との二義を有するが、会社成立後の定款変更に所謂定款は規則定款を意味すると考えられているが、わたくしは商法が定款といつている場合はすべて書面定款に重点がおかれているものと解したいと思つている。もちろん書面定款には多くの場合規則が記載されるのであるが、しかし規則たる意味も持たない単なる事実が記載されることもある。従つて定款の意義も形式（書面）に重点をおいて理解しなければならないのである。また特に株式会社の定款については、定款の任意的記載事項が認められるかどうかという、なおもう一つの問題がある。即ち、株式会社において法的拘束力を有するものはすべて定款に記載されることを要するかどうかである。これは株式会社の自治立法をどの範囲で、またどのような形式で認めるかということであり、理論的に重要な問題である。こうした問題意識をもつて以下株式会社の定款に関する各種の判例を見て行きたいと思う。

一 定款の意義

定款の意義については、会社の組織及び活動を定めた根本規則を意味する実質的意義とその根本規則を記載した書面を意味する形式的意義との二義があるとせられ、会社の設立に際して定款を作成すべき場合は(商一六六I、なお六二参照)、この両意義の定款、即ち規則定款及び書面定款を作ることを意味する、と一般に解せられている。判例も大体同様の立場を採つている。

【1】「株式会社ヲ設立スルニ当リテハ発起人ニヨリテ先ツ定款ノ作成サルルコトヲ必要トシ其ノ定款タルモノハ実質的ニハ内容タル事項ナレトモ形式的ニハ一定ノ書面ナリ故ニ一定ノ事項カ発起人ノ協議ニヨリテ定リタリトスルモ之ヲ書面ニ記載シ少クモ法定数ノ発起人カ署名スルニ非サレハ未タ定款ト云フヲ得ス」(大判昭五・九・二〇新聞三一九一・一一、評論一九商七四一)。

右の判例において、規則定款の意味は必ずしも明瞭に指示されていないが、「実質的ニハ内容タル事項」という言葉は、会社の組織及び活動に関する根本規則を大体指しているものと解せられる。しかしこのように規則定款の意味が明確にされていないことは、定款の作成において判例がむしろ書面定款に重点をおいていることを示すものとも考えられる。

一旦作成された定款が後に変更される所謂定款変更の場合(商三四二以下)については、定款作成の場合と異なつて、

【2】「会社設立後ニ於テ会社ト社員及ヒ社員相互間ノ関係ニ於テ定款事項ノ変更ハ総社員ノ同意ノミヲ以テ直ニ其効力ヲ生シ定款ナル書面自体ノ更正ヲ必要トスルモノニ非ス」(大判大五・一〇・一四民録二二・一八九九、同旨大判昭一一・七・四法学五・一六五六)。

としている。これは、合資会社の定款変更に関するものであるが、株式会社にも妥当する。右の判決は、

【3】「定款ノ作成ニハ書面ヲ要スルカ故ニ定款変更ト云フ以上ハ従来ノ定款タル書面ノ上ニ変更事由ヲ記載シ各社員之ニ同意ノ旨ヲ示シテ署名スヘキハ定款ノ性質上当然ナリト云ハサルヘカラス」（東京控判大三・三・一八評論五商三六〇）。

とする原審判決を破毀したものである。定款作成と定款変更とを統一的に理解するを良しとし、また定款変更が広い意味での定款作成の一場合であることなどから考えて、[註一]むしろ【3】の判決を支持すべきものと思われるが、学説は、【2】の判決を評釈された松本博士を始め、[註二]【2】の判決と同様の立場を採る者が多い。[註三]しかし原審判決と同様に定款変更を書面定款の変更と解する説や、[註四]場合により規則定款又は書面定款の何れかの変更を意味するとする折衷説[註五]が有力に主張されている。この点で、【2】の判決自体も、「定款事項の変更を以て第三者に対抗せんが為めには其書面を更正して之が登記を経ざるべからざること論をまたず」と述べていることが注目せられる。[註六]

（註一）　詳細は拙稿「会社の定款について」同志社法学一二号四九頁以下・特に六一頁以下。

（註二）　松本烝治・商法判例批評録二〇九頁以下。

（註三）　田中(誠)・会社法四五五頁、大隅・全訂会社法論上七二頁、石井・商法Ⅰ四六九・四七一頁、実方・会社法学Ⅱ四八六頁など。

（註四）　片山義勝・株式会社法論九四一頁、拙稿・前掲同志社法学一二号六一頁以下、拙著・訂正会社法提要三四頁。

（註五）　田中(耕)・改訂会社法概論上一二一頁、大森洪太・会社法(新法学全集)一四八頁以下・四三五頁。

（註六）　もっともその後これに反して、「定款事項ノ変更ハ定款ナル書面其ノモノノ更正ヲ要セスシテ直ニ其効力ヲ生スルコトハ単ニ会社内部ノ関係ニ於テノミナラス第三者ニ対スル外部関係ニ於テモ亦其ノ揆ヲ一ニス

ルモノト解スルヲ妥当トス」（大阪地判大六・五・二三新聞一二六八・二三、評論六商三六二）とする下級審の判例がでている。

二　定款の性質及び効力

一　定款の性質については、これを法律行為的約款、特に会社設立行為を組合契約と見て、組合契約の約款と解する見解が古くは有力であつたが、最近ではこれを会社の自主的法規であり、商事自治法に外ならないとするのが一致せる学説である。（註一）

この点を正面からとりあげた判例はないが、間接的にこれに触れたものとして、

【4】「会社ノ定款ノ解釈ハ契約書ノ解釈ト同シク事実裁判所タル区裁判所ノ専権ニ属スルヲ以テ之レニ批難ヲ加ヘ上告ノ理由ト為スコトヲ得ス」（大判大六・四・六民録二三・六三六、同旨大判大七・五・四民録二四・八二三）。

とする判例があるが、これは定款を法律行為的約款と見たものと考えられる。この点において、また約款の解釈が上告理由とならないとする点において、【4】の判例は疑問の余地があるが、その後これに関係する判例は見当らないようである。

思うに定款には、後にも述べるように、各種の事項が記載せられ、その中には発起人の住所（商一六六I10）の如く単なる事実の記載をも含んでいるのであるから、定款が約款であるとか自治法であるとかいう場合も、右のような法的拘束力のない単なる事実の記載は除外されているものといわねばならない。

なお自治法と見た場合には、その解釈は、【4】の判例のいう如く契約の解釈と同様の方法によるべきでなく、法規の解釈と同一原理によるべきである。但し、自治法は所謂法令の許す範囲内でのみ認

められるべきものである故、定款に定める事項が法令の強行規定に違反しえないのはいうまでもない。この点は契約の約款と解した場合と異なるところはない。事実、

【5】「凡ソ定款ハ法令ノ範囲内ニ於テノミ其効力ヲ有スヘキモノナレハ其規定ノ内容カ法令ノ旨趣ニ抵触スルトキハ何等ノ効力ヲ有セサルコト論ヲ俟タス」（京城覆審院大四民控一五二新聞一〇一五・二九、評論四商一三七）。

とする下級審の判例があるが、この点はすべての判例において前提とされているものと認められる。（註二）

（註一）田中（耕）・改訂会社法概論上一〇四―五頁、大隅・全訂会社法論上一〇頁、石井・商法Ⅰ四四頁など。

（註二）例えば、最判昭二四・七・二六民判特報五・一八は、「商法第一五六条の規定中業務執行に関する部分は任意法規と解するのが相当であり、従つて、合資会社が定款その他の内部規約を以て有限責任社員に業務執行の権利義務ある旨を定めた場合においては、その定は有効と認むべきである」（傍点筆者）、としている。

二　定款の効力については、対内的効力の中、株主に対する拘束力につき、

【6】「株式会社ノ定款ハ会社内部ニ於ケル株主ヲ拘束スル力アルコト論ヲ俟タサルカ故ニ株主カ第三者タル資格ニ於テ行動スルト否トニ関セス苟クモ株主タル以上会社ハ定款ノ規定ヲ以テ株主ニ対抗スルコトヲ得ルモノト謂ハサルヘカラサレハナリ」（大阪地判大六・四・二〇新聞一二七七・二八、評論六商三九七）。

とする下級審の判例があるが、この点はすべての判例が暗黙の中に承認するところと認められる。この拘束力は、会社設立後新に株主となつた者にも当然及ぶが、果してこの拘束力が、定款を【4】の判例の如く契約の約款と解することから完全に導き出されうるかは、多少の問題があろう。

定款は株主に対してのみならず、会社の機関、とりわけ取締役に対しても拘束力を有する（商二五四ノ二・二六六5Ⅰ）。この点は、本双書の「取締役の義務と責任」の項目のところに譲る。

対外的効力に関しては、定款を単なる約款或は規約と解しても、また自治法と解しても、定款は株

式会社なる社団内部のものにすぎないから、それが直接第三者に対して拘束力を持つということはありえない。株主及び会社機関が定款に拘束せられる結果、第三者が間接に定款の効果を受けるにすぎないか、或は、定款の定めが第三者との法律行為の内容にとりいれられた場合、第三者が法律行為の内容、従つて定款の規定に拘束せられる如く見えるにすぎないのである。

【7】「株式会社ノ定款ハ会社ノ目的組織等ヲ定メタル規約ニ過キスシテ会社以外ノ第三者トノ間ノ法律関係ヲ定メタルモノニアラス従テ会社ノ第三者ニ対スル債務ニ付取締役個人カ会社ト連帯シテ債務ヲ負担スル為ニハ右第三者ト当該取締役個人トノ間ニ意思表示ノ合致ヲ要スヘク定款ニ（取締役ハ在任中ニ生シタル当銀行ノ義務ニ付連帯無限ノ責任ヲ負フモノトス）トノ規定ノ存スルノミニテハ取締役個人カ当然ニ会社ノ債務ニ付連帯責任ヲ負担スルモノニアラスト解スルヲ相当トス」（東京控判昭七・三・一四新聞三四〇一・一六、評論二一商二九八、同旨東京控判昭五ネ一〇七五号新聞三四七九・八、評論二一商七〇五）。

との判例は右の旨を明確にしたものである。但し、同じような事案につき、

【8】取締役は当会社の義務につき連帯無限の責任を負う旨の定款「規定ハ其文詞上取締役ト会社債権者トノ関係ヲ規定セントシタルモノナルコト明カニシテ取締役ト会社トノ関係ヲ規定シタルモノト解スルヲ得ス……斯ル規定ハ本来定款事項ニ属セスト雖モ便宜上之ヲ定款中ニ規定スルヲ妨ケサルカ故ニ定款中ニ掲ケタル一事ニヨリ其効ナシト謂フヘカラス而シテ斯ル規定ノ存スルコトヲ知了シテ就任シタル取締役ハ其就任ト同時ニ会社債権者ニ対シ右規定ノ趣旨ニ従ヒ其責任ヲ辞スルコトヲ得サルヲ条理上当然ナリトス」（東京控判大二・四・九評論二商六九）。

として異つた見解を示している古い判例が存在する。

三　定款の時際的効力については、不遡及の原則に言及した下級審の判例がある。

【9】「凡法律ト云ヒ定款ト云ヒ将又契約ト云ヒ此等ノモノカ改正変更セラレタル場合ニ於テ改正変更以前ニ生シタル事実……ノ法律上ノ効力如何ヲ其改正以後変更以後ニ於テ定ムルニ付テハ新法新定款新契約ニ反対ノ規定又ハ反対ノ意思表示ナキ限リハ旧法旧定款旧契約ヲ適用シテ其効力ヲ定ムヘキ者ニシテ新法新定款新契約ニヨ

リ其効力ヲ定ムヘキ者ニ非サルコト（不遡及ノ原則）ハ法律定款契約ノ解釈適用上ノ通則ニシテ固ヨリ疑ヲ容レス」（京城地判大三・一二・二一新聞一〇〇四・二七）。

これは、定款の性質又は解釈にも関聯して、注目すべき判例である。個々の問題については遡及効を肯定すべき場合もあるであろうが、一般論としては【9】の判例の立場は支持されうると思う。

三　定款の作成者

一　定款の作成者は発起人である。即ち発起人は定款を作り、これに一定の事項を記載して署名することを要する（商一六六Ⅰ）。この規定から、判例は通説と同様、定款に発起人として署名した者を発起人と解して、発起人の形式的概念を導き出し、発起人をもつて株式会社の設立の企画者となすその実質的概念を棄てている。

【10】「事実上会社ノ設立ニ干与シ発起人ノ状態ニ於テ行動シタル者ト雖モ定款ニ発起人トシテ署名又ハ記名捺印シタル者ニ非サレハ法律上会社設立ノ発起人トイフコトヲ得ス定款ニ署名又ハ記名捺印シタル一事ヲ以テ会社設立ノ発起人タラサルハ勿論ナルモ定款ニ発起人トシテ氏名住所ヲ掲ケタル者ノ中署名又ハ記名捺印セサル者ハ会社設立ノ発起人ニ非」ず（大判大五・一〇・七民録二二・一八六七、同旨大判明四一・一・二九民録一四・二二、大判大三・三・一二民録二〇・一六八、大判昭三・八・三一民集七・一〇・七一四、大判昭七・六・二九民集一一・一二・一二五七、大判昭一四・五・一〇大判全集六・八〇四、大判昭一四・七・七民集一八・一三・八三三（註一））。

とする。従つて定款の署名者＝発起人＝定款の作成者となるわけである。それ故、定款を事実において誰が作成するかは全く問題にならず、定款に発起人として署名した者のみが定款の作成者と認められるのである。「発起人は定款を作り之に署名することを要す」という規定から、右の如く発起人の形式的概念を導き出すのは多少の問題があり、特に発起人の責任を問う場合に形式的概念だけで足りるか疑問である。そこで例えば小町谷教授は、「発起人の義務及び責任の方面と、その権利の方面とを分け、各別に、発起人の意義を定めるべきものと信ずる。前者は、会社と第三者との利益を保護する見地から、発起人の意義を定めるものであり、後者は、発起人の利益保護の立場から、その意義を定めるものである。……設立せられる会社の利益、及びその会社の成立を前提として、発起人と取引をする第三者の利益を保護するためには、実質的に、設立中の会社の機関として行動した者を、悉く発起人であると解しなければならない。これに反して、発起人が、発起利得、その他の権利を取得するためには、必ず定款に署名していることを要する」(註二)とされている。この反対学説については聞くべき点が多いが、詳細は本双書の「発起人の責任」の項目に譲る。なお、

【11】「被控訴人等ハ同人等カ定款ニ発起人トシテ署名シタルハ単ニ名義ヲ貸与シタルニ過キス会社設立事務ニ関与セサルヲ以テ発起人トシテノ責任ナキ旨主張スレトモ定款ニ発起人トシテ署名シタル以上右主張ノ如キ事実ニ依リテハ未タ商法所定ノ発起人タルノ責任ヲ免レ得サルモノト解スヘキモノトス」(東京控判昭一五・三・二八新聞四五七一・九、評論三〇商四二)。

とする判例があるが、発起人の形式的概念からすれば、当然の帰結であろう。

また発起人はすべて一株以上株式を引受けることを要する(商一六九・一七〇II・一七五II9)。それが単に発起人の義務にすぎないか、それとも発起人たることの要件であるかについては、

【12】「株式会社ノ発起人タルニハ単ニ定款ニ署名捺印スルノミヲ以テ足レリトセス必スヤ株式ノ引受ヲ為スコトヲ要シ其ノ之ヲ為ササルニ於テハ未タ発起人タル資格ヲ有スルニ至ラサルモノト解スルヲ相当トス」(大判昭七・四・一九新聞三四〇五・一五)。

とする判例がある。従つて引受をなすべき時期において一株も引受をなさず、或は会社成立時までにその引受を全部取消した発起人は、その時から後は発起人たる地位を失うことになると認めねばなら

ない。しかしこの点は発起人の形式的概念との関係において多少の問題を残すように思われる。(註三)

(註一)　これらの判例については、多くの評釈がある。大判大三・三・一二については、毛戸勝元・京法九巻七号一五七四頁、大判昭三・八・三一については、田中(耕)・判民昭和三年度六九事件、大判昭七・六・二九については、石井・判民昭和七年度一〇〇事件、大判昭一四・五・一〇については、小町谷・判例商法二巻一八四頁、大判昭一四・七・七については、石井・判民昭和一四年度五八事件、竹田・民商一〇巻六号一〇七九頁、大隅・論叢四一巻六号一〇六七頁などである。

(註二)　小町谷操三「発起人の責任」株式会社法講座一巻二七三―四頁、同・商法講義一巻二〇六頁、同・判例商法二巻一八四頁。また田中耕太郎博士も「実際会社の設立に当り尽力した者は皆実質的には発起人と認め、ただこれらの者が設立中の会社の機関として権限を有しかつ発起人としての責任を負担するためには定款に署名することを必要とするものと考える」(改訂会社法概論上二四四―五頁)として発起人概念を二元的に把えられる。なお田中(耕)・判民昭和三年度六九事件参照。

(註三)　学説は分れている。大森(忠)・株式会社法講座一巻一五〇頁、大隅・全訂会社法論上一五四頁、松田―鈴木(忠)・株式会社法上四二頁は判例と同様の立場をとり、石井・商法Ⅰ一六四頁、石井編・註解株式会社法一巻二六〇頁は反対の立場をとる。

二　発起人の資格については、別段の制限なく、無能力者でも、法人でも(東京控判明四五・六・一四新聞八二五・二二)発起人たりうるとするのが、判例並びに通説である。法人については、公法人・私法人、また公益法人・営利法人の区別を問わず、従つて会社も他の会社設立の発起人となりうるが、ただそれが法人の目的の範囲内に限られるかどうかについては、会社につき、

【13】「会社カ株式会社設立ノ発起人ト為ルコトヲ得ルヤ否ヤヲ判定スルニハ先ツ其発起行為カ定款ニ依リテ定マリタル目的ノ範囲内ニ包含スルヤ否ヤヲ確立セサルヘカラス」(大判大二・二・五民録一九・二七)。

として、これを肯定する判例があり、通説も同様に解している。(註一) しかしこれに対しては、目的による会社の権利能力の制限を認めない立場から有力な反対がとなえられている。(註二) 会社が他の会社設立の発起人となるに際し、一々その目的の範囲内かどうかを確定することは、不便であるのみならず、全く不必要なことと思われるので、反対説を支持すべきものと考える。(註三)

無能力者が発起人たるときは、その法定代理人が無能力者の名において定款の作成をなすべく、また法人が発起人たるときは、その代表機関が法人の名において定款を作成することになる。これは署名の代理に関係するから、後に譲る。

発起人の員数については、七人以上と最低限が法定せられている故(商一六五)、定款の署名者=作成者も七人以上であることを要し、七人未満の署名しかないとき、或は七人以上の署名があつてもその中に無効な署名があつて有効な署名が七人未満であるときは、定款は無効であり、設立無効の原因となる(大判昭八・九・一二民集一二・二三一三、鈴木・判民同年度一五八事件賛成)。しかし有効な署名が右の最低限を維持する限り、署名者の死亡その他の事由により無効なる署名が存在しても、定款は何らの瑕疵をも有せず、従つて設立無効原因も存在しない。例えば、

【14】 本件銀行の設立発起人中の「七会社ハ他ノ株式会社設立ノ発起人トナルコトハ孰レモ其目的ノ範囲ニ属セサルモノト認メ得ヘキニヨリ右七会社ハ発起人タルコトヲ得サルモノトナスヘシト雖モ本件銀行ノ発起人ハ三十二名ニシテ右七会社ヲ除クモ法定数以上ノ発起人アルコト明カナルヲ以テ其発起人中偶々無資格者アリトスルモ為メニ其定款ヲ無効トシ又ハ会社設立ヲ無効ナリトスルコトヲ得ス」(東京控判大三・一・二六新聞九五一・二四)。

(註一) 田中(耕)・改訂会社法概論上二四五頁、石井・商法Ⅰ一六五頁、松田・新訂会社法概論八一頁、伊沢・新会社法二四七頁など。

（註二）　田中（誠）・会社法八五頁、大隅・全訂会社法論上一五五頁。なお田中（誠）・会社法一五頁以下、拙著・会社法提要八頁以下参照。

（註三）　石井編・註解株式会社法Ⅰ一五四頁が、目的による会社の権利能力の範囲の制限を認めない「一般的立場の当否は別として、発起人資格についてまで、目的による制限が及ぶと解する必要があるかは、若干疑問である」としているのは注目すべきである。

三　発起人即ち定款の作成者又は署名者の間には組合契約があり、所謂発起人組合が存在するが、この組合は民法上の組合たる性質を有し（大判大七・七・一〇民録二四・一四八〇、同旨行判昭七・七・一三新聞三五〇四・一八）、組合員たる発起人の脱退・加入が行われても、組合が同一性を有していることは、古くから判例において承認されている。(註一)

【15】　「組合ニ於テハ其契約事項ヲ変更シ死亡破産等ノ為メ組合員カ脱退スルノ外組合員ノ合意ニ出テタルトキハ其他ノ事由ニ依ルモ脱退シ若クハ他ノ者ヲ加入セシムルコトヲ得可キモノニシテ其契約事項ヲ変更シ組合員ノ脱退加入アリタル場合ニ於テハ其以前ノ契約カ消滅シテ新ナル契約カ成立スルニ非スシテ最初ノ契約カ存立シ其中或部分カ変更セラレタルモノニ過キサルモノトス」（大判明四三・一二・二三民録一六・九八二）。

定款の作成は、本来この組合契約の履行としてなされるが（東京地判大九・二・一八評論九商三四）、ここで問題となるのは、発起人組合の組合員たる資格と定款の署名者乃至作成者との関係である。この点については、発起人組合は当初は発起人即ち定款の署名者たるべく予定された者によつて形成せられるが、定款作成の段階に至り、発起人として定款に署名しない組合員は当然組合から脱退したものと認められ、逆に組合員でなかつた者でも定款に発起人として署名したときは当然組合に加入したものと解せられ、またその後においても定款への追加署名によつて新に発起人たる資格を取得し、或は反対に署名の取消や撤回によつて右資格を喪失した場合には、発起人組合の組合員たる資格も同時に取得又は喪失されるものと認められ、かくして発起人即ち定款の署名者と発起人組合の組合員とはその人的範囲において全

く一致する、と一般に解せられている。(註二) この問題に直接触れた判例はないが、

【16】 「発起人タルコトヲ承諾セル被上告人等ハAヲ創立委員長トシテ前示会社ノ設立ヲ企図シ会社ノ創立計画者トシテ行動セルコトヲ窺知シ得ラレサルニ非ス若シ此事実ニシテ肯定セラルルニ於テハ被上告人等ハ会社ノ成立テフ一ノ共同目的ヲ有スル協約当事者ノ一員タルモノト云フヘク又創立委員長タルコトハ特ニ代理権ノ授与ヲ俟タスシテソレ自体協約各当事者ヲ代表スル資格ヲ与ヘラレタルモノト云フヘキヲ以テ被上告人等ハ定款ニ署名シタルコトナク従テ商法上会社ノ発起人トシテ目シ得サルモノナルニセヨ創立委員長カ会社成立ノ準備トシテ上告人ト締結セル本件請負契約ニ付其責ヲ免レサルモノト云ハサルヘカラス尤モ被上告人中ノ一人ハ発起人タルコトヲ承諾シタルモノニアラス単ニ賛成人タリシモノナルモ其ノ名称ノ如何ニ拘ラス協約当事者ノ一員タル以上ハ同一ノ責任ヲ免レサルモノトス」(大判昭九・六・二 五大判全集三四九)。

とする判例は、必ずしもそのように厳格に解していないように思われる。

なお発起人が定款を作成し、且つ一株以上を引受けたときは、所謂設立中の会社が形成せられ、発起人はその原始構成員となると同時にその執行機関となるものと解せられているが、発起人組合はこれによつて消滅するものではなく、(註三) 設立中の会社と並存し、しかも設立中の会社とは別個に対外的取引行為をなしうる(大判昭一一・三・一 八民集一五・四九一)。また発起人組合は、会社が不成立に終つても、直ちにそれによつて解散するものではない(大阪地判昭二八・二・一七 下級民集四・二・一九五)。

発起人組合の業務執行及び組合代理は民法の組合に関する規定に従うこと勿論であり、各発起人はすべて業務執行の権利義務を有する(民六七〇・六七二 I・六七三参照)。即ち業務執行に関する意思表示は発起人の過半数で決せられ、その具体的執行は各発起人が単独にこれをなし、また各発起人は単独に組合を代理する権限を有する。

【17】「株式会社設立ノ為メノ発起人ノ団体ハ民法上ノ組合ニ外ナラサレハ其業務執行ハ発起人全員ノ共同ニ為スヘキモノニシテ一人ノ発起人カ組合ノ為メ為シタル行為ハ他ノ発起人ノ委任アルカ若クハ其結果カ組合ノ利益ニ帰シタルニ非サル限リハ発起人ニ於テ第三者ニ対シ其責ニ任スヘキモノニ非ス」（大判大七・七・一〇民録二四・一四八〇、同旨東京控判大六・一二・二三新聞一三八〇・二五）。

とする判例は、右と反対の立場をとり、また業務執行と組合代理とを明確に区別していない。（註四）業務執行及び組合代理の権限を一人又は数人の発起人に委ねるのは、勿論可能である。業務執行権を有する者は同時に組合代理権を有するかに関し、判例は、

【18】「株式会社ノ創立委員長ナルモノハ創立委員ノ決議ニ基キ設立事務ノ執行ヲナスモノタルニ過キスシテ委員長タル資格ニ於テ当然他ノ発起人タル創立委員ヲ代表シ設立事務ヲ独断専行シ得ヘキ権限ヲ有スルモノニアラス斯ル権限ノ有無ハ他ノ発起人ノ委任アルヤ否ヤニ因リテ定マルヘキ事実問題ナリ」（大判大五・八・九民録二二・一六二一）。

として、これを否定している。これに関して一般に、創立委員、或は創立委員長乃至発起人総代と呼ばれる者が如何なる地位を占めるかが問題となるが、

【19】「創立委員トハ各発起人ヨリ会社創立事務ノ執行ヲ委任セラレタル発起人ト認ム」（東京地判大五・三・二五新聞一一一八・二九、評論五商二九〇）。

【20】「発起人タルコトヲ承諾セル被上告人等ハ甲ヲ創立委員長トシテ会社ノ設立ヲ企図シ会社ノ創立計画者トシテ行動セルコトヲ窺知シ得ラレサルニ非ス若シ此ノ事実ニシ肯定セラルルニ於テハ被上告人等ハ会社ノ設立テフ一ノ共同目的ヲ有スル協約当事者ノ一員タルモノト云フヘク又創立委員長タルコトハ特ニ代理権ノ授与ヲ俟タスシテソレ自体協約各当事者ヲ代表スル資格ヲ与ヘラレタルモノト云フヘキ」である（大判昭九・六・二五法学三・一四六四、大判全集三四九）。

【21】「契約書中甲ノ肩書ニ株式会社厩橋劇場発起人総代ナル記載アリト雖該記載ノミニ依リ直ニ発起人甲ニ於テ他ノ発起人タル乙等四名ヲ代理シタルモノト認定スルニ由ナキモノトス」（東京控判昭二・二・一五評論一六商三五一）。

とする判例がある。【20】の判決は、創立委員長又は発起人総代の代理権につき、【18】及び【21】の判決と異なつた立場をとつているが、特別の留保がない限り、【20】の判決と同様その代理権を肯定すべきであろう。なお【19】【20】【21】の判例は、すべて発起人組合の立場から眺めているようであるが、創立委員・創立委員長・発起人総代は原則として同時に設立中の会社の機関（業務執行又は代表機関）たる地位を有するものと認められる。しかし、彼等の行為の効果が発起人組合と設立中の会社の何れに帰属するかは、その行為が何れの名においてなされたかによつて決せられる。何れの名においてなされたかが明確でないときは、当事者の意思を推察して決する外ないであろう。

なお発起人組合の債務は、民法第六七五条により、特約のない限り各発起人が平等の割合で負担すべきである（註五）（東京控判大一五・九・二三新聞二六三四・一四）。

（註一） 脱退については、死亡・破産などの非任意脱退（民六七九）の外、他の発起人全員の同意をえて、またやむをえない事由があるときはその同意なしに、脱退しうるが（民六七八Ⅰ Ⅱ、東京控判昭九・六・一八新聞三七三〇・一四）、株式引受人との関係を生じた後は、株式引受人全員の承諾がなければ脱退をなしえない（田中誠・会社法八七頁、松田・会社法概論八二頁、石井編・註解株式会社法Ⅰ一五九頁など）。加入については、発起人全員の同意をえて、且つ株式申込証作成以前に限り（大判昭一三・五・一七民集一七・九九六、豊崎・判民同年度六四事件賛成）加入をなしうる。

（註二） 大森忠夫「会社の設立」株式会社法講座一巻一五六頁、田中（誠）・会社法八七頁、松田・会社法概論八一頁、実方・会社法学Ⅱ一六九頁、石井編・株式会社法Ⅰ一五七頁。

（註三） これについては、鈴木・判民昭和一一年度二八事件、西原・民商四巻三号六二三頁、於保不二雄・商事法判例研究一巻四九頁参照。

（註四） 松本・商法判例批評録五一九頁は、本件はむしろ組合代理に関するとなし、これにつき発起人全員の共同をもつてなすべしとする判旨に賛成されている。

(註五)　学説は一般に連帯責任と解している。北沢正啓「設立中の会社」株式会社法講座一巻二二一頁註一二、鈴木・判民昭和一一年度二八事件(大判昭一一・三・一八)評釈、石井編・株式会社法I二四六頁、松田‐鈴木(忠)・株式会社法上一〇頁、於保・商事法判例研究一巻五三頁以下。これに反対する説として、西原・民商一〇巻五二二頁。

四　定款の形式及び認証

一　定款作成に所謂定款が書面定款を意味することは、既に述べた通りであるが、その書面については、

【22】「其ノ作成者タル発起人ノ署名アル以上ハ便宜上之ヲ分冊ト為シ其本文ト発起人署名ノ部分トヲ分離セシムルモ定款タルノ効力ヲ妨ケサルモノトス」(大判大一五・二・二五商事判例集一一八、同旨大判昭五・九・二〇新聞三一九一・一一)。

また、定款の各葉に契印の存することは定款の要件ではない(大判昭八・五・九新聞三五六一・七、同旨東京控判昭七・一〇・二〇大判民集一二・一二四六、大阪控判昭七・一二・一〇大判民集一二・一一二)。

定款に抹消部分が存在する場合、

【23】「発起人全員カ該個所ニ調印セサルヘカラストノ法理ハ之ヲ発見スルニ由ナ」い(大判昭八・五・二二民集一二・一一三〇、田中誠二・判民同年度八七事件)。

定款には「何々会社定款」なる標題をつけるのを通常とするが、商法上それは要件でなく、定款の記載その他から特定会社の定款なることが推知できればよく、従つてまた仮定款なる記載がある場合でも、「仮なる文字を冠しある一事を以ては直ちに同号証を以て同会社の定款に非ずと云ふを得」ない(大阪控判大六・七・二七新聞一三八八・一七、評論七商一一九)。

二　定款には、上述の如く、七人以上の発起人の署名を必要とする。(註一)

(一)　定款に署名をなす者は必ずしも発起人に限られず(大判大五・一〇・七民録二二・一八六七)、賛成人或は賛助人として定款に署名する者も存在する。(註二) これらの者は勿論発起人ではないが、表見発起人として発起人と同一の責任を負わせられる(商一九八)。しかしこれらの者は、発起人と異なり、定款への署名を義務づけられているものではない。従つて何らの限定もなしに定款に署名がなされている場合には、それは発起人としての署名と解すべきである。定款末尾に特定人の記名捺印及び住所の記載はあるが、発起人たる表示を欠き、また本文中にも発起人の氏名住所の記載のない場合につき、

【24】「株式会社ノ定款ニハ発起人ノ氏名住所ヲ記載スルコトヲ要スルモ其ノ記載方法ニハ何等ノ制限ナク之カ為メニ特ニ発起人ナル文字ヲ使用スルコトヲ要セス又其ノ署名（又ハ記名捺印）ソノモノ以外ノ或ル文字ヲ以テ之ヲ記載スルコトヲ要セス定款ノ記載自体ヨリ特定ノ氏名住所ノ者カ発起人タルコトヲ確認シ得ルヲ以テ足ルモノトス」(大判昭八・九・一二民集一二・二三二三)。

とする判例があるが、これは右の趣旨を認めたものと考えられる。従つて原則的には定款の署名者即ち発起人と考えてよい。

(二)　発起人の署名とは自署を意味するが、記名捺印でもよく(商法中署名すべき場合に関する法律)、一般には後者が行われている。署名又は記名捺印の代理については、

【25】代理人ヲシテ定款作成ニ当ラシムルトキハ其ノ代理人カ本人ノ為メニスルコトヲ示シテ署名又ハ記名捺印スヘキハ当然ナルヲ以テ本人ノ為メニスルコトノ表示ナキ場合ハ代理人カ定款中ニ署名セル事実アリトテ之カ為メ本人カ発起人トシテ表示サレタルモノトハ云フヲ得ス」(大判昭七・六・二九民集一一・一二六二、石井・判民同年度一〇〇事件)。

として、代理の可能性(同旨大判昭一二・八・一〇大判全集四・八一七)とその方式を示しているが、これは一般の学説も認めると

ところである。従つて定款自体において代理の旨即ち本人のためにする旨が示されないときは、たとえ委任状その他の書面により代理権が証明されても、本人は定款の署名者、従つて発起人となりえない（前掲大判昭七・六・二九）。

これに反して、代理人が直接本人の氏名を書くこと即ち所謂署名の代行、或は、代理人が直接本人の氏名を書いた上で本人の捺印をすること即ち所謂記名捺印の代行については、前者の署名の代行は署名の性質上疑問であるが、(註三)後者はこれを肯定すべきである。判例は、手形又は小切手に関する場合につき、

【26】「小切手ノ振出ニ付テハ署名若クハ記名捺印ヲ要件トシ代理人カ小切手ヲ振出ス場合ニ在リテモ此方式ヲ践ンテ意思表示ヲ為ササルヘカラサルモノナルモ法律ハ此場合ニ所謂振出人ノ署名若クハ記名捺印ハ代理人カ本人ノ為メニスルコトヲ記載シテ自己ノ署名若クハ記名捺印ヲ為スヘキモノナルコトヲ命スルコトナク又代理人カ本人ノ署名若クハ記名捺印ヲ為スヘキモノナルコトヲ命スルコトナキヲ以テ其何レタルモ代理人カ為ス小切手振出ノ意思表示ノ方式トシテ法律ノ規定スル要件ヲ充スモノト謂フヘ」し（大判大四・九・一五民録二一・一四六八、同旨大判昭八・五・一六民集一二・一一六四など多数）。

となして、署名の代行と記名捺印の代行とを全く同様に取扱つている。(註四)わが国では記名捺印の代行が相当盛んに行われている。この場合、代理人が有合印で又は新たに印影を作成して押捺しても、その委任がある限り、本人の捺印として有効である（長崎控判昭一一・一二・二一商事判例集追録二・五〇）。なお、代理人による署名（記名捺印）又は署名（記名捺印）の代行の場合において、民法第一〇八条は適用されない。

【27】「設立行為其モノノ組成分子タル意思表示ハ受領ヲ必要トセサル相手方ナキ単独行為ナリト解スルヲ至

当トス然ラハ設立行為ニ付テハ相手方アル法律行為ニ付キ専ラ当事者本人ノ利益ノ為メ代理権ニ制限ヲ加ヘタルモノト解スヘキ民法第百八条本文ノ適用ナキ事明白ナルヲ以テ一人ノ発起人ハ其発起人ノ委任ニヨリ之ヲ代理シテ設立行為ヲ為ス事ヲ得ヘク又設立行為自体カ組合契約ナリトスルモ発起人カ定款ニ署名スル行為其モノハ署名者ノ単独行為ナルヲ以テ発起人カ署名スルニヨリ署名成立シテ其効力ヲ生(スル)……ヲ以テ一人ノ発起人ニ対シ他ノ発起人カ其署名ヲ代理セシムルモ等シク民法第百八条本文ノ規定ニ反スルモノニ非ス」(大阪控判大七・一二・二一判例三民七一九、同旨東京控判大一〇・四・八新聞一八九六・一八、評論一〇商二五五)。

最後に法人が発起人なるとき、右の代理の場合と似た問題が生ずる。これについては、判例は、手形の振出につき、

【28】「会社ノ代表機関タル取締役ニ於テ会社ノ為メニ振出ノ意思ヲ表示スルニ付キテハ会社ノ為メニスルノ意ヲ明カニシテ取締役自己ノ名ヲ署セサル可カラサルハ猶後見人カ未成年者ノ為メニ手形ヲ振出ス場合ニ後見人ノ名ヲ署セサル可カラサルニ毫モ択フ所ナキナリ……而テ明治三十三年法律第十七号ニハ記名捺印ヲ以テ署名ニ代フルコトヲ許シタリト雖モ右ハ該法文ニ明カナル如ク署名スヘキ場合ニ記名捺印ヲ以テ之ニ代フルコトヲ許シタルモノニシテ決シテ其署名スヘキ者ノ氏名ヲ省略シ本人又ハ会社ノ商号ヲ記載シテ之ニ代フルコトヲ許シタルモノニ非ス」(大判明三八・一二・七民録一一・一三七、同旨大判大一二・七・一三民集二・五四四)。

として、代表機関が直接法人名を記入して法人印を押捺することを法人の署名方法と認めていない。(註五)学説も、勿論意見が分れているが、判例の立場を支持するものが有力である。(註六)

(三) 署名又は記名捺印の時期については、発起人の署名は同時たることを要せず(東京地判昭三・四・二八新報一五一・一六)、追加署名も可能である。

【29】「被上告人等カ発起人タルニ付キ必要ナルヘキ行為竝ニ会社及ヒ第三者カ被上告人等ヲ発起人ト認ムヘキ事実ノ実質ハ悉ク創立総会前ニ具ハリ居リタルモノニシテ唯上告人カ其ノ為スヘキ代行署名ヲ遅延シ居リタル

カ為メ法定ノ形式ヲ備ヘサリシモノタルニ止マルモノト云フヘク此ノ如キ場合ニ於テハタトヘ創立総会後ニ於テ上告人カ右署名ヲ代行追完シタルトキト雖モ既ニ会社カ他ノ発起人ニ依リ有効ニ設定セラレタル以上右追完ヲ有効トナシ被上告人等ヲ発起人ト認ムルニ付キ之ヲ妨ク可キ何等ノ事由アルコトナキカ故ニ如上追完ハ之ヲ有効ト認ムルヲ以テ最モ事理ニ適シタル解釈ト認メサルヲ得ス」（大判昭八・四・二四民集一二・一〇〇八、石井・判民同年度七一事件）

右の判例は、一定の限定の下にではあるが、創立総会後の追加署名を認めているが、これに反して追加署名は株式申込証作成の時までに限るとする判例がある（大判昭一三・五・一七民集一七・一〇〇九）。学説は一般に後者の判例の立場を支持している。[註七] これは勿論募集設立の場合であるが、発起設立の場合には、発起人全員の同意があれば、会社成立前ならば何時でも追加署名をなしうると考えられる。

なお後者の判例は、追加署名があつた場合の定款の成立時期につき、

【30】「株式会社ノ定款ハ発起団体ヲ組織セル七人以上ノ発起人ニ於テ法定ノ事項ヲ記載シ之ニ署名又ハ記名捺印シタルトキハ有効ニ成立シ定款タル効力ヲ生スヘキコト疑ナキヲ以テ定款ノ作成モ亦此ノ時期ニ為サレタルモノト解スルヲ相当トス固ヨリ右ノ時期以後ニ於テモ株式申込証作成ノ時迄ニ発起人タラント欲スル者ハ該定款ニ署名又ハ記名捺印シ発起団体ニ加入シ得ルコト勿論ナリト雖此等ノ者ハ追加発起人トシテ発起人タル地位ヲ取得シ既成ノ定款ニ署名又ハ記名捺印シタルモノニ過キス其ノ全員ノ署名又ハ記名捺印ヲ完了スルニ非サレハ定款ノ作成ナキモノト云フノ要ナキモノトス」（大判昭一三・五・一七民集一七・一〇〇九）。

とするが、妥当と見るべきである。定款が成立すると、それに発起人として署名した者は、発起人たる資格を取得し、またそれ以後に追加署名した者は、署名した時期に同資格を取得する。

（四）　署名の性質については、それは定款の記載事項を証明又は承認する一つの事実行為であつて、法律行為ではない。従つて法律行為である定款作成行為とは区別されなければならないが、署名は定款作成行為の絶対的形式であり、また署名行為の中に定款作成行為が吸収されていると見るべき場合

も多いが故に、署名行為には法律行為に関する原則を一般にあてはめることができる。

【31】「発起人カ定款ニ自己ノ署名捺印ヲ為スノ行為ハ正当ノ意義ニ於ケル法律行為ナリト謂フヲ得スト雖之亦会社ノ設立ニ関スル行為ニシテ法律行為ニ準スヘキモノナルカ故ニ其性質ノ許ス限リ又法律ノ禁セサル限リハ法律行為ニ関スル規定ヲ之ニ準用スヘク従テ発起人カ定款ニ於ケル署名ヲ他人ニ委任シ其受任者カ右発起人ノ代理人トシテ其旨ヲ表示シ定款ニ自己ノ署名又ハ記名捺印ヲ為ス時ハ法律行為ノ代理人ノ規定ニ準シ本人タル発起人カ定款ニ署名シ又ハ其記名捺印ヲ為シタルト同一ノ効力ヲ生スル者ト解スヘキ者トス」（東京控判大一〇・四・八新聞一八九六・一八、評論一〇商二五四）。

とするのは、右の趣旨に近いと認められる。

（五）最後に定款作成行為の性質については、それが株式会社設立行為の重要な一部を構成する法律行為なることは明かであるが、如何なる法律行為であるかに関し、

【32】「設立行為其モノノ組成分子タル意思表示ハ受領ヲ必要トセサル相手方ナキ意思表示ニシテ表意者各自カ相互ニ対シテ為スコトヲ要セサル一種ノ相手方ナキ単独行為ナリ」（大阪控判大七・二・二一商事判例集一二二）。

【33】「定款作成行為ノ法律上ノ性質ハ固ヨリ契約ニアラスシテ相手方ナク受領ヲ要セサル所謂合同行為ノ範疇ニ属スルモノト解スヘ」きである（東京地判大八・一一・一一評論八商六三三、同旨東京地判大九・二・一八評論九商三五）。

と判例の立場が分れている。実際上この相違は大した効果を生むものとは考えられないが、学説は合同行為説をとる方に傾いている。[註八] 定款作成行為が発起人組合契約と区別せらるべきことは、発起人組合のところで既に触れた。なお定款作成行為と定款署名行為とは、判例上区別せられないことも多い（前掲大阪控判大七・二・二一、東京地判大七・四・三〇新聞一四〇八・一七など）。

（註一）同判決は、「定款ニ署名又ハ記名捺印シタル一事ヲ以テ会社設立ノ発起人タラサルハ勿論ナルモ」としている。

(註二)　田中(誠)・会社法八六頁。

(註三)　松田=鈴木(忠)・株式会社法上一五頁はこれを肯定する。

(註四)　詳細は、伊沢・手形法小切手法一四〇―一四一頁参照。

(註五)　下級審の判例としてこれと反対のものがある。大阪控判明四〇・一二・六新聞四六八・一六。

(註六)　詳細は、伊沢・手形法小切手法七〇頁以下参照。

(註七)　石井編・株式会社法Ⅰ一六〇頁、また後者の判例の評釈として、豊崎・判民昭和一三年度六四事件、竹田・民商八巻五号九二二頁、八木・商事法判例三巻六五頁。

(註八)　大森・株式会社法講座一巻一六一頁参照。

三　定款は、公証人の認証を受けなければ、その効力を生じない(商一六七)。

(一)　公証人の認証とは、定款が真正に成立したことを公証人において証明することである。定款の内容即ち記載事項が妥当又は適法なことを証明するものではない。公証人の認証を定めた昭和一三年の改正法以前においては、定款の作成や所在につき、或はその内容に関し、紛争が生じ易く、また不正の行われることも多かつた。例えば、

【34】　「株式会社設立申請ニ付テハ非訟事件手続法第百八十七条ニヨリ申請書ニ定款ヲ添付スルコトヲ要シ之レヲ添付セサレハ同法第百五十一条ニヨリ申請ハ却下セラルヘキモノナレハ株式会社総房中央銀行カ其設立登記ヲ完了セルコト当事者間争ヒナキ本件ニ於テハ同銀行ノ定款ハ適法ニ作成セラレアリタルモノト認ムルニ足レリ」(東京控判大三・一・二六新聞九五一・二四)。

とするような判例も出る有様であつたが、このようなことを未然に防ぐために、右の規定が設けられるに至つたのである。

認証を受けるには、会社は定款二通を提出して、認証を嘱託し(公証六二ノ三Ⅰ)、公証人は、その会社(発

起人又はその代理人）をして、自己の面前で、定款各通につきその署名又は記名捺印を自認させ、その旨を定款に記載することを要する（同II）。公証人は認証した定款の中一通を自ら保存し、他の一通を会社に還付する（同III）。公証人が一通保存するので、定款は公正証書に近似するが、公正証書ではない。なお原始定款については、検査役による調査（商一七三）（発起設立の場合）又は株式の募集の着手（募集設立の場合）までに認証を受けるべきである。

（二） 公証人の認証が、原始定款のみならず、設立中又は会社成立後の定款変更の場合にも、これを必要とするかは、定款変更の説明に譲ることにすれば、定款は右の認証によつて効力を生ずる。定款の成立時期については、判例は上述の如く七人以上の発起人が署名したときに定款は成立するとしているので（大判昭一三・五・一七民集一七・一〇〇九）、定款の成立時期と効力発生時期とは異る。定款の作成年月日は前者を意味する。公証人の認証によつて定款が効力を生ずるというのは、内容的に有効な定款でも認証があるまでは効力を生じないという意味で、内容的に無効な定款又はその各個の記載事項が認証によつて有効となるわけではない。定款の認証がないと、設立登記が誤つてなされても、定款は無効であり、従つて設立無効原因となる。

五 定款の記載事項

一 定款の記載事項については、学説上一般に絶対的必要記載事項・相対的必要記載事項及び任意的記載事項の三つに分けられる。絶対的記載事項とは、定款に必ず記載せらるべき事項、即ち定款が定款たるの効力を有するについて是非とも記載せられることを要し、その記載を欠くか又はその記載が違法なるときは、定款の無効、従つて会社の設立自体の無効を生ずる如き事項をいい、相対的記載事項とは、定款に記載しなくても定款そのものの効力には影響ないが、定款に記載しなければ法律上その効力を生じない事項を意味し、任意的記載事項とは単に定款に記載しうべき事項、即ち定款に記載されなくても定款そのものの効力に影響ないのみならず、定款に記載されたからといつて特別の効力を生ずるわけではない如き事項をいう。（註一）

判例も右の三つの記載事項の区別を認めていると見てよい。絶対的記載事項については、この言葉を使つているもの（広島控判昭八・四・一九大判民集一二・二三四三、東京地判大一五・五・一新聞二六一四・一一）もあれば、定款の要件ということでそれを表現しているもの（大判昭一七・六・二四新聞四七八六・一〇）もあり、単に定款に記載することを要するといつているにすぎないもの（大判昭・八・九・一二民集一二・二三三三）もある。相対的記載事項については、この言葉を使つている判例は極めて少いが（名古屋控判昭二・一二・一四大判民集七・七二九）、実質的にはすべてその存在を認めているといわなければならない。任意的記載事項については、

【35】「株式会社ノ定款ハ其組織ニ関スル事項ナル以上法令中ノ強行規定公ノ秩序又ハ善良ノ風俗ニ反セサル限リ任意ニ如何ナル事項ヲモ定メ得」（東京控判昭二・二・一四新聞二六六九・七、評論一六商九五）。

としている判例があるが、これに言及していない判例が任意的記載事項を否定する立場に立つているとは認め難い。

（註一）　株式会社につき任意的記載事項を否定する有力な反対説がある（石井・商法I一七〇頁、鈴木・会社法五二頁）。即ち株式会社は多数の社員の純資本的結合体なるが故に、当然に社員を拘束せんとする事項を定めたときは、すべてこれを定款に記載しなければ、その効力なきものと考えられ、従つてそれは必然的に相対的記載事項というべきであり、その意味において任意的記載事項は株式会社においては存在しない、というのである。これについては、

定款という形式以外の会社の自治立法を認めないこと、また定款に記載される事項が常に必ずしも株主の権利義務に直接関係するとは限らないこと、などから疑問がある。なお批判の詳細については、拙稿・同志社法学一二号五八頁以下参照。

二　絶対的記載事項は商法第一六六条第一項に掲げられるが、そこに掲げられる事項は必ずしも絶対的記載事項に限られないことに注意しなければならない。例えば後述の如く、発起人の住所（商一六六I10）は絶対的記載事項ではない。相対的記載事項は第一六八条その他（商二二二I・二二二II・二二二ノ二I・二九一Iなど）に定められている。任意的記載事項については、強行法規又は公序良俗に反しない限り、如何なることでも定款に記載しうるが、通常は、株券の種類、株券の再交付、株主の住所及び印鑑、役員の名称・員数及び被選資格、役員の補欠、株主総会の場所・議長・議事録など、営業年度、利益の処分、準備金、配当金の請求期間、などが任意的記載事項として定款に定められる。個々の記載事項については、一々ここで詳細にとりあげるわけに行かないし、また夫々の項目の説明と重複することにもなるので、ここでは絶対的記載事項を中心として、判例上特に問題となつたものだけを説くことにしたい。

（一）　目的（商一六六I1）　会社が営まんとする事業を定款に掲げることを要し、その事業は一個と限らず数個でも差支えないが、如何なる事業であるかが解りうる程度に具体的に記載しなければならない。

【36】　「商法カ会社ノ定款ニ其目的ヲ記載セシムル所以ノモノハ定款ニ於ケル目的ノ記載カ漠然トシテ取締役其他会社代表者ノ裁量ニ依リテ株主又ハ社員等ノ予想セサル事業ヲ開始シ又ハ此等ノ者ノ予想スル事業ヲ廃止スルカ如キコトアルニ於テハ会社内外ノ関係者ハ不測ノ損害ヲ蒙ル虞アルヲ以テ此弊ヲ除去セントスルニ外ナラサルカ故ニ此趣旨ヨリ稽フルトキハ会社ノ目的ハ之ヲ正確ニ記載スルコトヲ要シ縦シ積極的ニ確定セサル迄モ解釈上一定ノ範囲ヲ確定シ得ヘキ程度ニ之ヲ記載セサルヘカラス而シテ商法ハ目的タル事業ニ関シテ何等ノ制限ヲモ

設ケサルカ故ニ特別法令ノ制限アル場合ハ格別然ラサルニ於テハ多数種類ノ事業ヲ兼営スルコトモ敢テ妨ケサルヲ以テ斯カル場合ニ於テ其事業ノ範囲ヲ確定スルコトヲ要スルノミ」。

という一般的前提の下に「染料及工業用品の輸出入其他一般の商品の売買並に其附属行為」を目的として掲げたのを有効なる記載とした判例がある(東京地決大六・一二・二七 新聞一三四五・二二)。なお本双書の「会社の権利能力の範囲」の項を参照されたい。

(二)　商号(商一六六 I 2)　株式会社の商号中には必ず株式会社なる文字を用いなければならない(商一七)。詳細は本双書の「商号」の項に譲るが、

【37】「横浜正金銀行ハ明治二十年勅令第二十九号横浜正金銀行条例ニ基キ設立セラレタルモノニシテ其組織ハ商法ニ所謂株式会社ナリト雖モ其商号ハ商法ノ規定ニ従ヒ株式会社ナル文字ヲ付スルコトヲ要セス横浜正金銀行ト称スヘキモノナルコトハ該条例ノ規定ニ徴シ明ナ」り(東京控判明治三八・判決日不詳・新聞三〇〇・一〇)。

とする判例がある。これは特殊会社又は特殊銀行に関係し、特別法令で直接商号が定められていることによるが、やや問題があるように思う。

(三)　会社が発行する株式の総数(商一六六 I 3)　発行予定株式総数であり、所謂授権資本又は授権株式に該当する。この総数の四分の一以上が設立に際して必ず発行されねばならず(商一六六 II)、また会社成立後この総数を増加する場合には発行済株式数の四倍を超えて増加することは許されない(商三四七)。しかし後者に関し、発行予定株式総数中に未発行株式が残存している場合にも、第三四七条の制限に触れない限り、右総数を増加することができる(東京地判昭三〇・二・二八 下級民集六・二・三六一)。

問題は、資本減少や利益による株式消却などの結果、有効な発行済株式数が減少したとき、それは発行予定株式総数に影響を及ぼすかどうかである。即ち発行予定株式総数は発行済株式数が減少した

のに応じて当然に減少するのかどうか、減少するとする場合には定款変更との関係はどうなるか、が問題となる。この点に関する見解は分れているが、(註一) これに関する判例は未だでていない。実際上問題となることが予想せられるので、やがて裁判上も争われることと思う。

(註一)　鈴木−石井・改正株式会社法解説三一三―四頁及び大隅−大森・遂条改正会社法解説一四七頁は、定款変更の手続をとつて発行予定株式総数を減少しない限り、有効な発行済株式数の減少によつて発行予定株式総数が当然に減少することはないとしているが、昭和二七年三月二八日付甲第二二七号の法務省民事局長通達は、「株式の数を減少する方法による資本減少の場合においては、資本減少の決議と同時に会社が発行する株式の総数の減少の決議をなすべきであるが、この場合会社が発行する株式の総数の減少の決議がなされなかつたとしても、資本減少の決議は会社が発行する株式の総数の減少の決議を含むものと解して、その変更登記をなすべきものと解すべきである。従つて、特に、発行済株式数を減少する一面、会社が発行する株式の総数を従来どおり維持しようとする場合には資本減少の決議と同時に会社が発行する株式の総数を増加する旨の決議をなす必要がある」、としている。やや技巧にすぎた嫌いのある見解であるが、それは別として、資本減少の場合は株主総会の決議でなされるからいいが、利益による消却の場合の如く総会の決議を経ないで発行済株式数の減少が行われるときには、右のように解することができない。そこで昭和二七年九月八日付民甲第一一〇号の同局長回答は、「株式の償却により、会社が発行する株式の総数は、当然これに相当する数だけ減少するものと解されるから、資本減少による変更の登記においては、この事項をも登記すべきであるが、しかし、当然には定款の形式的変更を来すものとは考えられないから、後日定款変更の手続を履践するのが相当である」、として商法学者の見解への接近を示している。先の民事局長通達のように解しても、例えば発行済株式数五〇〇万株、発行予定株式総数二〇〇〇万株において、前者を一〇〇万株に減資した場合、後者は当然に一六〇〇万株になることになるが、それでは発行予定株式総数が発行済株式数の四倍を超ええないという制限は一体どうなるか疑問となるであろう。

何れにしてもこの問題はすつきりしないものを含んでいるが、これは発行済株式数の観念が明確を欠き、また根本的には授権資本乃至授権株式制度が余り意味のないものであることに起因する。立法論としては、授権資本制度といわれるものを廃止して、有効な発行済株式数の四倍を超えない範囲では、取締役会の決議で新株を発行しうるというようにすべきである。なお水田耕一・商事法務研究一七号二八二―三頁参照。

（四）　額面株式の一株の金額（商一六六Ⅰ4）　所謂額面（券面額）であるが、これは均一なることを要し、また五〇〇円を下ることをえない（商二〇二Ⅱ）。但し後者については、昭和二五年改正法施行前に成立した会社の発行する額面株式については、従来通り二〇円を下りえないにすぎない（昭二五改正商法附則Ⅳ）。詳細は本双書の「株式」又は「株券」の項に譲るが、券面額の最低限の法定の趣旨につき、

【38】　「抑モ商法ニ於テ株式金額ノ最低限ヲ定メタル所以ノモノハ一ハ小資本ノ細民ヲ保護シ一ハ投機熱ノ流行ヲ防キ又一ハ手段ノ煩雑ヲ避クル等ノ理由ニ出テタルモノ」である（名古屋地決明四三・二・九新聞六二四・一三）。

と説明する判例がある。沿革的にそのような理由があつたことは明かであるが、株式が広く大衆化した現代において、この趣旨をどこまで貫きうるかは、甚だしく疑問である。むしろ現代では、資本吸収の便宜ということが前面にでるべきであると思われる。

なお額面株式の一株の金額を定款に記載しなければならないのは、会社が額面株式を設立に際し或は会社成立後において発行せんとする場合に限られるのであつて、無額面株式のみを発行して、全然額面株式を発行しない場合には、これを定款に記載する必要はない。従つて額面を定款に記載しないからといつて、定款自体が無効となるわけでなく、額面株式を発行しえないだけである。それ故額面の記載は定款の絶対的記載事項ではなく、むしろ相対的記載事項と考えられる。

（五）　設立当初発行株式の総数並びにその額面無額面の別及び数（商一六六Ⅰ6）　設立当初発行株式の総数は発行予定株式総数の四分の一を下ることをえない（商一六六Ⅱ）。設立当初発行株式の総数その他が定款

の絶対的記載事項とせられるのは会社の成立当初における資本的基礎(商二八四ノ二参照)と会社成立後の新株発行に関する取締役会への授権の範囲(商二八〇ノ二I参照)とを明白ならしめるためである。

(六) 会社の設立に際して無額面株式を発行するときはその最低発行価額(商一六六I7) これも会社成立当初の資本的基礎を明かならしめるために定款への記載が要求されるのである。即ちこの最低発行価額の総額が少くとも資本に組入れられねばならない故(商二八四ノ二II)、最低発行価額の記載によつて会社成立当初の資本の最低額が明かになるからである。なおこれは無額面株式を発行する場合に限られるので、それを発行しないときはこの記載を必要としない。従つてこの記載は相対的記載事項に属すべきものである。また設立に際して無額面株式を発行する場合には、その最低発行価額を記載することを要するが、会社成立後において無額面株式を発行する場合には、その最低発行価額を定款に記載するかどうかは会社の任意に委ねられる。

(七) 本店及び支店の所在地(商一六六I8) これは本店及び支店のおかれるべき最小行政区劃を意味する。本店の所在地は欠きえないが、支店はこれをおかなくてもよいので、支店の所在地は絶対に記載しなければならないものではない。定款の変更によつて、本店及び支店の所在地を変更し、或は支店の新設・廃止をなしうるが、特に支店の新設については、

【39】 「我商法ニ於テハ株主総会ノ決議其ノモノト其ノ決議事項ノ実行トハ明ニ之ヲ区別セリ……商法第百四十一条第二項ノ規定ニ依リ株式会社ニ準用スヘキ同第五十一条第二項〔現行第六十五条第一項〕ニ所謂「会社設立後支店ヲ設ケタルトキ」トハ株主総会ニ於テ新ニ支店ノ設立ヲ決議シタルトキヲ謂フニ非スシテ其ノ決議後現実支店ノ開設アリタルトキヲ指スモノトス」(大決明三六・五・九民録九・五五四)。

とする判例がある。これは支店設置の登記の期間の起算点に関係するが、支店新設の定款変更につい

ても同様に解すべきで、この定款変更は支店新設の総会決議だけでは足りず、それに応ずる実行があつて始めて効力を生ずるのである。

（八）　会社が公告をなす方法（商一六六Ⅰ9）　これが定款の絶対的記載事項とせられるのは、「株主竝に其の他の第三者をして会社が法律の規定に従ひて為すべき公告事項を容易に知ることを得せしむるに在る」（大決大六・二・一〇民録二三・二五九）。公告は、官報又は時事に関する事項を掲載する日刊新聞紙に掲げてこれをなすことを要する（商一六六Ⅲ）。これは昭和一三年の改正において追加された規定であるが、それ以前には何らの制限もなく、従つて店頭公告の如き殆んど実効のない公告方法が定款に定められることも多く、また判例も、

【40】「公告ハ不特定多数者ニ対スル告知ニ外ナラスシテ其ノ方法ハ是等ノ者ヲシテ知リ得ルノ機会ヲ与フレハ足ルモノナルカ故ニ別段制限ヲ設ケサル我商法ノ下ニ在リテハ右ノ趣旨ニ反セサル限リ如何ナル方法タルモ可ナリト解セサルヘカラス従テ本社ノ店頭ニ掲載シテ為スト云フカ如キ公告方法ト雖必スシモ株主其ノ他利害関係人ニ公告事項ヲ知リ得ルノ機会ヲ奪フモノニ非サレハ……右ノ公告方法ノ定メヲ以テ違法ナリト断スルハ当ラス」（大判昭五・七・九民集九・六九四、反対判旨東京控判昭四・九・三〇新聞三〇八〇・五）。

として店頭公告を有効とした。商法が特別の制限を定めない以上、かく解するのも止むをえなかつたが（註一）、これでは、右の判例自身が認める如く、「株主中遠隔の地に在住する者に取り不便を免れず、又利害関係人に於ても会社の店頭に不断の注意を払はざるべからざる不便は之を免れず、」かくして結局法の趣旨は没却されることにもなるので、昭和一三年の改正となつたのである。従つて現行法の下では、店頭公告は勿論のこと、週間新聞や業界新聞になす公告も違法である。

公告新聞紙は特定されるか、或は少くとも特定されうるように記載することを要し（前掲大決大六・二・一〇民録二三・二五

九、大決大六・二・七二民録二三・三五九）、本店所在地において発行する一種又は数種の新聞紙というような記載は、

【41】「其新聞紙ノ如何ナルモノナルカヲ特定セサルヲ以テ取締役ハ臨機随意ニ公告新聞紙ヲ変更スルヲ得ル事ト為リ株主其他第三者ヲシテ適従スル所ヲ知ルニ苦マシムルノ不都合アルカ故ニ未タ以テ会社ノ公告ノ方法ヲ定メタルモノト謂フヲ得」ない（大決大八・八・一八民録二五・一四八五）。

公告新聞紙の記載方法として、会社の本店所在地を管轄する裁判所又は登記所（註二）が商業登記事項の公告を掲載する新聞紙に公告する、というように定められることが屡々あるが、その新聞紙が数種あるときは、その一個又は数個の新聞紙を特定することを要し、「その中の一個に公告する」という記載は勿論無効である（東京地判大六・一二・一一商事判例集一二七）。これに反し単に、「管轄裁判所において商業登記事項の公告を掲載する新聞紙に公告する」、とだけ定められているときは、その定めは有効であるが（註三）（東京民地決昭一五・六・六新報五八四・一七、評論二九商二五〇）、その代り、その数種の新聞紙全部に公告することを要する。蓋し。「株主其他の利害関係人は其全部の新聞紙を継続して閲読するに非ざれば、公告事項を知悉することを得ざることあるべく、此の如きは法が会社をして公告方法を規定せしめたる趣旨に反すべければなり」（東京地判大六・九・二九新聞一三三七・二六、同旨東京控判大七・一・三〇新聞一三七七・二三、東京地判大五ワ九五九・新聞一二九一・一一）。これに反する判例（東京控判大二・一〇・一一新聞九〇三・二五）もあるが、先の判例を支持すべきものと考える。なお裁判所の公告新聞紙が変更された場合においては、会社の公告は変更せられた新聞紙になすことを要し、変更前の旧新聞紙に公告をするのは適法な公告といえない（東京控判大七・三・一評論七商二二二）。

（註一）田中（耕）・判民昭和五年度六七事件評釈も判旨に賛成している。

（註二）登記事項は公告せられるが（商一一）、この登記及び公告を取扱う者は以前においては区裁判所であつたが（商旧九、非訟旧一三九）、法務府設置法附則（昭二四法一三六）第六項及び非訟事件手続法改正（昭二四法一三七）によつて、法務局もしくは地方法務局又はその支局もしくは出張所となつた。

（註三）　学説は分れている。片山義勝・株式会社法論一六四頁、伊沢・新会社法二五七頁はこれを有効とし、松田＝鈴木(忠)・株式会社法上二六頁、石井編・株式会社法I二〇三頁はこれを違法とする。

（九）　発起人の氏名及び住所（商一六六I一〇）　これは発起人の同一性を識別せしめるためであるが、発起人は別に署名をしなければならないので（商一六六I）、発起人の氏名及び住所の記載自体はそれ程重要でない。即ち特定の者が発起人であることが認識されうる限り、住所の記載は省略しうるし（大判昭八・五・九・オ一二〇新聞三五六一・七、大阪控判昭七・一二・一〇大判民集一二・一一一三）、また定款の本文中に記載すべき氏名及び住所を省略して、署名及びこれに附記された住所をもつてこれを兼ねさせることも有効である。蓋し、「之に依り何人が発起人なるやを一目瞭然ならしめんとする法律の趣旨は完全に達成するを得べければなり」（大判昭八・五・九・オ三四二一民集一二・一〇九一＝田中誠二・判民同年度七八事件賛成、同旨大判昭八・九・一二民集一二・二三一三＝鈴木竹雄・判民同年度一五八事件賛成、大判昭一七・六・二四新聞四七八六・九）。なお右の場合において、発起人の署名につき発起人なる記載を欠いても差支えない（前掲大判昭八・九・一二民集一二・二三一三）。

このようにして、発起人の署名と別の発起人の氏名及び住所の記載は殆んどその意義を失つている。従つて発起人の署名と発起人の氏名・住所の記載とが相違する場合には、

【42】　「定款ニ発起人トシテ氏名住所ヲ掲ケタル者ノ中署名又ハ記名捺印セサル者ハ会社設立ノ発起人ニ非サルヲ以テ此等ノ者ヲ除外シ発起人ノ法定数ヲ欠クニ至ルトキハ会社ノ定款及ヒ設立ハ無効タルヘシト雖モ之ヲ除外スルモ尚法定数ノ発起人ヲ欠カス且ツ其署名又ハ記名捺印アルニ於テハ会社ノ定款及ヒ設立ハ共ニ有効ニシテ法律上発起人ニ非サル者ノ氏名住所ヲ掲ケタレハトテ定款ノ無効ヲ来スヘキモノニアラス」（大判大五・一〇・七民録二二・一八六七）。

ということになり、誰が発起人であるかについては発起人の署名が決定的な意義を有する。それ故、七人以上の発起人の署名は定款の絶対的記載事項であるが、それと切り離された発起人の氏名・住所の記載は、判例の立場からすれば、むしろ任意的記載事項に属すると認むべきであろう。学説も大体

判例の立場を支持しているのであるから、(註二)明言しないとしても、この結論を認めることになるであろう。

(註二)　田中(誠)・会社法九四頁、大森・株式会社法講座一巻一六八頁、石井編・株式会社法1二〇四頁及び前掲判例評釈参照。

(一〇)　新株引受権に関する事項　これには株主の新株引受権と第三者の新株引受権とがあるが、昭和三〇年の改正法(法二八号)以前においては、特に株主の新株引受権に関し、商法は肯定・否定の何れの立場をもとらず、その代り株主の新株引受権に関する事項を定款の絶対的記載事項となし、各会社は未発行株式についての株主の新株引受権の有無、有るときはその内容乃至範囲を必ず定款に記載すべきものとなし(商旧一六六Ⅰ5)、またこれに対応して、発行予定株式総数を増加する場合にも、その増加分に対する株主の新株引受権の有無乃至その内容を特に定めることを要求していた(商旧三四七Ⅱ)。また第三者の新株引受権についても、これを定款の相対的記載事項となし、特定の第三者に新株引受権を与える場合にはその旨を定款に記載すべきことを定めていた(商旧一六六Ⅰ5・三四七Ⅱ)。右の改正法はこれに根本的変更を加え、株主の新株引受権に関する事項を定款の絶対的記載事項から相対的記載事項となし、その記載がなくとも定款は無効とならず、ただその場合には株主は新株引受権を有しないことになるだけであると認め、また第三者の新株引受権については、たとえ定款で第三者に新株引受権が与えられている場合でも、夫々の新株発行に際して、株主総会の特別決議でもつて、第三者の新株引受権の目的たる株式の額面無額面の別・種類・数及び最低発行価額を定めることを要するとした(商二八〇ノ二Ⅱ)。この改正の動機となつた判例があるので、参考のために掲げておきたい。

即ち、ある会社の定款において、「当会社の株主は、株式総数一千六百万株のうち、未発行株式について新株引受権を有する。但し、取締役会の決議により新株の一部を公募し、又は役員、従業員、旧役員及び旧従業員に新株引受権を与えることができる、」と定めていたのを、「当会社の株主は、株式総数四千八百万株のうち、未発行株式について新株引受権を有する。但し、取締役会の決議により……に新株引受権を与えることができる、」と変更した事案について、

【43】「株主の新株引受権を新株の数で制限する場合には、増加すべき株式中どれだけについて株主は新株引受権を有しないかを、最大限度を明示して、記載しなければならない。右の規定は公募し、または第三者に引受権を与えることができる新株を数量的に最大限度を明示していないから、株主の新株引受権の制限の定として適法といえず、しかも、この場合は、右本文の規定と但書とが一体となつて株主の新株引受権の制限を表現するものである以上、但書の部分のみを無効として無制限の新株引受権を認めたものとは認められない。従つて結局新株引受権に関する定をしなかつたことに帰着するから、発行予定株式総数の増加自体も無効になる」（東京地判昭三〇・二・二八下級民集六・二・三六一）。

とした。要するに、右のような定款の定めでは、どの範囲において株主が新株引受権を有するかが、但書との関係で不明確であり、株主の新株引受権を定款の絶対的記載事項とした法の趣旨に合しないから、右のような定めは無効であるというのである。この問題は元来学説の分れるところであつたが、（註一）右のような定款規定を有する会社も多かつたこととて、実際界には特に強い衝撃を与えた。（註二）

改正法の結果、右のような問題は生じなくなつたが、改正法においては株主の新株引受権に関する事項は定款の相対的記載事項になつたので、それに関する定款の定めがたとえ無効であつても、それが定款全体の無効引いては会社設立の無効を来すようなことはない。また第三者に新株引受権を与える定款の定めは、株主総会を拘束する力を持たず、従つて厳密な意味での規則たる性質を欠いている

ことが注目せられる（商新二八〇ノ二二Ⅱ参照）。

（註一） 無効論をとる者として、鈴木・会社法四八頁、石井・改訂商法上一七三頁があり、有効論をとる者として、大隅・全訂会社法論上一六三頁があつた。また法務省はその通達によつて有効論の立場に立つていた（民事月報六巻八号一四〇頁参照）。

（註二） この判例については、なお、大隅「新株引受権についての定款の記載に関する判決」ジュリスト八一号一〇頁以下参照。

（一一） 定款作成の年月日　これについては商法は何らの規定をも設けていないので、

【44】「旧商法第百二十条〔現行第一六六条〕ニ依レハ同条ハ定款ニ記載スヘキ事項及発起人カ署名スヘキ旨ヲ規定シタルニ止マリ定款作成ノ年月日ヲ記載スヘク規定セサルヲ以テ斯ル年月日ハ必スシモ定款ニ記載スルコトヲ要スルモノト云ヒ難シ」（大判昭一七・六・二四新聞四七八六・一三、同旨東京地判大七・七・九新聞一四六〇・二〇）。

とする判例がある。これは定款の作成年月日を任意的記載事項と認めたものと思われるが、正当となすべきである。従つて作成年月日の記載が虚偽である場合でも、定款は無効となるものではない（東京地判大七・四・三〇新聞一四〇八・一七）。 定款作成の年月日は、それが定款に記載されると否とを問わず、真実に定款が成立した日である。

【45】「株式会社ノ定款ハ発起団体ヲ組織セル七人以上ノ発起人ニ於テ法定ノ事項ヲ記載シ之ニ署名又は記名捺印シタルトキハ有効ニ成立シ定款タル効力ヲ生スヘキコト疑ナキヲ以テ定款ノ作成モ亦此時期ニ為サレタルモノト解スルヲ相当トス」（大判昭一三・五・一七民集一七・一〇〇九、豊崎光衛・判民同年度六四事件、竹田省・民商八巻五号九二二頁、八木弘・商事法判例三巻六五頁）。また「定款ノ作成日ハ事実定款ノ作成ヲ完了シタル日ヲ指称スル」（東京民地判昭一〇・六・二四評論二四商二九九）。

定款にはその作成年月日を記載する要はないが、昭和一三年の改正以前の旧法では定款作成の年月日（現在では定款認証の年月日）が株式申込証の記載事項となつており（一三年の改正前の旧商法一二六Ⅱ1）、そこで真実の定款作成年月日の記載のない株式申込証は無効とせられた（大判大六・五・二九民録二三・九一〇）。

六　定款の変更

一　会社成立前の定款変更

（一）会社成立前の定款変更の中、発起人の変更、特に発起人の追加署名については、既に述べた。即ち七人以上の発起人があれば、その時期において定款は成立するが、その後においても株式申込証作成前において、発起人全員の同意をえて、他の者が発起人として追加署名をなしうる（大判昭一三・五・一七民集一七・一〇〇九）。反対に署名の撤回については、他の発起人全員の同意をえて、またやむことをえない事由があるときにはその同意なしに、発起人たる地位を退きうるが（民六七八Ⅰ Ⅱ、東京控判昭九・六・一八新聞三七三〇・一四）、株式引受人との関係を生じた後は、株式引受人全員の承諾がなければならない。この後者については、

【46】「一般ノ株式申込人ハ発起人ノ資力、識見、手腕、人柄等ニ信頼シテ株式ノ募集ニ応スルヲ通例トス然ルニ発起人ノ脱退ヲ理由トシテ株式ノ申込ヲ取消スコトハ之レヲ是認シ難キトコロナルヲ以テ今若シ発起人ハ何時ニテモ任意ニ発起団体ヨリ脱退シ得ヘキモノトセハ株式申込人ハ其ノ信頼シタル発起人ノ脱退ニヨリ測ラサル不利益ヲ蒙ルノ結果ニ陥ルノ外ナキモノト謂フベク斯ノ如キハ商法カ発起人ヲシテ諸種ノ責任ヲ負ハシメタルノ趣旨ト到底相容レ難キモノアルニ鑑ミレハ発起人ハ尠クトモ株式ノ募集ニ着手シタル後ニ於テハ正当ノ事由アルニアラサレハ脱退ヲ許ササルモノト解スヘ」し（東京控判昭一〇・九・三〇新聞三九三一・一二、評論二四商五七二）。

とする判例がある。正当の事由とは何か、また正当の事由があれば株式引受人の同意なしに発起人たる地位を退きうるのか、多少曖昧であるが、大体右と同様の趣旨と解せられるであろう。

（二）その他の定款変更については、発起人が定款を変更する場合と裁判所（発起設立のとき）又は

創立総会（募集設立のとき）が定款を変更する場合とに分ける必要がある。

先ず発起人が定款を変更する場合について見れば、発起設立のときは設立登記をなすまでの間において何時でも発起人全員の同意をもつて定款を自由に変更することができる。第一七三条第三項は、変態設立事項の裁判所による変更に不服なる発起人が株式引受を取消した場合の定款変更に言及しているが、発起人による定款変更は勿論この場合に限られるわけではない。判例も、

【47】「株式会社ノ設立ニ関スル発起行為ニ付キ一旦定メタル定款中ノ事項ヲ発起人合意ノ上変更スル事ヲ得サルカ如キ法規存セサルヲ以テ其定款ハ発起人ノ合意ニ依リ之ヲ変更シ得ルコト勿論ナリトス」（大阪控判大七・二・二一判例三民七八）。

としている。即ち発起人全員の同意を要件として自由に定款を変更することができるのである。

募集設立のときも大体同様であるが、この場合には株式引受人が加わつてくるので、株式引受人との関係を生じた後においては、定款変更は発起人全員の同意の外に、株式引受人全員の同意又は後述の創立総会の決議（商一八七Ⅰ）を要するものといわねばならない。従つてこの場合には発起人だけで勝手に定款を変更しえない。

（二）　発起設立の場合の裁判所による定款変更については、裁判所によつて選任された検査役が変態設立事項及び出資の履行の有無を調査するが（商一七三Ⅰ）、特に変態設立事項については、検査役の調査報告に基づいて裁判所がこれに不当な点を認めたときは、その不当な点を変更する裁判をなし、それを各発起人に通告する（商一七三Ⅱ、非訟一二九ⅠⅡ）。この通告後二週間内に発起人がその株式引受を取消さないときは、定款は通告の内容に従つて変更されたものと見做される（商一七三Ⅳ）。裁判所にたよる定款変更はこ

の場合に限られるが、この強力な権限が裁判所によって行使されることは稀であり、従ってこれに関する判例も全くない。

右の裁判所による変更に不服なる発起人は、即時抗告によってこれを争いうる外(非訟一二九III)、二週間内に自己の株式引受の全部又は一部を取消すことができる(商一七三III前段)。株式引受全部の取消をなした発起人は当然発起人たる地位を退くが、勿論他の発起人の承諾を必要としない。全部又は一部の取消がなされた場合、会社の設立がそれによって不可能となることもありうるが、そうでないときには、取消された部分だけ設立当初発行株式数を減少するとか、その部分を他の発起人又は新発起人によって引受けて貰うとか、適当に発起人は定款を変更して設立手続を続行することができる(同後段)。

(四)　募集設立の場合の創立総会による定款変更については、設立手続の最後の段階において創立総会が開催されるが、この創立総会は右の裁判所の定款変更権と同様の権限(商一八五I、同II・一七三III・IV)を有する外、自由に定款を変更する広汎な権限を持っている(商一八七I)。この権限の行使については、出席した株式引受人の議決権の三分の二以上にして且つ引受株式総数の過半数に当る多数をもって決議することを要する(商一八〇II)。

創立総会による定款変更として判例上問題になったものを摘示すれば、

【48】「創立総会ハ資本減少ノ決議ヲ為シ得ルコト商法第百三十八条〔現行第一八七条〕ノ規定ニ照シ明瞭ニシテ創立総会カ株式消却ノ方法ニ依ル資本減少ノ決議ヲ為シ其引受人ノ承諾ヲ得テ決議カ効力ヲ生シタル時ハ消却セラレサリシ株式ニ対スル引受並払込金ニ関スル権利ハ創立総会ノ終結ト同時ニ当然会社ニ帰属スル」(大判大一一・六・一四民集一・三一七)。

これは資本を定款の絶対的記載事項としていた昭和二五年改正前の旧法に関するが、現行法では、設立当初発行株式数(商一六六I6)の減少として、問題となるであろう。即ち創立総会は、設立当初発行株式数を減少して、減少した部分に相当する株式をその引受人の承諾をえて消却することができる。

【49】「タトヘ原始定款ニ於テ発起人ノ受クヘキ特別ノ利益ニ付定ヲ為スコトナカリシトスルモ創立総会ニ於テハ定款ノ変更ヲ為スコトヲ得ヘキモノニシテ其ノ原始定款ニ規定ナキ事項ヲ新ニ定款ノ一事項トシテ附加スルコトモ亦定款ノ変更ニ外ナラサレハ其ノ定款ニ記載スヘキモノニ属スル事項ニシテ其ノ始メニハ記載ナカリシモノヲ後日創立総会ニ於テ決議シタル場合ニ於テハ特別ノ事情ノ存セサル限リ該決議ハ之ヲ以テ定款変更ノ決議ト為ササルヘカラス」(大判昭九・三・二〇民集一三・三九三)。

として、創立総会が発起人に対する報酬及び贈与を決議したのを有効な定款変更決議としている判例がある。また同じ立場から、創立総会が発起人の報酬につき、その最高限を定めるとともに、その具体的決定を取締役に一任することを決議したのを有効とする判例がある(大判昭一一・七・四法学五・一六五六)。これらは何れも、変態設立事項につき裁判所による検査役の調査(商一八一I)を要求していなかった昭和一三年の改正前の旧法に関する判例であるので、これをそのまま現行法にもってくることはできない。即ち現行法では右のような定款変更の決議を創立総会がしたときは、検査役の調査を条件として、その決議は有効と解しなければならない。(註一) これに反し変態設立事項として定款に定められているのを、創立総会が会社に有利に変更することは、検査役の調査と関係がない。なお変態設立事項の一つとしての現物出資につき、その価格が不当であるにも拘らず、創立総会がこれをそのまま承認した場合につき、

【50】「現物出資者醵出ノ財産ノ価格及之ニ対シテ与フル株式ノ数ニ付創立総会ニ於テ異議ナカリシ以上後日其ノ価格ノ不当ナルコトヲ発見サルルモ調査報告ノ任ニ当ル取締役監査役若クハ検査役ニ責任問題ノ生スルハ格別出資者自身ニ之カ為メ特ニ追加出資ヲ為サシメ若クハ金銭上ノ払込ヲ為サシメ得ヘキモノニ非ス」(大判昭五・二・一九新聞三

一二二・一〇、評論一九商三六七）。

（註一）　学説は一般にこの判例に反対している。即ち創立総会は、変態設立事項につき新たな規定を追加し又は既存の規定を拡張することはできないとする（大隅・全訂会社法論上一九九頁、石井編・株式会社法Ｉ三八一頁、田中誠二・判民昭和九年度三五事件）。しかし、本文に述べた如く、検査役の調査を条件とするならば、これをなしうると解して差支えないと思われる。

（五）　定款変更の効力発生については、書面定款との関係及び公証人の認証を要するかどうかが問題となる。

前者については、定款作成に所謂定款が書面定款を意味すること、及び会社設立登記には書面定款を添附しなければならないこと（非訟一八九Ｉ）、からして、定款変更は書面定款の変更を意味するように思われる。従つて定款変更は書面定款の変更をまつて効力を発生するものと解せられるが、判例はこれと異つた立場をとつている。即ち、

【51】　「定款ノ変更ハ其ノ決議アルヲ以テ足リ必シモ原始定款ノ文面ニ挿入削除ノ如キ変更ヲ加フルコトヲ必要トセ」ず（前掲大判昭一一・七・四法学五・一六五六）。

定款が変更された場合、改めて公証人の認証を要するかについては、認証の年月日は株式申込証に記載され（商一七五Ⅱ1）、従つて株式引受手続以前に認証を受けなければならないが、そのためその後定款変更が行われても認証を要しない如く見える。しかし会社成立時における定款を明確ならしめておかんとする趣旨からすれば、定款変更が行われたときは、改めて設立登記前に認証を受けなければならないと解すべきではなかろうか。（註一）この点に関する判例は未だ表われていない。

（註一）　この点に関する学説は明確でなく、恐らく一般には認証を要しないという方向に傾くものと思われるが、石井編・株式会社法Ｉ二〇九頁は、創立総会で定款変更をした場合は、総会の議事録が作られるから（商一八〇Ⅲ Ⅱ

二四四）認証を必要としないが、発起設立において、或は募集設立においても創立総会前に、発起人が定款を変更する場合には、改めて認証を受けなければならないとしている。

二　会社成立後の定款変更

（一）　会社成立後の定款変更については原則として株主総会の特別決議を必要とする（商三四二I・三四三）。定款変更は株主総会の専属的事項で、これを他の機関に委任することをえない。従つて株主総会でこの委任を決議しても、それは無効である。例えば、

【52】「株式会社ノ支店所在地ハ商法第百二十条〔現行第一六六条〕ニヨリ定款ニ記載スルコトヲ要スル事項ナルヲ以テ支店ノ設立移転廃止等ハ定款ノ変更ナリトス而シテ定款ノ変更ハ株主総会ノ決議ニ依リテノミ之ヲ為シ得……株主総会ノ決議ニヨルノ外他ノ方法ニ依リテハ之ヲ為シ得サルモノナルコト明確ナリ故ニ株主総会ノ決議ヲ以テ支店ノ廃止ヲ取締役及ヒ監査役ノ決議ニ一任シタリトスルモ是レ即チ定款ノ変更ヲ株主総会ノ決議以外ノ方法ニ依ルコトヲ定メタルモノナルヲ以テ其ノ決議ハ無効」である（東京地決明四一・四・九新聞四九三・一二）。

しかし株主総会で定款変更の大綱を決め、細部の事項、例えば取締役の報酬の額を新たに定款で定める場合に（商二六九）、総会で最高限を決め、その範囲内で具体的な額を決定すること、或は定款変更の具体的な表現方法を検討することを他の機関に委ねるのは差支えない。なお、取締役・監査役の選任・解任、利益金の処分と並んで、定款変更についても、それが県知事の承認をうべき旨を定めた定款の規定について、

【53】「これらの事項は株主総会の専属的決議事項であり、その効力を第三者の意思にかからせる右の規定は、無効である」（東京高判昭二四・一〇・三一高裁民集二・二四五）。

とする判例がある。右のような定款の規定は定款変更の権限を株主総会から奪つてこれを会社の他の

機関に委ねるものではないから、右に述べたところと異る。しかして株主総会の決議の効力をして第三者の意思にかからしめることが、果して株式会社の本質に反して無効であるかどうかは疑問の余地がある。(註二)

定款変更の総会決議については、数種の株式が発行されている場合において、定款変更がある種類の株主に損害を及ぼすべきときは、一般株主総会決議の外、その種類の株主総会の決議を必要とし、この決議は一般株主総会の特別決議と同様に、その種類の発行済株式の過半数に当る株式を有する株主が出席し、その議決権の三分の二以上の多数で決する(商三四五ⅠⅡ)。

なお定款変更を目的とする株主総会を招集する場合には、その招集の通知及び公告に議案の要領を記載することを要する(商三四二Ⅱ)。これに反する定款変更決議は無効であるとする判例(盛岡地一関支部判大一四・一一・一六新聞二四八一・四)があるが、これは昭和一三年の改正前の旧法に関するもので、現行法ではその決議は取消しうべきものである(商二四七Ⅰ)。

定款変更には右の如く株主総会の特別決議を要するが、しかしすべての定款変更につきこの要件を必要とするわけではない。例えば、

【54】　「名称ノ変更ニ因ルト位置ノ移動ニ因ルトヲ問ハス均シク住所ノ変更ナリト雖モ名称ノ変更ニ因ル住所ノ変更ハ株主総会ノ決議ヲ要スヘキ定款ノ変更ヲ生スルモノニアラス登記ニ関シテハ名称ノ変更タルト位置ノ異同タルトニ拘ラス同シク登記簿ノ記載ニ異動ヲ来セハ登記事項ノ変更ト謂フヲ得ヘキモ定款ニ在リテハ之ト異ナリ土地ノ名称ノ如キ定款ノ内容ニ消長ヲ来ササルモノハ其変更カ住所ノ変更ト謂フヲ得ヘキカ為メ定款ノ変更ヲ来スモノニアラス」(長崎控判明四〇・六・一七新聞四三八・一三)。

この判例は、前段と後段との関係がややすっきりしないが、要するに総会の決議を要する定款変更

（狭義の定款変更）とそれを要しない定款変更とを分け、その区別の標準として、規則としての定款の内容即ち定款の法的拘束力に消長をきたすかどうかを掲げるのであるが、大体において正当と認めねばならない。従つて、規則の意味に変更を及ぼさない単なる字句の修正、例えば当用漢字や新かな使いに直すような場合には、総会の決議を要件としない。

（註一）　この詳細については、本双書の株主総会の項に譲る。なおこの判例については、石井照久－鴻常夫・判例研究三巻四号五三頁、八木弘・民商二七巻一号六八頁、野津務・新報五八巻四号四一四頁参照。

（二）　定款変更の範囲については、別段の制限がないので、公序良俗や株式会社の本質、或は強行法規に反しない限りにおいては、原則として如何なる定款変更をもなしうる。その場合、既存の規定の修正・削除なると、新しい規定の追加なるとを問わない。発行予定株式総数の増加については特に規定があり、発行済株式の総数の四倍を超えて発行予定株式総数を増加することはできないが（商三四七）、しかし既存の発行予定株式総数をすべて発行し終えなくとも、即ちなおその中に未発行株式を残していても、右の制限に触れない限り、発行予定株式総数を増加しうる（東京地判昭三〇・二・二八下級民集六・二・三六一）。なお同じこの判例が、発行予定株式総数を増加した場合の増加分に対する新株引受権に関する事項の定め方につき昭和三〇年改正前の旧法上波紋を生ぜしめた判旨を示したことは、既に定款の記載事項のところで説明した通りである（【43】参照）。

（三）　会社成立後の定款変更の効力発生については、成立前のそれと同様、判例は、定款変更が原則として株主総会の決議だけで効力を生じ、書面定款の更正を必要としないとしている（大判大五・一〇・一四民録二二・一八九九、大阪地判大六・五・二三新聞一二六八・二二）。疑問を挿む余地があると思われるが、この点は既に最初に定款の意義のところ

で触れた。判例は力強く、

【55】「株式会社ノ設立後ニアリテモ会社ト株主及ヒ株主相互間ノ関係ニ於テハ定款事項ノ変更ハ法定ノ手続ヲ履践シタル株主総会ノ決議ノミヲ以テ直ニ其ノ効力ヲ生シ定款ナル書面自体ノ更正ヲ必要トスルモノニアラサルカ故ニ敢テ定款ナル書面上ニ其変更事項ヲ記載スルカ如キ手続ヲ要セサルモノト謂フヘキナリ而シテ此理論ハ商法第百二十条所定ノ定款ノ絶対的記載事項タルト同法第百二十二条〔現行第一六八条〕所定ノ定款ノ相対的記載事項タルトヲ問ハサル者ト解スルヲ相当トス」（前掲大阪地判大六・五・二三）。

といい切っているが、定款変更も原始定款の作成と同様の意義を有する自治立法の形式であるとするならば、国家の法律が公布を必要とすると同様、書面定款の更正が問題になるように思われる。ともあれ判例の立場（通説もこれを肯定するが）からすれば、定款変更は株主総会の決議だけで効力を生じ、書面定款は単にその結果として取締役によって更正・変更されるにすぎない。この更正・変更がなされなくても、それは取締役の責任を生ずるにとどまり、定款変更の効力には関係がない。

次に公証人の認証についてであるが、これについても特別の規定がないので、学説上は、理論的に疑問が持たれつつ、定款変更につき認証を必要としないと解せざるをえないものとせられている。（註一）この点に関する判例は未だ見当らない。

（註一）　田中（誠）・会社法四五八、大隅・（旧）会社法論三三七頁。

七　定款の保存・備置及び閲覧

会社の設立に際して作成された定款二通が公証人の認証を受けると、その一通は公証人によって保存されるが（公証六二ノ三Ⅲ）、他の一通は会社の本店に備置かれ、またその謄本が支店に備置かれねばならない（商二六三Ⅰ四三〇Ⅱ）。もし、これに違反して備置を怠ると、取締役又は清算人は三〇万円以下の過料に処せられる（商四九八Ⅰ20）。また会社が解散したときは、本店所在地における清算結了の登記後一〇年間定款を保存しなければならない（商四二九）。

株主及び会社債権者は営業時間内何時でも定款、その他株主総会の議事録、株主名簿などの閲覧又は謄写を求めることができる（商二六三Ⅱ）。この株主の書類閲覧権については、

【56】「法律カ株主ニ斯カル閲覧権ヲ認メタルハ株主個人ノ利益ヲ保護スルト同時ニ間接ニ会社ノ機関ヲ監視シ因テ会社ノ利益ヲ保護セントスルニ在ルヲ以テ株主カ右ノ権利ヲ行使スルニハ閲覧ノ請求カ叙上ノ正当ナル目的ニ出ツルコトヲ要シ且其ノ閲覧ヲ為スニ際シテハ成ル可ク会社ノ営業ニ支障ヲ生セサルコトニ注意スルヲ要スルモノニシテ即チ信義誠実ノ原則ニ依リ其ノ権利ヲ行使セサルヘカラサルモノト謂フヘク斯ル場合ニ於テハ会社ハ閲覧ノ請求ニ応スルノ義務アルモノトス」（大判昭八・五・一八法学二・一四九〇）。

これは、右の閲覧権が共益権に属することを示したものであるが、大体において正当である。但し閲覧権行使に当り、会社はその動機乃至目的を一々審査しうるわけではない（大阪地判昭七・三・一四評論二一商一五三）。また閲覧請求者は閲覧の正当理由を証明するを要するかどうかについても、

【57】「商法第百七十一条第二項ハ株主ハ会社ノ営業時間内何時ニテモ同条第一項所定書類ノ閲覧ヲ請求シ得ヘキ旨ヲ規定シ之ニ対シ何等カノ制限ヲ設ケタル規定ハ一モ存セサルヲ以テ〔閲覧ノ正当理由ノ立証責任カ株主ニアリトスル〕原審ノ解釈ハ法文上全然其ノ根拠ナキモノト云ハサル可カラス尤モ書類閲覧カ不純ノ動機ニ出スルコトハ実際上決シテ絶無ト云フ可カラサルモ偶々コレアルノ故ヲ以テ誠実ナル目的ニ出ツル閲覧マテモ一網打尽的ニ拒否セラルヘキ道理無キハ多言ヲ俟タス……〔大判昭和八・五・一八〕ノ判旨ハ専ラ或種株主ノ営業妨害的行為ヲ阻止セントスルニ在リテ株主ノ請求カ何等カ不純ノ目的ニ出ツル場合若ハ少クトモ正当ナル目的ノ毫

モ認ムルニ由無キ場合ニ於テハ会社トシテ株主ノ請求ニ応セサルヲ得ルコトヲ判示シタルニ過キ」ず、株主に右立証責任を負わせたものではない（大判昭一〇・五・三一法学五・一二一）。

定款変更が行われた場合、判例の立場からは、前述の如く、書面定款の更正・変更は定款変更に関係がないが、往々にしてこの更正・変更は取締役によって怠たられ、重要な定款変更が行われた場合、その変更が記載されていない定款を閲覧又は謄写しても、無意味となることが起るであろう。その場合、定款変更に関する株主総会の議事録を見ればよいわけであるが、それではやはり不便を免れないであろう。

変態設立事項

今井 宏

はしがき

いわゆる変態設立事項のうち、発起人の特別利益及び報酬の二つはわが国では実際上ほとんど行われないもののようであつて、判例もこれらに関するものは現在まで数件を数えるのみである。これに反し財産引受及び設立費用に関する判例はかなり多い。ことにこの二つは、発起人の権限の範囲及び発起人のなした行為の効果の成立した会社への帰属の問題を巡つて種々の理論的難問を含んでおり、判例の多くもまたこれらの問題に集中している。しかもそのうちの主要な問題については、大正から昭和の初頭にかけての判例の集積によつてほとんど判例理論としての確立をみたかの如き感のあるものもある。しかしもとより問題のすべてについて判例が出つくしているわけではなく、また問題によつては判例の見解に対し学説上疑問をもたれるものも少くない。変態設立事項に関する戦後の判例はなお少く、最高裁判所の判例としては現在までのところ現物出資・財産引受につき各々一件の判例がみられたにすぎないが、今後の判例の発展にまつべき余地は、そういつた意味で依然として大きいものといわねばならない。

なお、本稿ではもつぱら株式会社における変態設立事項を対象としている。有限会社においても、物的会社としての性質上、現物出資・財産引受・設立費用の三つは定款の相対的記載事項とされているが(有七)、しかし有限会社につき特にこれらの事項を取扱つた判例は見当らず、また実質的にも、これらの事項につき特別の検査手続が要求されず、それに代えて現物出資・財産引受の目的たる財産の実価が定款所定の価格に不足する場合に社員に塡補責任が課せられる点を除けば(有一四)、株式会社の場合と同様に解することができるから、有限会社における変態設立事項は、本稿では、一応考察の対象から除外することとした。

一　総　説

商法一六八条一項の列挙する発起人の特別利益・現物出資・財産引受・設立費用・発起人の報酬の五つの事項は、株式会社の設立にあたり通常その必要を生ずべき事項であるか、ないしは成立後の会社につきその効力を認むべき十分な理由のある事項であつて、発起人が設立中の会社の機関としての地位においてかかる事項につき約定をなすことは、それ自体としては何ら禁じられるものではない。しかし他面これらの事項は、その性質上発起人の濫用の対象となり、発起人その他の第三者の利益のもとに会社の財産的基礎が害される危険のすこぶる大きいものであつて、その意味では、会社・株主及び会社債権者にとつてはまさに「危険な約束」(Gefährliche Abreden) ともいうべき事項である。そこで商法は、一方発起人がこれらの事項を定めることを認めるとともに、他方その濫用を防止するためにこれを定款の相対的記載事項とし(商一六八I)、募集設立の場合にはさらに株式申込証にも記載させて株式の引受をなさんとする者にその内容を開示せしめ(商一七五II7)、かつ会社の設立経過中において特に裁判所の選任する検査役の調査を受くべきことを要求しているのであつて、このため通常、定款にこれらの事項の定めがある場合を変態設立 (qualifizierte Gründung) とよび、またこれらの事項を一括して特に変態設立事項ともよんでいる。

(一)　変態設立事項は、右のようにこれを定款に記載することを要し、かつ設立経過中において裁判所の選任する検査役の調査を受けなければならない(商一七三I・一八一)。この調査の結果それらが不当と認められるときは、発起設立の場合には裁判所(商一七三II)、募集設立の場合には創立総会において(商一八五I)、これを変更することができるものとする。そしてこの場合、変更に服しない発起人はその株式引受を取消すことができるが（商一七三Ⅲ・一八五Ⅱ）、変更後二週間内に株式引受の取消がないときは、定款はその内容通り変更されたものとみなされる（商一七三Ⅳ・一八五Ⅱ）（ただし財産引受は後述のように個人法上の契約であるから、裁判所又は創立総会がこれに変更を加えたときは、相手方の承認がないかぎり定款所定の財産引受は成立せず、変更とともに当然にその効力を失う。大隅・全訂一七〇頁、石井等・註解二四一頁、松田―鈴木(忠)・条解三二頁・四二頁)。

（二）　右の裁判所又は創立総会による定款の変更は、変態設立事項が不当と認められる場合にこれを監督・是正する立場において行われるものである。従つてその変更は、たとえば現物出資者に対して与うべき株式数・発起人の特別利益・財産引受の対価額・設立費用・発起人の報酬額を減少し、或いはこれを削除することなどに限られ、新たに変態設立事項を追加し、又は既存の株式数・金額等の定めを増加することは当然に許されないものというべきである（大隅・全訂一九八頁、大森「会社の設立」講座(1)一八一頁・二〇二頁、石井等・註解二二七頁・二九七頁、松田―鈴木(忠)・条解四二頁・六四頁）。ただ、右の規定とは別に創立総会においては一般的に定款の変更又は設立の廃止を決議しうるものとされ（商一八七）、またその定款変更の範囲についても特別の制限はおかれていない。従つて原始定款の作成後において特別の事態を生じた場合には、この規定により、創立総会が新たに変態設立事項に関する定めを追加し、或いは既存の規定を拡張することは許されることとならないか、という疑問を生じうる。この点につき、学説の多数はかような場合にも定款の追加的・拡張的変更は許されないものと解しており（田中(誠)・判民昭九年度三五事件、大隅・全訂一九九頁、石井等・註解二二六頁・三八九頁、大森・前掲二〇二頁、松田―鈴木(忠)条解六四頁）、また後述のように最近の最高裁判所判例もこの見解に立つているが、かつて大審院判例はかかる定款変更をさしつかえないものと解していた。事案は、創立総会が資本減少と同時に発起人の現物出資評価額を減額したので、その代償としての意味と、発起人として会社設立につくした功労に対する報酬としての意味で、会社より右発起人に相当額の金銭を交付する契約を締結する旨の決議をなしたのであるが、原審はこの決議を無効としたのに対し、大審院は、（イ）創立総会の権限は会社の設立に必要なすべての事項に及ぶべきこと、（ロ）本件における金員の交付は発起人をして現物出資の評価額の減少を承諾せしめるための条件として行われたもので、会社の設立と密接な関係をもつこと、などを主張してなされた上告を容れて、右の決議により発起人の特別利益に関する定款の定めが有効になされたものと判示し、その理由を次のように述べている。

【1】「縦令原始定款ニ於テ発起人ノ受クヘキ特別ノ利益ニ付定ヲ為スコトナカリシトスルモ創立総会ニ於テハ定款ノ変更ヲ為スコトヲ得ヘキモノニシテ其ノ原始定款ニ規定ナキ事項ヲ新ニ定款ノ一事項トシテ附加スルコトモ亦定款ノ変更ニ外ナラサレハ其ノ定款ニ記載スヘキモノニ属スル事項ニシテ其ノ始メニハ記載ナカリシモノヲ後日創立総会ニ於テ決議シタル場合ニ於テハ特別ノ事情ノ存セサル限リ該決議ハ之ヲ以テ定款変更ノ決議ト看做ササルヘカラス」（大判昭九・三・二〇民集一三・三八六）。

この判例の見解は、同様の事案に関するその後の判例【30】においても踏襲されており、学説においても少数ではあるが、創立総会が設立中の会社の最終段階における機関たる以上その権限はその当時において必要かつ妥当とするすべての事項にわたるものと解すべきこと、実際上も創立総会においては現物出資等に関する定款変更にともなつて発起人の報酬や特別利益を増額する必要を生ずることなどの理由により、この判例の立場に賛成するものがある（伊沢・法学三巻一一九八頁、升本・新報四四巻一三〇五頁、小町谷・法学四巻一〇四頁、なおドイツ株式法三〇Ｘ参照）。

しかしながらこの点は、前記の通説の見解を正当としなければならない。何故ならば、法が変態設立事項を定款の相対的記載事項とし、かつ株式申込証にも記載させて株式引受人に開示することを要求し、またこの定款の記載を前提として裁判所の選任する検査役の調査を受けることを命じている以上、変態設立事項に関する創立総会の定款変更は、原始定款（商一六七参照）に記載された事項につきその不当な箇所を是正するところの制限的・消極的変更に限られるものというべきであつて、このほかに創立総会が変態設立事項に関する定めを新たに追加し、或いは既存の規定を拡張するなどの変更をなしうるものとすれば、右の法の趣旨は大半失われてしまうからである。

（三）　変態設立事項はこれを原始定款に記載することを要し、この記載がないか又は必要な事項の記載を欠くときは、成立した会社につきその効力を生じない。また当初その記載があつても、裁判所又は創立総会の検査の結果これが変更されたときは、その部分は当然に効力を失う。この場合会社成立後において株主総会が特別決議をもつてこれを承認しても、その瑕疵が治癒されて有効となるものではない。また、かような意味での無効はすべての利害関係人において主張することができ、単に会社側からのみ主張しうべき性質のものではない。けだし変態設立事項に対する法の規制は、主として会社の資本充実の要請にもとづくものであつて、会社のみならず会社債権者の保護をも目的としているからである（大隅・論叢六〇巻三号一一四頁、石井等・註解二二七頁、田中（耕）・概論上二五七頁、塩田・民商三〇巻四号二八四頁）。後述のように、最近の最高裁判所の判例（後掲【15】）は定款に定めのない財産引受についてこの趣旨を述べている。そしてその理由の一つとして、「いわゆる財産引受は現物出資に関する規定をくぐる手段として利用される弊があつたので、これを防ぐため現物出資と同様な厳重な規定を設け、公証人の認証を受けた定款にこれを記載しないと財産引受の効力を有しないものと定められたのである」と述べ、財産引受につき原始定款への記載を要する旨を明らかにしている。それゆえ先の【1】によつて示された従前の大審院判例の見解は、この判例によつて実質的な修正を受けたものといつてよいであろう。

二　発起人の受くべき特別利益

一　意義及び性質

発起人の特別利益（商一六八Ⅰ4）は、発起人個人に対して主として会社設立の企画者としての功労に報いるために与えられるものであるが、発起人が現物出資をした場合にその財産をなるべく低く評価すると同時に、実際上多額の利益があつた場合にその財産から生ずる利益を分与する趣旨でみとめられることもある（松本・日本会社法論一二四頁、大隅・全訂一六六頁）。いずれにせよ特別利益は、これを放任すれば発起人自身によつて不公正な決定がなされるおそれがあるから、法はこれを変態設立事項の一つとして厳重な監督に服せしめることとしているのである。

発起人の特別利益と後述の報酬とは、前者が発起人の設立企画者としての地位に対して与えられる財産的利益であるのに対し、後者は会社設立事務に関する労務の報酬として通常一時にかつ確定金額で支払われるものである点で区別されるが（田中（耕）・概論上二五四頁・二五八頁、田中（誠）・会社法（現代法学全書）九六頁、石井等・註解二二八頁、松田・概論八八頁）、両者の負担関係上の相違としては、発起人の報酬が会社財産の負担において一時に現金をもつて支払われ会社の経費として支弁されるものであるのに対し、特別利益は会社における将来の利益的地位であつて、直接会社資本の負担において与えられるものではなく、従つてここでは会社債権者の保護よりも主として株主保護が問題となることが指摘される（大隅・全訂一六七頁、なお Brodmann, Aktiengesetz, 1928, §186 Anm. I : Godin-Wilhelmi, Aktiengesetz, 2 Aufl. §19 Anm. 19）。

前記の【1】は、創立総会が発起人のなした現物出資の評価額を減少した代償と、その会社設立につくした功労に対する報酬としての意味で当該発起人に相当額の金銭を交付する旨の決議をなし、この決議にもとづいて会社がその発起人に六万円をその日より二年後の決算期毎に四回に分割して支払う旨の契約をなした事案であるが、判旨は、右の創立総会の決議が特別利益の付与に関するものというるか否かについて別に検討することもなく、原審の判断を——一応の形ではあるが——そのまま維持している。しかし特別利益が右のような性質のものである以上、この場合の決議を特別利益の付与に関するものと解することは疑問であつて、むしろ実質的には発起人に対する報酬の付与（決議の趣旨からして完全な意味での報酬の付与とはいえないかもしれないが）というべきではないかと思われる。ただ右の決議においては発起人に与うべき金額が特定されていないが（従つて【1】のいうように創立総会の決議によつて新たに変態設立事項を定めうるとしても、発起人の報酬に関する定款の定めとしては無効といわざるをえない。或いは【1】はこのために本件の決議を特別利益の付与に関するものと解したのかもしれないが、しかしこの点は明らかでない）、しかし決議は取締役をしてこれを確定せしめる趣旨で行われたものと解しうべく、発起人に対し、将来の利益的地位を約束する趣旨に出たものと解することはできない。ちなみに後述【31】は、創立総会における金員交付の決議がその最高限度額を示して行われた点を除けば【1】と全く同様の事案であるが、判旨はその決議を発起人に対する報酬の付与に関するものと解している。なお【1】については、判旨が右の創立総会の決議を特別利益の付与に関するものと解していることを批判し、本件での金員の交付は発起人の現物出資評価額を減額した代償たる点に重点があるから、実質上一種の部分的財産引受が存するものというべきである、とするものもある（田中（誠）・判民昭九年度三五事件）。

二　内　容

発起人の受くべき特別利益は利益配当に関する優先権を付与する方法で認められることが多いが、残余財産の分配もしくは新株引受に関する優先権又は会社設備の利用・会社製品の買取に関する特権の付与などの方法による場合もある。ただし発起人の所有株式に対する確定利息の支払・株式払込の免除・無償株の交付などは、資本維持の原則に反するから許されない（松本・前掲一二三頁、田中(耕)・概論上二五四頁、大隅・全訂一六六頁、鈴木・会社法四九頁、石井等・註解二二九頁、大森・前掲一五八頁、なお松田一鈴木(忠)・条解上三〇頁、松田・概論八八頁参照）。特別利益は、その性質上又は定款の規定により譲渡しえないものを除き譲渡又は相続することができる（大隅・全訂一六七頁、石井等・註解二三一頁、大森・前掲一五八頁）。しかしわが国では定款で発起人の特別利益をみとめることは実際上ほとんど行われず、それに代えてプレミアムなしに引受けた株式を転売するなど、隠れた方法で利得することが多いといわれる（松本・前掲一二四頁、田中(耕)・概論二五五頁、大隅・全訂一六七頁）。判例も、わずかに前記の【1】が発起人の特別利益として述べているほかには、これに関するものは全くみいだせない。

三　現物出資

一　意義及び性質

（一）　現物出資とは金銭以外の財産をもつてする出資をいう。株式会社における出資は金銭をもつてなすのが本則であるが、会社の設立において、会社成立後の営業に必要な財産を確保する場合、既存企業の整理統合・拡張のために従来の企業組織を改めて株式会社組織とする場合などにしばしばその必要を生ずる（大隅・全訂一六七頁、石井等・註解二三一頁）。しかし現物出資は、目的物が過大に評価されるときは、他の株主の損失において現物出資者を利得させることとなるのみならず、会社の資本充実を害して会社債権者に損害を及ぼす危険がある。そこで法はその必要上現物出資を認めると同時に、これを変態設立事項の一つとして定款に記載させ、かつ設立経過中において厳重な検査を受けることを要求しているのである。

（二）　現物出資は、通常の金銭出資と出資の目的物を異にするのみで、株主たるべき者の出資たる性質については金銭出資と何ら異るところはない。すなわち現物出資は、金銭出資とともにそれ自体独立の出資の形態であつて、これをもつて出資財産の売買・株式との交換又は金銭出資に代えて出資財産を提供する代物弁済の約束とみることはできない（松本・前掲一二八頁、田中（耕）・概論上二五六頁、大隅・全訂一六九頁、石井等・註解二三二頁、大塚「株主の出資義務」講座（2）四九一頁以下）。判例も、後掲【7】【9】などでは、現物出資を基本的にこのような性質のものとして構成していることがうかがえる。しかし判例によつては、次の【2】【3】のように、現物出資を基本的に金銭出資に代えて財産を提供する代物弁済の約束と解するかのような表現をなすものもある。しかしこれらにおいても、おそらく判旨は、金銭出資によつていつたん株式を引受けた者が発起人との間でその株式の払込に代えて現物を提供する旨の合意をなした場合において、その合意が現物出資に関する規定に反するが故に無効である旨をいわんとしたにすぎず（後掲【5】【14】参照。田中（誠）・会社法九八頁が【2】を正当とされるのは、判旨をこの趣旨のものと解されるからであろうか）、基本的にも現物出資を金銭出資における出資の一方法と解しているわけではないであろう。この点事実関係は明瞭でないが、もしこれらの判旨が、金銭出資としてでなくはじめから現物出資をもつてする引受がなされた事案において（この場合に現物出資者が、その株式引受に際し、現物出資が払込に代る趣旨のものであることを発起人に示したとしても、そのことはその株式引受を現物出資による株式引受と解すべきことを妨げるものではない）、現物出資を基本的にも単なる金銭出資における払込の代用物を解する立場から、現物出資者の株金払込義務の存続を認めているのであれば、判旨はいずれも不当というほかない（ドイツ株式法二〇I対照）。

【2】「原審認定ノ如ク株式会社ノ定款ニ金銭以外ノ財産ヲ以ツテ出資ノ目的ト為スコトニ関シ何等ノ記載ナキ以上縦令金銭以外ノ現物出資ヲ以テ株金ノ払込ニ充当スル合意ヲ為スモ之ニ依リテ株金払込義務ノ消滅スヘキモノニ非サルコト商法第一二二条ノ解釈上疑ナキ所ナルカ故ニ原審カ上告人等ノ現物出資ノ合意ニ依リテハ株金払込ノ効力ヲ生スルコトナク上告人等ハ猶其ノ未払込株金支払ノ義務ヲ有スル旨判旨シタルハ正当ナリ」（大判昭一一・一一・一八法学六・二三六）。

【3】「発起人カ株金ノ払込ニ代ヘテ機械器具等ヲ会社ニ譲渡スルハ所謂現物出資ニ外ナラサルヲ以テ其ノ発起人ノ氏名財産ノ種類価格及之ニ与フル株式ノ数ヲ定款ニ記載シ創立総会ニ於テ之ヲ調査シ其ノ当否ヲ決議スルコトヲ要スルモノナレハ斯ル手続ヲ経サル現物出資ハ無効ニシテ之ニヨリ当該株式ニ対スル株金払込義務ヲ免ルルニ由ナク当該株式ニ対シテハ株金ノ払込ナカリシコトニ帰スルモノトス」（東京控判昭一三・九・一三民集一八・六五四）。

なお後述の財産引受も、成立後の会社の営業に必要な財産を確保する機能を営む点では現物出資と同様であるが、現物出資が出資の一形態であり従つて団体法上の行為であるのに対し、財産引受は金銭その他の株式以外の対価をもつてなされる純然たる個人法上の契約である点で、両者は明瞭に区別される。

【4】「金銭以外ノ財産ヲ以テ株式会社ノ出資ノ目的ト為シタル場合ニ於テ之ニ対シ株式以外ノ金銭ヲ与フルコトハ法理上不可能ノ事項ニ属ス」（大判大一〇・四・一二民録二七・七一八）。

しかし一定の財産の出資に対して一定数の株式のほかに金銭を与えることができるか否か、いいかえれば同一の物件を同時に現物出資及び財産引受の目的とすることができるか（大隅・全訂一七〇頁、松田―鈴木（忠）・条解上三一頁、Brodmann, §186 Anm. 4 (h).）否か（石井等・註解二三三頁、大塚・前掲四九二頁）については、学説上見解が分れている。否定説は、一個の現物出資につき個人法上の契約たる財産引受が同時に成立することは理論上ありえないということを理由とするものであるが、しかし一人が数個の財産をそれぞれ現物出資又は財産引受の目的とすることができる以上、給付の目的たる財産がその性質上分割しえない場合に（例えば不動産・営業）、一個の財産の提供に対して対価として株式のほかに金銭を与えることを否定する必要はないであろう。ただその場合も、法律上はその物件について一個の現物出資が存するものとして取扱われるべきであり、従つて定款には、その者に与うべき金額は、財産引受としてでなく現物出資者に対する一種の補償の付与として記載すべきものと解する（Gadow–Heinichen, Aktiengesetz, 1939, § 20 Anm. 20. 同旨 Baumbach–Hueck, Aktiengesetz, 1949, S. 40. 実際上も定款においては、かような一体としての財産を現物出資と財産引受とに分けて記載することは困難かつ不適当である）。

（二）　昭和十三年の商法改正前においては、設立の際に現物出資をなしうる者は発起人に限るか否かについて争があつたが、通説は、発起設立の場合はもとより、募集設立の場合においても現物出資に関する事項は定款及び株式申込証の記載事項であるから、株式申込証による申込以前に確定さるべきものであり、従つて発起人に限られると解していた。また判例においても、定款作成当時において株式引受人たることに確定しうる者は発起人に限られ、それ以外の者が現物出資の申込をなし発起人がこれを承諾して定款に記載しても、かかる方法による引受は商法の認めないところであるとして、右と同じ結論を述べるものがあつた（朝鮮高判大一〇・一〇・二二朝鮮高判決録八民三七二）。昭和十三年の改正法は、この議論とは別に、現物出資者を発起人とすることによつてその責任を加重せしめんとする趣旨で、ドイツ法（ドイツ株式法二一II）に倣い、現物出資は発起人に限つてなしうるものと規定した（商一六八II）。

二　現物出資の目的

現物出資の目的たりうべき財産は、貸借対照表に資産として計上しうべきものであるかぎりその種類のいかんをとわない。得意先・営業上の秘訣などの財産価値ある事実上の関係又び債務を含む営業の全部又は一部も出資の目的となすことができる（松本・前掲一二五頁、大隅・全訂一六八頁、鈴木・会社法四九頁、石井・商法I一八五頁、石井等・註解二三四頁、ただし田中（耕）・概論二五六頁参照）。ただし労務及び信用の出資が認められないことはいうまでもない。債務も一般に現物出資の目的とすることができるが、ただ会社に対する債権は会社成立前には存在しえないから、その出資は問題となりえない（また発起人の報酬請求権・設立費用の求償権等のように会社成立とともに会社に対する債権となりうべきものも、現物出資の検査までにその評価を確定しえないから、現物出資の目的となすことはできない。石井等・註解二三五頁）。次の判例は、会社に対する債権の出資が問題となつたのではなく、発起人が自己の営業権等を会社に売却すると同時にその会社の代金債務と株金払込義務との相殺を主張した事件であるが、当該事件での上告理由及び同種の事案に関する判例（後述【14】）がその払込の無効の理由を現物出資に関する規定の潜脱たる点に求めているのに対して、この判例では、会社未成立の間には会社が代金債務を負担することはありえず、また株金の第一回払込は会社設立手続完了前になすことを要するという理由に求めているのが注目される。

【5】「被上告会社ノ設立ハ所謂募集設立ノ手続ニ依ルモノナルカ故ニ創立総会ノ終結前ニ在リテハ会社未タ成立セサルコト勿論ナレハ斯ル間ニ発起人ノ一人タルAカ或営業権其ノ他機械器具ヲ被上告会社ニ譲渡シ被上告会社カ代金債務ヲ負担ストイフカ如キコトハ到底是認シ得ヘカラス従ツテ会社ノ代金債務トAノ株金払込義務トカ対立シ相殺行ハレタリト云フコトモ亦認容シ難シ仮令創立総会カ承認ヲ与ヘタレハトテ之カ為相殺カ有効トナリ第一回ノ払込タルノ効果ヲ生スルモノト謂フヲ得ス或ハ原判決ノ趣旨ハ営業権其ノ他機械類ノ譲渡行為ハ会社

成立ノ暁ニ於テ始メテ其ノ効力ヲ生スヘシト雖将来成立スヘキ譲渡代金債務ヲ予想シ相殺ノ予約ヲ為スコトハ妨ケナク而シテ創立総会ニ於テ斯ル予約ヲ承認セル以上自ラ第一回払込ノ効果生スルモノト解スナランカ果シテ然リトスルモ代金債務ハ会社成立ヲ俟テ始メテ生スヘキモノナルカ故ニ創立総会カ承認ヲ与ヘタリトテ其ノ時ニ於テハ未タ相殺ノ効力ヲ生スヘキ理ナシ然ルニ株金ノ第一回払込ナルモノハ所謂募集設立手続ノ場合ニ在リテハ必ラス会社設立手続完了前ニ為スコトヲ要スルモノナルヲ以テ仮ニ右ノ如キ相殺ノ予約カ有効ナリトスルモ之ヲ以テ直ニ第一回払込ノ効果生スルトナスコトノ当ヲ得サルハ明ナリ」（大判昭七・一二・二四裁判例六民三五三）。

三　定款の記載

（一）　記載の内容　　現物出資が効力を生ずるためには、定款に現物出資をなす者の氏名・出資の目的たる財産・その価格並びに之に対して与える株式の額面無額面の別・種類及数の記載を要する（商一六八Ⅰ5）。定款に現物出資に関する記載をなさず、又は記載しても右の事項の一つを欠くときは現物出資の効力を生じない。ただ募集設立の場合には現物出資に関する事項は株式申込証にも記載することを要し（商一七五Ⅱ7）、この記載を欠くときは株式申込証の記載の不備となり、これによる株式申込の無効原因となるが（大隅・全訂一八四頁、石井等・註解三二頁、大森・前掲一八六頁）、定款に現物出資の定めがある以上、これによって現物出資の効力が妨げられるものでないことはいうまでもない（大隅・民商三二巻四号五一〇頁、田中（誠）・会社法九八頁）。このことはその他の変態設立事項についても同様である。

【6】「（会社設立の際の現物出資は定款に記載しなければその効力を生じないが、定款以外の書類に記載することはなんら現物出資の有効要件でないから、たとえ所論の如く定款以外の書類たる株式申込証等に現物出資の記載を欠いても、これがため真実なされた現物出資の効力を否定するを得ないことはいうまでもない）」（最判昭二九・一一・二六民集八・一一・二〇九八。後掲【8】に続く）。

（二）　定款の記載と株式引受の効力の発生　　現物出資はこれに関する事項を定款に記載しなけれ

ば効力を生じないが、しかしこれを記載したときは現物出資による株式引受も直ちにその効力を生じ、従つて現物出資者は別に株式引受行為（発起人の株式引受として、商法一六九条により書面をもつてなすことを要するが、本条は昭和十三年の改正によつて新設されたもので、改正前には、発起人の株式引受は必ずしも書面による必要はなく口頭による引受でもさしつかえないものとされていた。松本・前掲一三五頁）をなすことを要しないものと解すべきか（石井・商法I一七七頁・一七八頁、石井等・註解二三五頁・二六二頁、大塚・前掲四九六頁、なお竹田・【7】判批・民商九巻九四九頁、松本・前掲一二九頁も同旨と思われる）否か（大隅・全訂一七七頁、大森・前掲一七四頁）と、現物出資者のなす株式引受行為とは別個の行為であるから（大森・前掲一七四頁）、理論的には消極説のように、現物出資者も他の発起人の場合と同様に別段の引受行為をなすことを要するものというべきであろう。しかしかように解しても、その株式引受が定款の作成と同時になされることはもとより許されるし、またその場合の引受の方法としての書面の作成も、定款に記載すべきものとされる事項が現物出資における出資内容を確定するに必要な事項をつくしている以上、その定款書面における記載と現物出資者たる発起人の署名（商一六六I）とをもつてこれに代えることを否定すべきものとは解し難い。かような意味では、むしろ一般的に現物出資にあつては定款における記載によつて同時に株式の引受が行われかつその方式もみたされたものとみるのが（石井等・註解二六二頁、大塚・前掲四九六頁）、引受の有無の画一的認定に適するものというべく（合名会社・合資会社（商六三・一四八）及び有限会社（有六）では、各社員の出資に関する事項が定款に記載されるから、一般に、社員の出資義務は定款の作成とともに確定されるものと解されている）、積極説はこの点十分な合理性をもつものといいうるであろう。

間接的ではあるがこの問題についての判例の立場を問いうるものとして、次の二つをあげよう。最初の判例は、現物出資の給付未済の株式につき発起人の責任が問題となつた事件である。

【7】「今本件ヲ看ルニA会社ノ定款ニハ其ノ第二十九条ニBCDハ夫々定款添付ノ目録ニ記載セラレタル不動産ヲ出資シ其ノ価格ハB分ハ六千二百五十円C分ハ一千二百五十円D分ハ五百円ト評定シ之ニ対シBニハ第一回分十二円五十銭払込ノ株式五百株Cニハ同百株Dニハ同四十株ヲ与フルコトヲ定メタル旨ノ記載存シ株式申込証ニモ同様ノ記載アリ昭和六年六月十日ニ開カレタル創立総会ニ於テモ右現物出資及之カ評価之ニ与ヘラルヘキ株式数ニ付テ何等ノ変更ヲ受クルコト無カリシ旨創立総会決議録右総会ニ於ケル検査役報告書ニ記載セラレタルヲ以テ事実此ノ決議録並報告書記載ノ通リナリトセハ前説示現物出資ハ確定シタルモノト謂ハサルヘカラス果シテ然リトセハ前述会社ノ発起人又ハ取締役ハ前説示ノ如ク此ノ現物出資者ニ対シテハ其ノ給付乃至対抗要件ノ具備ハ之ヲ請求スヘキナレト之ヲ舎キテ金銭ノ出資（株金払込）ヲ求ムヘキニ非ス従ツテ又其ノ給付等無キ場合ニモ会社ニ対シ此ノ点ニ付テノ任務懈怠ノ責ヲ負フハ格別商法第百三十六条ニ依ル払込未済株式ニ付テノ責任ハ之ヲ担フヘキ限ニ在ラス」（大判昭一三・一二・一四 民集一七・二三七一）。

すなわち判旨は、現物出資の給付未済の株式については発起人は商法一九二条二項による責任を負わないというのであるが、その前提として、B・C・D（いずれも発起人）の現物出資自体は定款への記載と創立総会の承認により確定されたものであることを述べている（原審は、B・C・Dが不動産をもつて現物出資として「提供」した事実は認めえないとしていた）。ここに確定という意味は必ずしも明白ではないが、右の論旨から推測すれば、おそらく定款の記載によつて現物出資による株式の引受が行われ、かつ創立総会の承認によつてその引受が定款の記載通り確定されたとする趣旨なのであろう。そうだとすればこの判例は、現物出資による株式引受があるためには定款の記載のほかに書面又は口頭による株式引受行為がなされることを要しないとする立場に立つたものといわざるをえない。

ところが最近にあらわれた次の最高裁判所の判例では、この点の見解がきわめてあいまいなものとなつており、その結論もむしろ右と逆の方向に向つている。事案は、Xの現物出資に関し会社の定款にはその記載があつたが、株式引受書・株式申込証等には記載がなく、かえつて資本金全額現金払込の記載がなされていたところ、Xが自己の現物出資を否認し、かつ会社設立の絶対無効を主張してその目的物の所有権の確認を求めたのである。原審は定款の記載及び証人等によりXが現物出資をなした事実を認定したので、Xは、株式の引受払込その他の設立行為が要式行為であることなどを主張して上告したが、結局原判決は次の理由をもつて維持された。

【8】「原審は、太陽計算機株式会社の設立に際し、上告人が定款記載の如く本件物件をもつて現物出資とすることとし、その頃右現物出資の履行を終つた事実を認定しているのであつて、なんら定款作成後に右現物出資をやめ、上告人が全額金銭出資による払込をなしたような事実は認定していないのである。ところで定款記載の現物出資の引受およびその履行が真実なされたかどうかを判定するについては、一般の証拠法則に従い人証その他諸般の証拠によりこれを認定しうることは当然であり、所論の如く右事実は会社設立のため作成された書類によつてのみ決定しなければならぬと解すべきいわれはないのである。而して原審挙示の証拠によれば、前記原審の認定は十分首肯することができる」(最判昭二九・一一・二六民集八・一一・二〇九八)。

すなわち判旨は、現物出資の履行の有無のみならず引受についても、それが真になされたか否かは人証その他の諸般の証拠により認定しうるというのである。しかし現物出資の履行についてはともかく、引受の有無まで一般の証拠法則により認定しうるとしていることは正当でない。けだし現物出資に関する事項は定款の相対的記載事項であつて、定款に記載がなければ現物出資の効力を生じない。従つて現物出資の引受がなされたといいうるためには必ず定款にこれに関する記載があることが必要であつて単に人証その他の証拠によつて認定することはできないからである。ところが現物出資が定款に記載されなければその効力を生じえないことは本判旨もみとめている（前掲【6】）。しかも本件では、定款にXの現物出資に関する記載があり、かつXの定款署名もあることについては当事者間に争がないのである（従つて本判例がもし定款の記載と定款署名とによつて現物出資の引受がなされるという立場に立つならば、引受の有無の認定のために人証その他の証拠を云々すべき余地は全くないこととなる）（大隅・民商三二巻四号五〇九頁参照）。従つて判旨は、現物出資の引受がなされるためには定款の記載のほかに別に現物出資者の株式引受行為を必要とするという立場に立つて、その行為の有無につき、それが人証その他諸般の証拠により認定されうることを述べているものと解するほかないであろう（大隅・同上参照）。しかしそれにしても、その株式引受は発起人の株式引受として書面をもつてなされることを要し（商一六九）、この引受書面がない限り現物出資による引受の効力を生じないのであるから、人証その他の証拠をもつて引受行為の有無を判定しうべきはずはなく、判旨は依然として不当である（大隅・同上）。ただ本件ではXは引受書面で株式を引受けているが、それには現物出資に関する記載がなかつたようである。判旨は、この引受書面の記載に関して、それが現物出資による引受に関するものであるか否かは一切の事情をしんしやくして解釈しうべく、必ずしも記載文言に拘束されるものではないという趣旨をいわんとするものとも解しうるが（もしそうだとすれば、表現の不正確なことはともかくとして、判旨は不当とはいえないであろう）（大隅・同上）。この点は甚だあいまいである（大隅・同上五一〇頁）。

四　現物出資に関する検査

現物出資の履行に関して生ずる危険負担・追奪担保・瑕疵担保の問題については、民法の一般原則の類推適用ないし準用があるというのが通説であるが、このうち追奪担保・瑕疵担保については、現物出資に関する検査を経た以上株式の引受に関する関係では検査によって確定し、もはやその後は瑕疵を問題にしえないとする説もある(石井等・註解二八五頁)。いずれにせよ現物出資に関する定款の記載及びその履行の有無は、裁判所又は創立総会の検査に服するから(商一七三・一八一・一八四・一八五)、追奪担保・瑕疵担保の問題は、実際上この検査手続の運用によって解決される面が少くないものと思われる(大隅・全訂一六九頁、大塚・前掲五〇四頁)。

これに反して現物出資の評価は問題である。評価が過当であればその弊害は物自体に欠陥がある場合とかわりはないが、検査によって不当評価を阻止することは財産評価の性質上必ずしも容易ではない。それゆえ財産の性質上その評価がとりわけ困難な場合(例えば鉱業権・特許権その他の無体財産権)には、たとい法定の検査手続を経たとしても、実際には会社成立後において評価の不当なことが発見される例が少くないのではないかと思われる(松本・前掲一二七頁参照)。ことに裁判所の選任する検査役の積極的資格は法律上専門の鑑定人に限定されていず実際には専ら弁護士がこれに選任されるのが通常であるから(石井等・註解二九四頁)、この点でも一般的に検査の実効があがらないことが予想される(大隅―大森・逐条五七頁、鈴木―石井・解説二二四頁)。しかしながら、かようにして定款に記載された現物出資の評価が不当であってそのことが検査手続の終了後に発見されたとしても、右の検査役の調査にもとづき裁判所又は創立総会がこれを正当として承認した以上、発起人としての任務懈怠の責任は別として(石井等・註解二三七頁参照)、現物出資の評価額はこの検査手続の終了とともに定款の記載通り確定し(前掲【7】参照)、もはや会社は、定款を変更してその評価額又は現物出資に対して与える株式数を減少するがごときことは許されないものと解するほかないであろう(石井等・註解二九六頁、大隅・全訂一七九頁参照)。けだし現物出資者は、本来定款に記載された評価額・株式数を自己の引受の内容とするものであるから、検査の結果これが変更されたときは、株式引受の基礎が破られたものとしてその引受を取消すことができるとともに(商一七三Ⅲ・一八五Ⅱ)、逆にこれが承認されたときは、すべての関係においてその引受は確定されたものといわざるをえないからである。従ってかかる場合に、現物出資者が引受株式につき追加出資をなし、或は株金の払込なきものとして金銭の払込をなす義務を負うものでないこともまた当然である(石井等・註解二九七頁、松本・前掲一二七頁参照)。次の【9】は資本増加決議の無効確認の請求に関する事案であるが、判旨はこの請求を斥けるとともに、上告理由のうち、発起人のなした現物出資の目的たる船舶の評価は不当であるからその発起人の引受株式は払込未了であり、会社はその払込をなさしめない以上資本増加をなしえない(旧商二一〇参照)とする主張にこたえて、右の結論を述べている。

【9】「現物出資者醵出ノ資産ノ価格及之ニ対シテ与フル株式ノ数ニ付創立総会ニ於テ異議ナカリシ以上後日其価格ノ不当ナルコトヲ発見サルルモ調査報告ノ任ニ当ル取締役監査役若クハ検査役ニ責任問題ノ生スルハ格別出資者自身ニ之カ為メ特ニ追加出資ヲ為サシメ若クハ金銭上ノ払込ヲ為サシメ得ヘキモノニ非ス従テ評価過当ノ部分タケ株金ノ払込ナキモノナルトノ上告人等ノ抗弁ヲ原審カ排斥セルハ正当ニシテ之ヲ非難スル本論旨ハ理由ナシ」(大判昭五・二・一九新聞三一二二・八)。

四　財産引受

一　意義及び性質

発起人が設立中の会社のために、会社の成立を条件として、他の発起人・株式引受人又は第三者から一定の財産を譲受けることを約する契約を財産引受という。その法律上の性質は売買が普通であるが、請負・交換などの場合もありうる(田中耕・概論上二五四頁、大隅・全訂一七〇頁、鈴木・会社法五〇頁、石井等・註解二四〇頁)。財産引受も、将来の会社の営業に必要な財産を確保する機能を営む点では現物出資と同様であるが、既述のように財産引受における財産の提供は、株主の出資義務の履行としてなされるものではなく、金銭その他株式以外の対価（ただし石井等・註解二二四頁は、対価として成立後の会社の株式を提供することを認められる。同旨 Gadow-Heinichen, §20 Anm. 11. その趣旨は、財産提供者に株式を発行するのではなく成立後において会社が株式を譲渡することを約束することを認めるものと思われるが、その当否は、自己株式取得の禁止とも関連し、疑問である。またかりにこれを認めても、その場合には現物出資と同様に対価として与うべき株式に関する詳細を定款に定むべきであろう。）を得てなされるものであつて、現物出資のような団体法上の行為ではなく、純然たる個人法上の契約であり、またその行為は会社の設立自体に必要なものではなく、むしろ設立さるべき会社の開業準備のために必要な行為である。

（二）　開業準備行為に関する発起人の権限

財産引受に関する規定は昭和十三年の商法改正によつて新設されたものである。この規定の結果、設立さるべき会社の開業準備のために第三者と財産引受契約をなす権限が、発起人に対し、定款の記載を条件として認められることとなつたわけであるが、いつたいかような開業準備行為は本来発起人の権限に属しない行為であろうか。

(1)　学説においては、――その理由は後述（二）のように必ずしも一致していないが――、開業準備行為その他会社の設立に必要でない行為（例えば将来の営業所建物・敷地の借入、製品の供給契約、労務者の雇入等）は、法の認める財産引受を除き、設立中の会社の機関としての発起人の権限に属さず、従つて発起人が設立中の会社のためにかかる行為をなしても成立した会社につき効力を生ずるものではないというのが従来からの一般的な見解である。判例も、後掲【12】を除けば結論は学説と同様であつて、将来の会社のためにする財産取得契約を含めて一般に開業準備行為（開業準備費用）は、たとえ創立総会においてこれを承認しても成立後の会社につき効力を生ずるものではないという旨を古くから繰返えし主張している。この主張を明瞭に示した最初のものは次の【10】と思われるが、それ以前の【16】【26】においても、この判例原則の萌芽を認めることができる（この判例の立場は多数の下級審判例においても貫かれている。古くは東京控判大二・六・二四新聞八八九・二七、東京控判大五・一二・九新聞一二一一・二六等。最近の判例としては、（イ）発起人の得た営業所建物賃借権の会社への移転につき、東京地判昭二五・一二・八下級民集一・一二・一九二八、（ロ）将来の出版会社の雑誌に掲載すべき小説執筆の依頼による権利の移転につき、東京地判昭三一・一・三〇下級民集七・一・一三五、（ハ）土地家屋の賃貸借等を目的とする会社の発起人――その行為の当時においては定款に発起人として署名していず、従って判旨は、その行為は設立中の会社の機関としての発起人の行為ではない旨をあわせ述べているが――の得た土地賃借権の移転につき、東京地判昭三一・四・九下級民集七・四・八九〇の三つがある。なおこれに対し、同じく最近の判例（東京高判昭三一・六・一二民集九・五・三五〇）で、会社設立前に発起人のなした開業準備の費用と設立登記の費用につき、これらは「ともにいわゆる設立費用に属しないものというべく、右は当時設立中の控訴会社のために支出せられたものであるから、控訴会社成立後は当然控訴会社の負担に帰するものというべきである」と判示して、定款に設立費用の記載がないから会社の負担とすることはできないという会社側の主張を斥けたものがある。設立登記の費用はともかく開業準備費用については誤りで、従来の判例（ことに【10】）と矛盾していることは勿論、後掲【12】の見解とも一致していない。

【10】「日本産馬会社カ設立ノ準備トシテ為シタル右土地ノ購入費又ハ馬場設置費ノ如キハ寧ロ会社ノ営業準備費ニシテ会社設立ニ必要ナル費用即チ商法第百二十二条第五号ニ所謂設立費用ニ非サルコト勿論ニシテ仮令創

立総会ニ於テ之ヲ設立費用トシテ承認シタリトスルモ之ヲシテ会社ノ負担ニ帰セシムルノ効力ヲ生セサルハ一点ノ疑ナキ所ナリ……而シテ設立費用ト認ムルコト能ハサル費用モ之ヲ設立費用トシテ創立総会ニ於テ承認ノ決議ヲ為シ且ツ之ヲ有効トスル商慣習アリトスルモ右説示スルカ如ク商法ノ規定ニ反スルモノト云ハサルヘカラサレハ其ノ慣習ハ効力ナキコト勿論ナリトス」（大判明四四・五・一二民録一七・二八一）。

右の【10】は、将来の会社のための土地購入費の如きは「営業準備費にして設立費用に非ざること勿論」であるとして、発起人のなした開業準備行為の効果の会社への帰属を否定したのであるが（後掲【13】も同旨）、その後の判例には、次の【11】のように、発起人は会社の設立に必要な行為をなしうるにとどまるということを当然の事理として宣明するにすぎないものがかなり多い（前掲、東京控判大二・六・二四新聞八八九・二七、東京控判大六・一二・二三新聞一三八〇・二五【18】、東京控判昭二・二・一五評論一六商三五〇、東京地判昭二五・一二・八下級民集一・一九二八、東京地判昭三一・一・三〇下級民集七・一・一三五）。

【11】「株式会社ノ発起人ハ会社ノ設立ニ関スル行為ヲ為シ得ルニ止マルモノニシテ其ノ設立ニ関スル行為ニ因リテ生シタル権利義務ハ会社ノ創立総会ニ於テ之ヲ承認シタル場合ニ於テハ当然ニ会社ニ承継セラルルモノナリト雖発起人ノ行為ニシテ会社ノ設立ニ関セサルモノハ仮令会社ノ創立総会ニ於テ之ヲ承認スルモ会社カ其ノ権利義務ヲ承継スルノ効力ヲ生スルコトナシ」（大判大一三・一一・二四新聞二三五四・一八）。

しかしこのような判例・学説の見解に対しては、会社が一定の営業を営むことを目的として設立されるものである以上、設立中の会社の機関としての発起人の権限はその営業の準備に必要な一切の行為に及ぶべきであり、これを会社設立に必要な行為に限定することは会社設立の経済的要求に合しないという批判が当然に存しうる（大隅「株式会社の成立と権利義務の帰属」会社法の諸問題三六頁参照）。学説においては、このような見地から、発起人のなした財産取得契約の会社に対する効力を認むべしとして判例・通説の立場に反対するものもないではない（竹井【13】・判批・民商三巻一〇五頁以下、なお大隅・前掲三五六頁参照）。次の【12】もかような見解を示している。事案は、老舗を譲受けて営業を営むことを予定している会社の創立総会が右老舗買収の決議をなしたのであるが、判旨は、創立総会の決議事項は限定されているから右決議は無効であるとした原判決を斥けて次のようにいう。

【12】「創立総会ハ漸時設立ノ場合ニ於テ株式会社設立ノ段階トシテ法律上必要トスル議決機関ナレハ事苟モ株式会社設立ノ目的ヲ達スルニ必要ナル事項ハ創立総会ニ於テ之ヲ決議スルコトヲ得ルモノト謂ハサルヘカラス」「殊ニ第百三十八条カ創立総会ニ於テ定款ノ変更又ハ設立ノ廃止ヲ決議スルコトヲモ許スニ徴スレハ当初ノ目的ヲ改廃スルコトナクシテ設立ノ目的ヲ達スルニ必要ナル事項ノ決議ヲ為スハ固ヨリ之ヲ許スノ精神ナルヲ窺フニ足ルヘク従テ株式会社設立ノ暁ニ於テ目的事業ヲ遂行スル前提トシテ欠クヘカラサル事項ハ創立総会ニ於テ之カ決議ノ権限ヲ有スルモノナルヤ勿論ナリ本件ニ於テ被上告会社設立ノ目的カAノ有シタル桑名屋ノ老舗ヲ利用シ油ノ製造販売ヲ為ス会社ヲ創立スルニ在リタルコトハ原判決ノ確定スル事実ナレハ右老舗ヲ買収スルコトハ被上告会社ノ目的事業ヲ遂行スル前提トシテ欠クヘカラサル事項ニ属シ従テ被上告会社ノ創立総会カ右老舗買収ノ決議ヲ為シタルハ法律ノ許ス有効ノ決議ナルニ拘ラス原判決カ該決議ヲ以テ創立総会ノ為シ能ハサル無効ノモノナリトシタルハ法律ヲ誤解シタル失当アルモノニシテ此ノ点ニ於テ原判決ハ全部破毀ヲ免レス」(大判大四・一二・二二民録二一・二一五一)。

しかしながら、右のような見解は、一般理論としてはともかく実定法上これを支持することは困難というほかない。けだし、商法が現物出資や設立費用について厳重な監督規定を設けているのは成立後における会社の財産的基礎をできるだけ確保せしめんとする趣旨にもとづくものであるが、もし発起人がこのほかに一般的に開業準備行為をなすことができ、或いは創立総会がかような開業準備行為を承認することができ、かつその行為による権利義務が成立した会社に当然に帰属するとするならば、右の法の趣旨は全く無意味なものとならざるをえないからである(竹田・【12】判批・商法判例批評一・五七頁、大隅・前掲三六頁)。従つて通説及び多数判例——その後の判例において右の【12】の立場を踏襲したものは見られない(ただし開業準備費用の会社による負担を認めたものとして、前述東京高判昭三一・六・一二民集九・五・三五〇参照)——の見解は、その結論において正当なものといわざるをえない。

(2)　ただこのようにして判例・学説が将来の会社のためにする財産取得契約の無効なことを説いても、会社の営業が一定の財産の存在を前提とする以上、既に会社設立経過中においてこれを獲得しておく必要を生ずるのが普通であるから、実際には、そうした必要のもとに発起人が自己の名又は設立中の会社の名において第三者と財産取得契約を締結するのがしばしばであつた。しかしそれと同時にこの財産取得契約が、現物出資に関する監督規定の潜脱手段として利用される場合もまた少くなかつた（田中耕・改正商法及有限会社法解説一三三頁）。次の【13】【14】はその一例であつて、いずれも株式引受人が特定の財産を会社に売却するとともに、その代金をもつて株式の払込金に振替充当した事件である（なお事後設立（商二四六）が現物出資又は財産引受の潜脱として利用される事例として、大判昭一二・二・二六大判全集四・二二六、大阪控判昭一三ネ九一九新報五八六・一三）。この種の事案については、学説・判例ともにその払込を無効と解したが、その理由は必ずしも一致せず、（イ）かかる財産の購入費は設立費用に含まれず、従つて会社の負担に帰せしめることはできないということを理由とするもの（【13】）、或は、かかる財産取得契約は設立中の会社の目的外の行為であつて、会社につき無効と解すべきだからとするもの（鈴木・判民昭一〇年度六八事件）、（ロ）会社未成立の間においては会社が代金債務を負担することはありえないとするもの（前掲【5】）、及び（ハ）直截に、かかる行為が現物出資に関する規定の趣旨に背戻すことを理由にあげるもの（【14】、大阪控判昭四・三・二三新聞二九七一・一三、大阪控判昭一二・五・一新聞四一四四・九、大阪地判昭二・五・二八新聞二七一二・七、なお大判明四五・三・五民録一八・一六一も増資新株について同旨）、およそこの三つに分れていた（なおこの最後の理由をあげる判例においては、財産提供者が株式を引受けず、又は株式を引受けても別に金銭をもつて現実に払込をなした場合に、その財産取得契約が会社につき効力を生ずることとなるのかどうか不明なわけであり、その点理由としては（イ）の方がより本質的なものというべきであるが（鈴木・判民昭一〇年度六八事件）、おそらくこれらも、ただ端的に払込の無効なことを判示かかる財産取得契約が会社につき効力を生ずることを認めるものではなく、せんとしたものにすぎないであろう。大阪地判昭六・一一・七評論二〇商七三八は、財産取得契約が発起人の権限外の行為であり、会社につき効力を生じない旨をあわせ判示している）。

【13】「被上告会社設立ノ準備トシテ為シタル舞芸妓取締所組合検番所有ノ土地建物其ノ他ノ財産購入費ノ如キハ営業準備費タルニ過キスシテ会社設立費用ナリト称スルコト能ハサルヲ以テ仮令創立総会ニ於テ右買収ヲ異議ナク可決スルモ該購入費ヲ会社ノ負担ニ帰セシムルノ効力ヲ生スルコトナシ而シテ株金払込ノ債務ハ法律ノ規定ニ依ルノ外金銭ヲ以テ払込ヲ為スカ又ハ会社ノ承諾ヲ得テ会社ニ対スル債権ト相殺スルニ非サレハ消滅セサルモノナルヲ以テ被上告会社ノ負担ニ帰セシムルコトヲ得サル営業準備費タル前記購入代金ノ如キモノニ付之ヲ発起人組合ヨリ受領シテ株金ノ払込ニ充ツル手数ヲ省略シテ法律上現金ノ払込アリタルト同一ノ効果ヲ生セシムルコトハ仮令其ノ株金払込方法ヲ後日株主総会カ承認スルモ之ヲ為シ得サルモノト謂ハサルヘカラス」（大判昭一〇・四・一九民集一四・一一三四）。

【14】「原判決ノ確定シタル事実ニ依レハ従前漁業ニ依ル営利事業ヲ目的トスル組合存在シタルカ之ヲ株式会社組織ニ変更スルコトトナリ同組合員ニ於テ株式ヲ引受ケ被上告会社ヲ設立シタルモノニシテ其ノ発起人ト組合トノ間ニ組合ノ財産全部ヲ代金八万円ニテ売渡スヘキ旨ノ契約成立シ組合ハ解散ト同時ニ右八万円ヲ各組合員ニ其ノ持分ニ応シ分配スヘキトコロ発起人ト組合及ヒ組合員全部合意ノ上会社ハ右代金ヲ直接各組合員ニ対シ其ノ持分ニ応シテ支払フヘク各組合員ハ会社ニ対スル右債権ト其ノ会社ニ対スル第一回株金払込ノ債務トヲ相殺シ以テ引受株式全部ニ付第一回株金払込ヲ了シタルコトト為シタリト云フニ在リテ原審ハ右事実ニ依リ第一回株金払込ハ適法ニ為サレタルモノト判定シ以テ其ノ払込ナキコトヲ原因トスル本訴請求ハ……其ノ理由ナキモノトシテ之ヲ排シタルモノトス然レトモ如上株金払込ニ関スル行為ヲ有効ナルモノト解センカ現物出資ノ方法ニ依ルニ非スシテ前示組合員カ其ノ組合ノ持分ヲ以テ出資ノ目的ト為シ之ニ対シ当該株式ヲ与ヘラレタルト同一ノ結果ヲ惹起スヘク斯ノ如キハ商法カ現物出資ニ関シ特ニ厳重ナル規定ヲ設ケ出資者ノ氏名出資ノ種類及之ニ対シ与フル株式ノ数ヲ定款ノ記載事項トシ裁判所ハ其ノ選任シタル検査役ノ調査報告ヲ聴キ右事項ヲ不当ト認メタルトキハ之ヲ変更スルコトヲ得ヘク創立総会ニ於テモ亦取締役及監査役又ハ検査役ノ調査報告ヲ聴キ右変更ヲ為シ得ヘキモ

ノト為シ以テ会社資本ノ充実ヲ期シタルノ趣旨ニ背戻スルヤ明ナルヲ以テ前示株金払込ニ関スル行為ハ其ノ効力ヲ是認シ得サルモノト為ササルヘカラス」（大判昭八・一二・一八民集一二・二八六六）。

このように、学説・判例の見解にもかかわらず実際には将来の会社のために財産取得契約がその必要上しばしば行われ、或いは現物出資の潜脱手段としても行われているとするならば、立法政策としては、判例・学説の認める一般原則に例外を設けて財産引受を発起人の権限に属せしめるとともに、他方これを現物出資と同様の厳重な監督に服せしめることをむしろ得策とするであろう。商法が昭和十三年の改正によつて、財産引受に関する規定を設けたのは、かような趣旨によるものといわれている（田中（耕）・前掲一三三頁、同・概論上二五七頁、石井等・註解二一四頁、【15】参照）。

（二）　財産引受に関する規定の根拠　以上のように、判例及び通説によれば、開業準備行為その他会社の設立に必要でない行為は設立中の会社の機関としての発起人の権限に属しないものとされ、従つて財産引受の制度はこの一般原則に対して法が認めた唯一の例外と解される。

しかしそれにしても、現在の財産引受に関する規定について、その理論的根拠をいかに解すべきか、すなわち純理論的には財産引受のような開業準備行為も本来ならば発起人の権限に属すべき行為であるが、法が実際上の弊害にかんがみてその権限を法定の手続をもつてする財産引受に限定したものと解すべきか（大隅・全訂一七一頁、同・前掲論文四一頁、塩田・民商三〇巻四号二八一頁）、又は、単なる政策的理由にとどまらず理論上も開業準備行為は設立中の会社の機関としての発起人の権限に属しないが、法がその必要上厳重な要件の下に例外的に許容したにすぎないものというべきか（石井等・註解二一二頁・二四〇頁、松田・概論八三頁、同・基礎理論二六三頁）、この点がなお問題となりうるであろう。これは観点をかえれば、開業準備行為が発起人の権限に属しないものと解されるのは、かく解しなければ法が変態設立事項や募集設立の場合の払込（商一七五Ⅱ10・一七八・一八九）などに関し厳重な取締規定を設けて会社の資本維持につとめている趣旨が失われるからであつて、一般理論としてはむしろ開業準備行為も、営業をなしうべき状態にある会社を創設するために当然に必要な行為としてこの発起人の権限に属すべきものというべきか、又は理論上かかる行為は設立中の会社の目的外の行為であり、法の規定をまたなければ本来発起人としてはなしえない行為と解すべきか、の問題でもある。これについては学説上見解が分れているが、前者の立場に立てば、先の【12】は、その結論において正当とはいえないにしても、判旨の見解には十分な理由が認められることとなるであろう。しかしながら、この点について判例の基本的な立場を明らかにすることは困難である。またそこまで言及した判例も見当らない。先にあげた【10】【11】【13】の判旨においても、発起人のなした開業準備行為の効果を会社に帰せしめない理由について特に説明するものはなく、単に開業準備行為（開業準備費用）は発起人のなしうべき設立に関する行為（設立費用）に属しないということを当然の事理として述べているにすぎない。この点学説においては、【13】につき、判旨が営業準備費を会社の負担に帰せしめえないとしているのは、開業準備行為を設立中の会社の目的外の行為とするものであるとして、これに賛成する見解もあるが（鈴木・判民昭一二年度六八事件）、はたして【13】自身が単なる実定法の解釈としてでなく純理論見地において右の趣旨を示したものといえるかどうか疑問であろう。また同じく【13】につき、判旨の根拠は設立登記前に会社が開業準備に着手することを禁じた昭和十三年改正前商法四六条の規定（現商四九八条ノ二参照）にあるものと推測するものもあるが（竹井・民商三巻一号一〇五頁以下）、しかしこのことを示した判例もなく、この点もなお明らかとはいえないであろう（松本・私法論文集三巻一四九頁は【12】に対する反対理由の一つとしてこの規定の精神に反することをあげられた。しかし竹井・前掲は、この規定は設立登記を強制するための商事行政的禁止規定にすぎず、これによつて設立中の会社の行為の限界を画するものではないから、判旨がこれをもつて発起人の権限を限定するのであれば理由に乏しいとされた)。

二　定款への記載

財産引受が会社につき効力を生ずるためには、定款に目的たる財産・その価格及び譲渡人の氏名を記載しなければならない(商一六八Ｉ6)。

(一)　記載を欠く場合

(1)　定款にその記載がないときは、たとえ創立総会においてこれを承認しても成立した会社について効力を生ずるものではないことはもとより、会社成立後株主総会が特別決議によつてこれを承認してもその瑕疵が治療されて有効となるものではない。このことは既に述べた通りである(一の(三))。もつとも財産引受が定款に記載されなかつたために会社につき効力を生じなかつた場合でも、その目的たる財産を成立後の会社がいわゆる事後設立の手続をとつて取得することは禁じられない。しかしそのためには新たな手続として取締役が株主総会の決議にもとづき相手方と財産取得契約を締結することを要するのであつて、右の株主総会の決議によつて定款に記載なき財産引受が事後設立として直ちに有効となるものではない(大隅・論叢六〇巻三号一一四頁、石井等・註解二二七頁、塩田・民商三〇巻四号二八四頁、法曹時報六巻二号五六頁以下)。

次の【15】もこの趣旨を述べている。なお財産引受を取扱つた判例としては、この【15】が現在のところ唯一のもののようであるが(法曹時報六巻二号五六頁)、従来から、発起人のなした財産取得契約その他の開業準備行為による権利義務は、会社成立後株主総会の決議をもつてこれを承認しても会社に承継されるものではなく、その為には特別の移転行為を要するというのが判例の見解であつて、後掲【16】【17】、【15】

の判旨の後半の部分は、実質的にはこの判例の立場を踏襲したものというべきであろう。

事案は、Xが自己の不動産をY会社発起人総代Aに売渡したところ、Y会社において代金を完済しなかつたので、売買契約を解除するとともにその不動産の返還を求めたのである。控訴審においてXは、右契約に定款は記載がないから無効だと主張したのに対し、Y会社は、会社成立後事後設立の規定により株主総会の特別決議をもつて承認したからその欠陥は治癒されたとして争つた。しかし原審はXの主張を認めたので、Y会社は、売主の方が財産引受の無効を知らず契約を維持する意思が明らかなときは、新たな売買契約による事後設立の場合と同様に売買契約の効力を認めてさしつかえないのではないか。財産引受も事後設立も買主たる会社の保護規定だから、買主会社が後日所期の目的を達しようとしているのに売主からの無効の主張を容れることは、この制度の本旨に反する、として上告した。

【15】「商法一六八条一項六号にいわゆる財産引受けは現物出資に関する規定をくぐる手段として利用される弊があつたので、これを防ぐため現物出資と同様な厳重な規定を設け、公証人の認証を受けた定款にこれを記載しないと財産引受の効力を有しないものと定められたのである。従つて単に財産引受は会社の保護規定であるから、会社側のみが無効を主張し得るということはできない。この無効の主張は、無効の当然の結果として当該財産引受契約の何れの当事者も主張できるものであるから、本件訴訟において売主である被上告人のこの主張を容れたことにつき原判決には所論の違法はない。

右の如く財産引受が定款上無効なる場合と雖も、会社成立後に新に商法二四六条の特別決議の手続をふんで財産取得の契約を有効に結ぶことは可能であるが、原判決はかかる新たな売買契約の成立を認めていない。単に会社側だけで無効な財産引受契約を承認する特別決議をしても、所論のごとくこれによつて瑕疵が治癒され無効な財産引受契約が有効となるものとは認めることができない」（最判昭二八・一二・三 民集七・一二・一二九九）。

(2)　しかしこの場合になお問題となるのは、発起人が設立中の会社の名においてなした財産取得契約が定款に記載を欠くことによつて会社につき効力を生じないときでも、成立後の会社がこれを追認するときは、その契約が会社につき効力を生ずることにならないかという点である。学説においては、定款に記載しないでなした財産取得契約その他の開業準備行為は設立中の会社の機関としての発起人の権限外の行為にほかならないから、それが将来成立すべき会社或いは設立中の会社の名においてなされるかぎり、発起人の無権代理行為として成立後の会社がこれを追認することができるとする見解がある（竹田・商法判例批評一・六二頁以下、北沢「設立中の会社」講座(1)二五三頁）。財産引受が定款に記載を欠く結果成立した会社に効力を生じない場合でも、会社がその成立後事後設立の手続に従い——またその手続を要しないときは通常の業務執行方法により——相手方と新規の契約を締結して目的たる財産を取得することができる以上、同様に会社がその判断によつて発起人のなした契約を追認することを妨げる理由はなく、むしろこれを認めるのが会社にとつて利益であり、会社の保護となりうるとする考慮が、この見解の根底をなすものと思われる（北沢・前掲二五五頁参照）。先の【15】の上告理由における主張も、おそらくかような趣旨をいわんとするのであろう。しかしながら多数の学説はこれに反対している（松本・私法論文集三巻一四九頁、田中（耕）・合名会社社員責任論四八四頁、大隅・前掲論文三八頁、石井等・註解二四〇頁・二四五頁、松田・基礎理論二六四頁）。その理由については、発起人のなす開業準備行為を設立中の会社の実質的権利能力外の行為と解するか、又は設立中の会社の機関としての発起人の権限外の行為と解するかによつて、必ずしも同じではないが（詳細につき、北沢・前掲二五三頁以下）、右の見解にこたえる実質的な理由としては、定款に記載しないでなす財産取得契約その他の開業準備行為が設立中の会社の機関たる発起人の権限外の行為であるにしても、これを無権代理と解して成立後の会社の追認を認めるときは、財産引受を定款の相対的記載事項とし厳重な検査に服せしめている法の趣旨が没却されざるをえないこと、及びこの場合においても会社が新規の契約をもつて目的たる財産を取得することは許されるが、会社成立後新たな契約を締結する自由を有するのと、すでになされた契約を追認するかどうかの選択しかなしえないのとでは異なるから、新規の契約を認めながら追認を否定することは必ずしも形式的とはいえないこと、などの点があげられている（大隅・論叢六〇巻三号一一五頁、同・前掲論文三八頁、塩田・民商三〇巻四号二八三頁、これに対し北沢・前掲二五五頁）。

先の【15】はこの追認の可否の問題について直接には意見を述べていないが、もし上告理由の提示する疑問を汲み入れて会社の追認を認めるならば右の株主総会の決議により会社の追認があつたものとして売買契約の会社に対する効力を認むべき余地を生じたわけである（ただし【15】の事案においては、追認の意思表示がなされたか否かの問題が残るであろうが。大隅・論叢六〇巻三号一一五頁）。

その意味で【15】は、通説と同様に、定款に定めのない財産取得契約その他の開業準備行為は、会社成立後の追認によつても会社につき効力を生ずるものではないという見解に立つたものといつてよいであろう（大隅・同上）。

（二）　定款に記載なき財産引受による権利義務の帰属関係　(1)　発起人が設立中の会社のために定款に記載しないでなした財産引受は成立した会社につき効力を生じないのみならず、会社が成立後においてこれを追認することもできないとすれば、その取引の相手方たる第三者はいかなる保護を受けうるであろうか。これについては、学説の一部には発起人の権限は、法人たる会社の形成・設立それ自体を直接の目的とする行為に限られ、それ以外の行為は、定款の記載を条件とする財産引受を除き、発起人が自己又は発起人組合の名を以つてする行為であつて、行為の相手方に対しては、会社が成立すると否とを問わず、発起人自身又は発起人組合が全部的責任を負うとする見解がある（石井・商法1一六五頁以下、石井等・註解二四〇頁・二四五頁、この立場に立てば成立後の会社による追認は理論上当然に認めえないこととなる。北沢・前掲二五三頁）。しかし、発起人が発起人個人又は発起人組合の名において行為したのであればともかく、現実に発起人が設立中の会社の名において財産引受その他の開業準備行為をなした場合において、その行為の効果を常に発起人個人又は発起人組合に帰属するものと解することは困難であるのみならず、取引の相手方の保護としても必ずしも妥当なものとはいえないであろう。むしろかような場合には、定款に記載なき財産引受その他の開業準備行為は設立中の会社の機関たる発起人の権限外の行為であると解することにより、発起人に対し無権代理人の責任に関する民法一一七条の類推適用を認めるのが――成立後の会社による追認は、前述の理由により認めえないとしても――、妥当ではないかと思う（田中（耕）・責任論四八四頁、なお北沢・前掲二五四頁。なお前述のように学説には、開業準備行為は発起人の権限を超える行為というよりは、設立中の会社の目的の範囲外の行為と解すべきであるとする見解があるが、この立場でも取引の相手方の救済手段としては、発起人が会社の名において取引した限り、民法一一七条の類推適用により責任を負うと解すべきであろう。定款に定められた目的の範囲外の行為を会社の名においてなした者の相手方に対する責任につき、田中（耕）・概論上五八頁、松田―鈴木（忠）・条解上一六頁、上柳「会社の能力」講座（一）一九五頁参照）。昭和二年の東京控訴院判例（東京控判昭二・二・一五評論一六商三五〇）も、結論として、発起人がその肩書で劇場建築の請負契約をなした場合に、相手方に対し民法一一七条一項の類推適用による無権代理の責任を負うことを認めている（ただし本判例が民法一一七条二項の類推適用を認めるのかどうか、また成立後の会社の追認をも認めるのかどうか、判旨からは明らかでない）。なおこの点については、定款に記載なき財産引受その他会社の設立に必要でない行為は、たとえ発起人が会社のために締結しても会社に対し効力を生ぜず、かつそのことは会社側のみならず契約の相手方も主張しうる。従つて相手方はかかる行為から脱退することができるし、また当事者がその行為の効果を欲する場合においても、それから生ずる権利義務は行為者たる発起人について生ずる、とする見解もある（大隅・全訂二〇二頁以下）。

(2)　次にこのようにして定款に記載なき財産引受による権利義務が発起人について生じた場合、成立後の会社がその権利義務を債権譲渡・債務引受・債務者の交替による更改などの特別の移転行為をもつて承継することはできるであろうか。通説は、成立後の会社の追認を認めない立場でも、会社がかような一般の移転方法によつて発起人について生じた権利義務を承継することは許されるものと解している（大隅・前掲論文三九頁、同・全訂二〇三頁、石井等・註解二四五頁、なおドイツ株式法三四Ⅲ対照）。判例もこの立場に立つており、前掲【15】以前において、債権譲渡又は債務引受がないことを理由に、発起人のなした開業準備行為による権利義務が成立後の会社に帰属することを否定した判例が二つある（成立後の会社が債務引受をなした例としては、東京控判大五・一〇・五評論一民一二五六）。

最初の【16】は、琵琶湖水電株式会社の設立に当り、発起人中の一人が滋賀県下各郡多数の賛成調印を得る労力を提供する代りに他の発起人より報酬を受けることを約したのに従い、上告人たる発起人に対しその履行を請求した事案であり、後の【17】は、被上告会社の発起人が上告会社から鰊絞粕を買受け、被上告会社の株主総会でこれを承認したが、これによりその権利義務が被上告会社に承継されたか否かが争われた事案である。

【16】「株式会社ノ発起人カ其ノ資格ヲ以テ他人ニ対シ或債務ヲ約シタリトテ成立シタル会社ハ必スシモ之ヲ

引受ケサルヘカラサルモノニ非サルコトハ商法一三五条ノ規定ニ徴シテ明瞭ナリ而シテ会社カ発起人ノ約シタル債務ヲ引受ケタルトキハ発起人ト契約シタル者ハ爾後会社ニ対シテ其ノ履行ヲ請求スルコトヲ得ルモ会社ノ引受ケサル債務ハ会社ニ対シ之ヲ請求スルコトヲ得サルヤ勿論ナリ依テ上告人カ発起人トシテ被上告人ニ対シテ約シタル債務ヲ宇治川電気株式会社ニ於テ引受ケタルコトヲ主張セサル本件ニ於テ原院カソノ債務ヲ約シタル上告人等ニ於テ弁済スヘキモノト判示シタルハ相当」（大判明四一・三・二〇民録一四・三二〇）。

【17】「（【11】に続く）本件ニ於テ被上告会社発起人ノ為シタル前記売買契約ハ被上告会社ノ設立ニ関スル行為ニ非サルコト明ナルヲ以テ被上告会社ノ株主総会ニ於テ右売買契約ヲ承認スルモ未タ以テ被上告会社カ其ノ権利義務ヲ承継シタルモノト断スルヲ得ス果シテ然ラハ被上告会社カ其ノ発起人ノ為シタル本件売買契約ニ因リテ生シタル権利義務ヲ承継セムニハ須ク之カ移転行為ヲ必要トスルモノト云ハサルヘカラス従テ其ノ債権ニ付テハ之カ譲渡行為ヲ為スト共ニ譲渡人タル発起人ヨリ之ヲ債務者タル上告会社ニ通知シ又ハ上告会社カ之ヲ承諾スルニ非サレハ之ヲ以テ上告会社ニ対抗スルコトヲ得サルモノトス」（大判大一三・一一・二四新聞二三五四・一八）。

なお、右の【16】【17】にしても、先の【10】【11】【15】にしても、判旨はいずれも発起人が発起人又は発起総代なる名義をもつて開業準備行為をなした場合に関する。発起人が既に会社が成立したかの如く会社の名義をもつて取引する場合（例えば代表取締役の肩書を用いて）も考えられるが（将来の会社の名における行為も設立中の会社の名における行為と同様に取扱うべきであろう。大隅・前掲論文四七頁。なお北沢・前掲二二七頁）、かかる場合につきその取引による権利義務の帰属関係を述べた判例は見当らない。ただ最近の東京地方裁判所の判例（昭二九・六・二二下級民集五・六・九二一）で、燐寸等の仕入販売等を業とする会社の発起人が会社の商号をもつて第三者から燐寸類を買入れた事案において、発起人が会社の設立登記前に会社の商号をもつてなした行為は一般に無権代理又は事務管理だが、その商号を信頼して取引した善意の第三者に対しては、会社はその取引が目的の範囲に属する限り直接その責に任ずべきであるとして、成立後の会社につき商法二三条による表見責任を認めたものがある。その理由として、会社の商号は会社成立前発起人等によつて定められるものだから、発起人が会社成立前に会社の商号を用いて会社の目的たる営業をなした場合には、会社は成立と同時にその商号を譲受けたというよりむしろ自己の使用に対する事後許諾を与えたと同一の関係に立ち、従つて商法二三条の類推適用をみるべきものであるという。しかし、その理由は極めて難解であるのみならず、結論としても商法が財産引受につき厳重な監督規定を設けている趣旨を無視するものであつて、賛成できない(田中(誠)・会社法八〇頁、鴻・判例回顧一九五五年度九九頁)。取引の相手方の保護としては、発起人が設立中の会社の名においてなした場合と同様に、発起人に対し無権代理人としての責任を認めることで足るものというべきであろう。

(3)　定款に記載しないでなした財産引受による権利義務が発起人について生じ、それが会社に承継されない場合には、次のその権利義務の発起人組合に対する帰属関係が問題となるであろう。この点については、発起人組合も本来会社設立を固有の目的とする組合関係であるから、会社設立に必要でない行為は、たとえ発起人総代が発起人組合の名においてなした場合においても、成立した会社はもとより発起人組合に対しても当然にはその効力を生じないが、ただ発起人組合においては、会社設立の経済的意図を達するに必要とあれば全員の同意をもつてかかる行為をその目的に加え、組合の業務執行者をしてこれを行わしめることはさしつかえなく、この場合には発起人組合がその責を負う、というのが通説である(鈴木・判民昭一一年度二八事件、於保・商事判例研究(1)五二頁、石井等・註解二四五頁、松田―鈴木(忠)・条解上九頁、北沢・前掲二五六頁、なお西原・民商四巻六二三頁も結論において同旨であるが、【18】につき、判旨が一方で発起人組合の創立事務の範囲を狭く解しながら、他方原審と同一の証拠につき原審と逆に建築設計事務の授権あるものと安易に解釈していることを批判し、むしろ発起人組合の創立事務は当該組合の経済的意図を総称するものとして広義に解すべきであることを指摘されているのが注目される。）。次の【18】もこの見解に立つている（同旨、前述東京控判昭二・二・一五評論一六商三五〇）。

【18】「将来設立セラルヘキ会社ノ営業所新築工事設計ニ関スル事務ノ如キハ寧ロ其ノ営業ノ準備行為ナリト認ムヘク固ヨリ発起人カ法律上処理シ得ヘキ会社設立ニ関スル行為ノ範囲内ニ属セサルコト勿論ナルモ発起団体即チ発起人組合ニ於テ特ニ其ノ決議ヲ以テ特定発起人ヲ其ノ総代トシテ之ニ叙上営業所新築工事設計ニ関スル事務ヲ委託遂行セシムルコトヲ妨ケサルヘキヲ以テ斯ル決議ニ依リ発起人総代ノ為シタル新築設計ニ関スル行為ハ会社設立ニ関スル行為ニアラサルノ故ヲ以テ将来設立セラルヘキ会社ニ対シテハ其ノ効力ヲ生セサルモ其ノ決議ヲ為シタル当該発起人ニ対シテハ当然其ノ効力ヲ生シ此等ノ者ハ右総代カ為シタル行為ニ付之カ責任ヲ免レサルモノトス」（大判昭一一・三・一八民集一五・四九一）。

(4)　最後に、右のようにして発起人組合が定款に記載しないでなした財産引受その他の開業準備行為による債務を負担する場合には、発起人組合の性質が民法上の組合であり（大判大七・七・一〇民録二四・一四八〇）、かつ連帯責任を認める特則もない以上（商一九四I参照）、その責任は、各発起人の分担と解せざるをえないこととなるであろう。判例はこの立場に立つている（東京控判大二・六・二四新聞八八九・二七、東京控判大六・一二・二三新聞一三八〇・二五、東京地判大七・一二・二二新聞一四四一・一八）。

また後述のように、設立に関して必要な行為によつて生ずる債務についても、判例は、募集設立にあつては創立総会の承認をもつてその債務の会社への帰属の要件としているから、この承認がないとき、又は承認があつてもその額を超える部分については発起人がその債務を負担しなければならないこととなるが、この場合もその責任は発起人の連帯責任ではないとしている。

【19】「会社成立セサル場合ニハ発起人ハ会社ノ設立ニ関シ為シタル行為ニ付連帯シテ其ノ責ニ任スヘキモノ

ナルコト商法第百四十二条ノ三第一項ノ規定スル所ナルモ其ノ会社成立シタル場合ニオイテモ発起人ハ其ノ成立ニ関シ為シタル行為ニ付依然連帯責任ヲ負フヘキコトハ商法ニ之ヲ規定スル所ナシ却テ右法条ニ依リ会社成立シタル場合ニハ其ノ発起人ノ会社設立ニ関シ為シタル行為ハ会社ニ対シ其ノ効力ヲ生シ会社其ノ責ニ任スルモノト解スルヲ相当トス従テ仮ニ創立総会ニ於テ設立費用ヲ承認セサリシ為メニ会社成立後ニ於テモ発起人ハ依然トシテ其ノ費用ニ付責ヲ負フヘキモノトスルモ其ノ責任ヲ発起人ノ連帯ナリト解スヘキモノニアラス」(大判昭三・三・二六新聞二八三一・九)。

先の【18】が原判決を破棄差戻したのも、発起人組合の債務とすれば各発起人の分担責任となると認めたからであるが、しかし理論上発起人の連帯責任を認める余地が全く存しないとはいえないであろう。この点学説においては、当事者の意思解釈として(鈴木・判民昭一一年度二八事件、小町谷「発起人の責任」講座(1)三〇四頁、石井等・註解二四六頁)。或いは会社不成立の場合に関する商法一九四条一項の規定より推理して(松田―鈴木(忠)・条解上一〇頁)。或いは社団法人に関する規定の類推解釈により(於保・前掲五七頁)。連帯責任を肯定しようとする見解が少くない。

五　設立費用

一　意義

設立費用とは、例えば「定款及び株式申込証の印刷費・広告費・通信費・株金の募集費用・設立事務に使用した者に対する報酬手当」(【20】)、株主募集の広告費(【25】【29】)、「設立事務用の帳簿筆墨代・切手印紙代・諸印刷費・設立事務所費」(【24】)などのように、会社の設立に必要な行為によつて生ずる一切の費用をいう。これに反して、会社成立後の営業の準備のために必要な行為、その他会社の設立に必要でない行為から生ずる費用は設立費用に含まれない。例えば営業用の土地建物その他の財産の購入費（【10】【13】）、営業所の新築工事設計費（【18】）、老舗報償金（【20】）、商品の仕入費用（東京控判大二・六・二四新聞八八九・二七）などは、開業準備費用であつて設立費用ではない。この点についてはほとんど問題はない。

【20】「商法ニ所謂会社ノ負担ニ帰スヘキ設立費用トハ定款株式申込証ノ印刷費広告費通信費株金ノ募集費用設立事務ニ使用シタル者ニ対スル報酬手当等ノ如キ会社ノ発起ヨリ其創立ニ至ル迄ノ間ニ其設立ニ関シテ要スル費用ヲ謂ヘルモノニシテ染料製造ヲ目的トシテ設立セラルル会社ノ為ニ他人ノ染料工場ヲ買収スルニ付テ之ニ与フル老舗報償金ノ如キハ右設立費用ニ該当セサルモノトス」（大阪控判大七・四・一八新聞一四〇三・二二）。

ただし次にかかげるものが設立費用に属するか否かについては、なお多少の問題がある。

（一）設立費用にあてるために発起人のなした借入金　発起人が設立費用にあてるために第三者から金銭を借受けた場合、その借入金はいわゆる設立費用に含まれるか。前述のように設立費用とは会社の設立に必要な行為によつて生ずる費用をいうものとする以上、その費用にあてるための借入金は設立費用とは別個のものと解すべきこととなるであろう（田中（誠）・会社法九九頁）。判例もかように解している。

【21】「発起人カ株式会社ヲ設立スルノ費用ニ充ツル為自己ノ責任ヲ以テ第三者ヨリ借入レタル金銭ハ商法第百二十二条第五号ニ所謂設立費用ト謂フコトヲ得サルヲ以テ株式会社成立シタル場合ニ於テモ会社ニ於テ其ノ金銭ヲ返還スヘキ債務ヲ負担スヘキ筈ナク貸借関係ハ依然トシテ発起人タリシ個人ト第三者タル貸主トノ間ニ存続スルモノトス蓋貸主ハ発起人個人ヲ信用シテ金銭ヲ貸与シ発起人ハ自己ノ債務トスル意思ヲ以テ之ヲ借受ケタルモノニシテ其ノ金銭ヲ会社ノ設立費用ニ充ツルノ目的ニ出テタルコトハ消費貸借ヲ為スノ縁由タルニ過キサレハナリ故ニ右ノ発起人ハ会社設立シタル後ニ於テモ其ノ債務ヲ免ルヘキモノニ非スシテ唯借入レタル金銭ヲ設立ニ必要ナル費用トシテ支出シタル場合ニ於テ会社ニ対シ之カ償還ヲ請求シ得ルニ過キサルモノトス」（大判大一三・一二・二新聞二三

・四八・六）。

しかし設立費用にあてるために発起人のなした借入金は設立費用とはいえないにしても、その債務が会社設立に必要な行為による債務として成立した会社に帰属すべきものであるか否かは別の問題である。右の【21】は会社が発起人の借入債務を負担することを否定しているが、しかしこの判例の事案は、発起人が設立費用にあてるために発起人の連帯責任において金銭を借受けたのであつて、判旨も、右の消費貸借が発起人団体の代表者としてなされたものではなく、発起人個人としてなされたものであるとした原審の認定に立ち、この認定のもとに発起人が設立費用にあてるために自己の責任においてなした借用金は設立費用ではなく従つて会社はこれを負担しえないとしているにすぎないのである。従つてもし発起人が、「自己の債務とする意思を以つて」ではなくして設立中の会社のために金銭を借受けたならば、その場合も「その金銭と会社の設立費用に充つるの目的に出でたることは消費貸借をなすの縁由」にすぎないものとして、その債務の会社による負担が否定されることになるかどうか、右の判旨ではなお不明確というほかないわけである。もし発起人が設立中の会社のために右の借入をなした場合においてその行為が会社設立に必要な行為とされるならば、後述（【26】【27】参照）のように、会社設立事務の遂行に必要な行為によつて生じた権利義務は、創立総会の承認により又は承認をまたずして成立した会社に承継されるというのが従来からの判例の確定的な原則であるから、右の判旨がこの判例原則を変更しない限りは発起人のなした借入金は設立費用とはいえないにしても、成立した会社はこれを負担すべきものと解せざるをえないこととなるであろう（そしてこの場合には、会社の負担すべき設立費用の範囲にして、かつ現実に発起人が設立費用に支出した額を超える額につき、会社から発起人に求償することとなる。なお石井・商法Ｉ一六七頁は、前述のように設立中の会社の機関としての発起人の権限は社団の形成それ自体に限られ、そのほかの行為は常に発起人個人又は発起人組合の名におけるものと解する立場から、借入債務が会社の負担に帰することを否定される。同旨、長岡「会社の負担に帰すべき設立費用」民商一二巻八五〇頁）。この点下級審の判例ではあるが、右の【21】以前においては、発起人が設立費用にあてるためにその資格において金銭を借入れた場合、その債務は一般の設立費用の債務と同様に、創立総会の承認を条件として成立後の会社の負担に帰するものと解されていた（【22】、東京地判明四三（ワ）七八七号新聞七二三・二一、東京控判大四・一二・二二新聞一二二九・二五、朝鮮高判大五・四・七新聞一一四九・二八、東京控判大五・四・二〇新聞一一一八・二八）。なお長岡・前掲八五三頁は、これらの下級審判例は、設立費用に充てるために発起人のなした借入金をもつて直ちに設立費用なりとする趣旨を含んでいるとされている。しかし右の借入金が設立費用であるとするならば、後述のように昭和二年の判例【25】により、設立費用の債務は定款に記載された設立費用の額を限度としかつ創立総会の承認を条件として会社の負担に帰するものとされているから、設立費用の借入債務も、創立総会の承認のほかに定款における設立費用の記載を限度として会社の負担に帰するものと解すべきこととなるであろうが、これら下級審判例においては未だこの点を明示したものはなく、借入債務は創立総会の承認を条件としてのみ会社に帰属するとするのか（【26】参照）、又は更に定款に記載された設立費用の額を限度として会社の負担に帰するとするのか（前掲判例の中【22】【28】、東京地判明四三（ワ）七八七号新聞七二三・二一にはこの趣旨が見られないではない）、明らかでないから、これらの下級審判例が借用金をもつて直ちに設立費用とする趣旨を含んでいると速断することはできないであろう。ただ少くとも会社の第三者に対する債務負担の関係において、設立費用そのものについての債務と設立費用にあてる為の借入債務とを区別する理由は乏しいから、【25】の判例原則は、このような借入債務に及び、従つて【25】の判例の立場では、借入債務の会社の負担に帰すべき範囲は定款における設立費用の額をもつて限定されるものと解すべきであろう（後掲【24】参照）。

【22】「訴外甲乙ハ丙ト共ニ被控訴会社ノ設立ヲ企図シタル発起人ニシテ其設立費用ニ充ツル為メ創立委員即チ発起人タル資格ニ於テ……控訴人ヨリ金三千円ヲ……借受ケ使用シタル事実ヲ認メ得ヘク其後株主ノ募集ヲ完了シ創立総会ノ終結ニ因リテ被控訴会社ノ成立ヲ告ケタルコトハ双方ノ争ナキ事実ニ属ス而シテ株式会社ノ発起人カ設立費用ニ関シ其資格ニ於テ他ニ対シテ負担シタル債務ハ会社カ成立シタルトキハ一定要件ノ下ニ当然会社ニ承継セラルルモノナル事ハ其性質上疑ナキ所ニシテ……」（大阪控判大五・六・三新聞一一三一・三二）。

ところが【21】の後に現われた次の大審院判例【23】によつて右のような下級審判例の見解は真向からくつがえされ、発起人が設立費用にあてるために金銭を借受ける行為は、それが発起人団体としてなされたか発起人個人としてなされたかを問わず、その性質上設立に必要な行為とはいえないものとされるに至つた（同旨大阪地判昭七・二・五評論二一商一六〇）。事案は会社不成立の場合の発起人の責任に関する。設立費用にあてるためY等が発起人団体を代表してAより金銭を借受けたが、会社成立の予定時期（商一七五II11）を過ぎその後約五年を経過してもなお会社が成立しなかつたので、その間Aより右貸金債権を譲受けたXがYに対し貸金の返済を求めたところ、原審はY等の行為は会社の設立に関してなした行為であるとしてXの請求を認めたので、Yは、右借受行為は会社設立自体又は設立行為をなすに直接必要なものではないから連帯ではなく分担して責任を負うべきであるとして上告したのである。

【23】「商法第百四十二条ノ三第一項ニ所謂発起人カ会社設立ニ関シ為シタル行為トハ株式ノ募集株金ノ払込受領等ノ如キ会社設立行為自体ニ属スルモノ及設立ニ必要ナル行為例ヘハ設立事務所ノ貸借事務員ノ雇傭株式募集広告委託ノ如キヲ謂フモノニシテ発起人カ設立ニ関シ必要ナル行為ニ要スル費用ヲ他ヨリ借受クル行為ノ如キ

ハ右会社設立ニ関シ為シタル行為ト謂フヲ得サルモノニシテ右借受行為カ発起人団体トシテ為サレタルヤ将又発起人個人トシテ為サレタルヤニ依リ毫モソノ性質ヲ異ニスヘキ理由存在セサルモノトス」（大判昭一四・四・一九民集一八・四七二）。

すなわち判旨は、「会社の設立に関しなしたる行為」（現商一九四Ⅰ、旧商一四二条ノ三Ⅰ）とは株式募集・株金の払込受領等会社設立自体に属するもの及び設立事務所の賃借等設立に必要な行為というものであつて、設立費用の借入のような行為は、その性質上右のいずれにも属しえないとするのである。判旨がかように解した根拠は明らかでないが、おそらく【21】が述べているように、発起人が設立費用を他から借入れる行為は、たとえその目的が設立費用の支弁にあつても、そのことは単なる消費貸借の縁由にすぎないから、発起人の借入行為自体を設立に必要な行為と解することはできないとするのであろう。このことは、発起人がいつたん設立費用の債務を負担した後においてその立替支払を他人に委託した場合には、その委託は「会社設立に関しなしたる行為」といいうるとした左の判例と対照すれば、一層明らかとなる。けだしかような立替の委託の場合も、それが発起人にとつて設立費用に要する資金の調達なる意義をもつ点では設立費用の借入の場合と異るところはないが、ただこの場合には、実質的には既に発生した設立費用債務について債権者の変更をもたらすのとかかわりはなく、その限りでは設立費用―設立に必要な行為とかかる立替の委託との関係は、設立費用にあてる目的をもつて資金を借入れる場合よりも一層緊密であるともいいうるからである。

【24】「発起人カ株式会社設立事務ノ為メ帳簿筆墨代切手印紙代諸印刷費用回章人夫賃其ノ他設立事務所費用等ヲ支払フヘキ義務ヲ負担シ他人ニ対シ其ノ立替方ヲ依頼シタル時ハ此ノ委託ハ商法第百四十二条ノ三第一項ニ所謂発起人カ会社ノ設立ニ関シテ為シタル行為ト言フヲ得ヘク若之ニ依リテ生シタル債務ヲ定款ニ記載スル時ハ之ヲ以テ会社ノ負担ニ帰スヘキ設立費用トシテ会社其ノ他ノ第三者ニ対抗シ得ヘキモノナルハ多言ヲ俟タスシテ

明ナリ」(大判昭八・三・二七法学二・一三五六)。

しかしながらかような判例の見解は疑問である。学説のうちにも、発起人の借財の目的が設立費用の支弁にあるということは単なる縁由にすぎないとし(西原・民商一〇巻五一六頁)、或いはかかる借入行為は設立のために直接必要な行為とは解しえないとして(佐々・新報四九一六二頁以下)、判例【23】の見解を支持する者があるが(西原・同上、佐々・同上、田中(誠)・会社法九九頁・一三二頁、なお石井・商法I一六七頁)、多数の学説はこれに反対している(小町谷・前掲三〇一頁、同・法学九巻一一二頁、大隅・全訂二一三頁、豊崎・判民昭一四年度三二事件、松田―鈴木(忠)・条解上八四頁、伊沢・註解二一三頁、北沢・前掲二三九頁)。何故ならば、なるほど発起人の借財自体は無色抽象的で会社の設立との関連もそれ自体としては存しないが、しかし設立事務所の賃借・設立事務員の雇入等もそれが会社の設立のために行われるということは単なる縁由にすぎない。従つて或る行為が設立に関するものであるか否かは行為自体の抽象的性質をもつて決すべきではなく、各個の行為につき、それが設立中の会社のために会社設立に必要な行為としてなされるものであるか否かを客観的に判断して決すべきであつて、しかるときは設立費用の借入行為も設立事務所の賃借等と同様に当然に設立に関する行為となりうべきはずだからである(その具体的な基準を、豊崎・前掲は設立費用として借入をなすことを相手方に表示したか否かに求められる)。

このようにして設立費用の借入行為も会社の設立に関する行為と解しうる以上、設立費用の借入債務が成立した会社の負担に帰することを認めた前掲【22】等の下級審判例の見解は、むしろ結論において正当なものといわなければならない。

(二) 設立登記のために支出した税額　これが本来設立費用に属すべきものであることは疑の余地はない。しかしそれゆえに、この場合もその額を設立費用の一つとして定款に記載しなければ会社の負担に帰せしめえないものと解すべきであろうか。結論においては、学説のほとんどすべてはこれを否定している（同旨、前述東京高判昭三一・六・一二民集九・五・三五〇）。しかしその理由として説明するところは必ずしも一致していない。一般には、すでに法人たる実体が完成された後の経費であること（石井等・註解二四三頁、石井・商法I一六八頁）、或いはその算定に強度の客観性があり濫用のおそれがないこと（鈴木・会社法五一頁、田中（誠）・会社法九九頁、北沢・前掲二四八頁）、などが理由としてあげられているが、その費用が取締役の行為から生ずる費用であることを理由にあげる見解もある（大隅・全訂一七二頁）。この最後の見解は、一方において取締役の選任後はその取締役が発起人に代つて設立中の会社の機関となると解すると同時に、他方取締役が設立中の会社の社員の総意により選任された執行機関である以上、彼が設立に関してなした行為により生じた費用は定款の記載の有無に関係なくすべて会社の負担に帰すべきであり、会社はこれにつき発起人はもとより取締役からも求償することはできないと解するものである（大隅・前掲論文四三頁、同・全訂一七三頁）。従つてこの見解によれば、いわゆる設立費用とは、発起人が設立中の会社の機関として会社設立に関してなした行為より生ずる費用に限られることとなり、登録税はもとより、設立登記のために支出した費用などすべて取締役の行為によつて生ずる費用は、いわゆる設立費用に含まれないものとなるわけである（大隅・全訂一七二頁）。

（三）　発起人の受くべき報酬　　これも理論上は設立費用に属すべきものであることはいうまでもない。ただ発起人の報酬は、右の設立登記のための費用とは異り、変態設立事項の一つとして設立費用と同一の監督に服するのであるから（商一六八I7）、発起人の報酬が設立費用に含まれるか否かの問題は、設立登記の費用の場合とは異り、定款に発起人の報酬を記載しないで設立費用の中から支出することができるか、又は少くとも発起人の報酬額と設立費用の額とを一括して記載することが許されるかどうかの問題として論じられるにとどまる。この点については学説上異論がないでもないが（長岡・前掲八五四頁）、これが発起人自身の労務に報いるもので一般の設立費用とは異ること、或いは発起人の濫用のおそれがあることなどの理由により、発起人の受くべき報酬は設立費用と区別して定款に記載しなければならないというのが通説である（松本・日本会社法論一三〇頁、大隅・全訂一七三頁、石井等・註解二四二頁、同・商法Ⅰ一六八頁、北沢・前掲二四七頁）。

二　定款への記載

設立費用は会社の設立に必要な行為によつて生ずる費用であるから、会社が成立したときは本来当然に会社の負担に帰すべきものである（【28】、反対、長岡・前掲八三七頁）。しかしその無制限な負担を許すならば発起人の不当な支出により会社の財産的基礎を危くするおそれがあるから、法はこれを変態設立事項の一つとして定款に記載せしめ、かつ裁判所又は創立総会の承認を受くべきものとしているのである（商一七三・一八一・一八四）。

定款には会社の負担に帰すべき額を記載することを要するが（商一六八Ⅰ7）、必ずしも各種費用の細目について記載する必要はなく、その総額を記載すれば足る（松本・前掲一二九頁、大隅・全訂一七二頁、石井等・註解二四六頁、松田＝鈴木(忠)・条解上三五頁）。

三　設立費用の負担関係

右のように、法は会社の財産的基礎が害されることをおそれて、会社の負担に帰すべき設立費用の額を定款に記載せしめ、かつ裁判所又は創立総会の厳重な検査を受くべきものとしている。従つて設立費用は本来会社の負担すべき性質のものではあつても、その負担は定款に記載されかつ裁判所又は創立総会の承認を経た額を限度とし、定款に記載がないか、記載があつてもそれを超える額又は裁判所もしくは創立総会の変更により削減された額は、これを会社の負担に帰せしめることはできない。

（一）　内部的負担関係　　その結果として、発起人が会社の設立中にすでに設立費用を支出しているときは、会社の負担に帰すべき限度においては会社に求償することができるが、会社の負担に帰せしめえない額は発起人みずから負担することを要し、不当利得・事務管理その他いかなる名目をもつても会社に対しその償還を求めることはできず、また会社がこれを承認することもできないものといわなければならない（【28】参照）。この点についてはほぼ異論はない（松本・前掲一二九頁、田中（耕）・概論上二五八頁、大隅・全訂一七二頁、石井・商法Ⅰ一六七頁）

（二）　対外的負担関係　　これに反して、会社成立当時未だ設立費用についての債務が発起人によつて履行されていない場合、その債務は会社の負担となるであろうか、また会社の負担となるとして、この場合も第三者との関係において、会社の債務負担の範囲は会社の負担に帰すべき設立費用の額を限度とし、従つてそれを超える額は会社が成立してもあくまで発起人の債務としてとどまることになるのであろうか。この点については議論がある。

(1)　判例の見解　　判例はこれを肯定し、設立費用の債務は定款に記載され、かつ検査を通つた額を限度として成立した会社の負担となるものと解している。

この判例の見解を始めて明瞭に示したのは、次の【25】である。事案は、新聞広告の取扱業者たるXが発起人Y等の委託により株主募集の広告をなし、Y等に対しその代金の支払を求めたところ、Y等はその広告料は定款所定の設立費用に含まれるから会社が支払うべきであると主張してその支払を拒んだのである。原審は、発起人が設立に際して負担した債務は、創立総会において会社が特に当該第三者に対しその債務を負担すべきことを承認したものに限り、会社が直接その義務を負うものと解すべきであるが、本件においてかかる承認があつた事実は認められないから発起人Y等において分担してその責を負うべきであるとしたので、Y等は、創立総会が何人に対する債務を承認するかは会社内部の問題であつて第三者はこれを知り難いから、原審のように解すると発起人と取引した第三者は不当に不安な立場に立たねばならない。従つて発起団体が会社の設立に必要な行為をなした結果生じた法律関係は、会社が成立しかつ創立総会がこれを承認した以上は当然に会社に帰属するものと解すべきである、と主張して上告した。

【25】　「発起人カ株式会社ノ為ニスル行為ニハ其ノ設立事務ノ執行ニ必要ナル行為ト然ラサル行為トアルモノニシテ右ノ中設立事務ノ執行ニ必要ナル行為ニ付テハ会社ヲ成立セシムルコトヲ目的トシ既ニ成立シタル上ハ其行為ノ一切ノ効力ヲ之ニ帰属セシメントスルノ目的ヲ以テ之ヲ為スモノナレハ会社カ成立シ其ノ創立総会ニ於テ発起人ノ為シタル行為ヲ承認シタルトキハ発起人ノ第三者ト為シタル契約ヨリ生スル権利義務ハ其ノ性質上当然会社ニ移転シ発起人ハ其ノ法律関係ヨリ脱退スルモノトス会社ノ設立事務ノ執行ニ付必要ナル行為ノ主要ナルモノハ株式ノ引受ヲ為サシムルコト株金ノ第一回払込ヲ為サシムルコト等ニシテ発起団体カ受ケ取リタル引受証拠金払込株金カ当然会社ニ移転スルコトニ付テハサキニ当院ノ判示シタル所ナリ（明治四十三年（オ）第二百四十二号同年十二月二十三日（後掲【26】—筆者註）、大正十一年（オ）第八十号同年六月十四日（後掲【27】—筆者註）当院判決参照）而シテ発起人カ株主ヲ募集スル為新聞紙ニ其ノ旨ノ広告ヲ為シ之カ費用ヲ支払フコトヲ約スルハ会社ノ為株式引受人ヲ求メ資本ヲ充実セシムル方法タルニ外ナラサレハ株式ヲ引受ケシメ株金ヲ払込マシムルト同シク会社設立事務ノ執行ニ必要ナル行為ナリト云ハサルヲ得ス而シテ右ノ広告費用ハ商法第百二十二条第五号ニ所謂会社ノ負担ニ帰スヘキ設立費用ニ属スルヲ以テ其金額カ定款ニ記載セラレアリテ創立総会ニ於テ之ヲ承認シ商法第百三十五条ニ掲クル変更ノ手続ヲ為ササル限リ右広告ニ関スル契約ヨリ生スル権利義務ハ当然会社ニ移転シ会社ハ広告料支払ノ義務ヲ負担スヘク発起人ハ全ク其ノ権利義務ヲ負担セサルモノト云ハサルヲ得ス……然ルニ原院カ……会社カ右債務ノ脱退的引受ヲ為サスニ非レハ上告人ハ本件債務ヲ免レサルモノノ如キ見解ヲ以テ被上告人ノ主張スル

本件広告料カ定款ニ掲ケタル設立費用ニ包含スルヤ否ヲ判断セスシテ上告人ニ敗訴ヲ言渡シタルハ不法ニシテ其ノ上告論旨ハ理由アリ」（大判昭二・七・四民集六・四二九）。

右の判旨も述べているように、株式の引受・払込をなさしめ或いはその払込金を他に預金するなど、会社の設立それ自体に関する行為及びこれと直接関連する行為により生じた権利義務は、創立総会の終結により会社が成立すると同時に、成立した会社に当然に承継されるとするのが既往の判例である【26】は払込金の預金債権の会社による承継につき会社の承認を要求するかのようであるが、【27】は払込金についてこれを要求していない。判例が払込金自体とその預金債権との間にかような区別をしているのかどうか、また区別しているとしてもかく区別すべき理由があるかどうか疑問であるが、この点につき田中（誠）・判民大一一年度四四事件は、【26】のように会社の権利に関するものは会社の承認が条件とされるが、【27】のように株金返還義務であつて会社と密接な関係のあるものは会社の承認をまたずして当然に会社が責任を負うと述べていられる）。

【26】「発起行為ノ目的ハ会社ヲ成立セシムルニ在リテ発起団体ハ会社ノ前身ナレハ其発起ノ為メニ生シタル権利義務ハ会社カ成立シ且之ヲ承認シタルトキハ成立シタル会社ニ承継スヘキコトハ其性質上当然ナリ依テ発起団体カ本件ノ如ク引受証拠金及ヒ払込株金ヲ他ニ預金ト為シタルトキハ其債権ハ成立シタル会社ニ属シ会社ハ直接ニ預金ノ債務者ニ対シテ請求スルコトヲ得ヘキモノトス（明治四十一年三月二十日言渡当院同年（オ）第二十四号報酬金請求事件ニ付発起団体ノ負担シタル債務ニ対シ之ヲ承認シタル会社ト第三者タリシ債権者トノ関係ニ対スル判旨（前掲【16】—筆者註）参照）」（大判明四三・一二・二三民録一六・九八二）。

【27】「株式会社ノ発起団体カ会社ノ為ニ株金ノ第一回払込ヲ受クルハ会社設立事務ノ執行上必要ナル行為ニ外ナラサルヲ以テ該払込金ハ創立総会ノ終結ニ因リ会社設立スルト同時ニ法律上当然会社ニ帰属スルモノト謂ハサルヘカラス而シテ創立総会ハ資本減少ノ決議ヲ為シ得ルコト商法第百三十八条ノ規定ニ照ラシ明瞭ニシテ創立総会カ株式消却ノ方法ニ依ル資本減少ノ決議ヲ為シ其ノ引受人ノ承諾ヲ得テ決議カ効力ヲ生シタルトキハ消却セ

ラレサリシ株式ニ対スル引受並払込金ニ関スル権利ハ創立総会ノ終結ト同時ニ当然会社ニ帰属スルコト勿論ナレハ消却セラレタル引受株ニ対シ既ニ払込アリタル場合ニ於テモ其ノ払込金ハ当然会社ニ帰属スルモノトス何トナレハ其ノ払込ハ元来会社ヲ成立セシムル目的ヲ以テ為サレタルモノナレハナリ故ニ其ノ金額ヲ引受人ニ返還スヘキ義務モ亦如上ノ権利ニ随伴シテ当然会社ニ帰属スルモノト解セサルヲ得ス」（大判大一一・六・一四民集一・三一〇）。

また右のような会社設立自体に関する行為のみならず、その他発起人が会社の設立のために必要な行為をなした結果生じた権利義務も、募集設立にあつては創立総会の承認を条件として成立した会社に帰属するというのが、同じく従前の判例の見解であつた（【11】、東京控判大五・四・二〇新聞一一一八・二八）。先にあげた【22】も、設立費用にあてるために発起人のなした借入金の債務について、この趣旨を述べている。

【28】「（【22】に続く）株式会社ノ発起人カ設立費用ニ関シ其ノ資格ニ於テ他ニ対シテ負担シタル債務ハ会社カ成立シタルトキハ一定要件ノ下ニ当然会社ニ承継セラルルモノナル事ハ其性質上疑ナキ所ニシテ法律ノ要求スル一定ノ要件ノ如何ハ発起設立ナルト募集設立ナルトニヨリテ自ラ差異ナキ能ハスト雖モ本件ノ如キ募集設立ノ場合ニ在リテハ創立総会ノ承認カ要件ノ一ニ属スルコト商法第百三十五条ノ規定ニ徴シ明白ナルヲ以テ今若シ発起人ノ負担シタル本件債務ニシテ創立総会ノ承認ヲ得サリシモノナランニハ被控訴会社ニ之カ履行ノ責ナキコト言ヲ俟タス」「創立総会ノ承認セサル発起人ノ債務ハ仮令爾後会社ノ取締役ニ於テ之ヲ承認スルモ承継ノ効力ヲ生セシムルニ足ラサルコトハ勿論之ニヨリテ何等被控訴会社ニ債務履行ノ責任ヲ生スルモノト為スヲ得サルヤ言ヲ俟タス若シ夫然ラスシテ創立総会ノ承認セサル債務ト雖モ会社ノ取締役カ承認ヲ為シタルコトニヨリテ会社ニ履行ノ責任ヲ生スルモノトナサンカ商法カ其第百三十五条ニ於テ創立総会ヲシテ会社ノ負担ニ帰スヘキ設立費用ヲ不当ト認メタル場合ニ之ヲ変更スルコトヲ得セシメ以テ会社存立ノ確実ヲ期セル所以ノ趣旨ハ遂ニ之ヲ貫徹スルニ由ナキニ至ラン」（大阪控判大五・六・三新聞一一三一・三二）。

【25】は、このような従前の判例の見解を前提としながら、一方株主募集のための広告に関する契約を会社設立事務の遂行に必要な行為とすると同時に、他方広告費用は商法の定める設立費用に属する

から、その債務は定款に設立費用に関する記載がありかつ創立総会の承認があることを条件として会社の負担に帰すると解したものにほかならない。

この【25】大審院判例の見解は、同じく広告費用に関する翌年の判例【29】においてもそのまま踏襲されている。

【29】「株式会社カ成立シ其ノ創立総会ニ於テ発起人ノ為シタル設立ニ関スル行為ヲ承認シタルトキハ発起人ノ第三者ト為シタル該行為ヨリ生シタル権利義務ハ其ノ性質上当然会社ニ移転シ発起人ハ其ノ法律関係ヨリ脱退スヘク株主募集ノ為ニ新聞紙ニ掲載シタル広告費用ハ商法第百二十二条第五号ニ所謂会社ノ負担ニ帰スヘキ設立費用ニ属スルヲ以テ其ノ金額カ定款ニ記載セラレアリテ創立総会ニ於テ之ヲ承認シ商法第百三十五条ニ掲クル変更ノ手続ヲ為ササル限リ右広告ニ関スル契約ヨリ生スル権利義務ハ当然会社ニ移転シ会社ハ広告料支払ノ義務ヲ負担スヘク発起人ハ其義務ヲ負担セサルモノナルコトハ当院ノ判例トスル所ト」（当院昭和元年オ第一三六九号同二年七月四日第一部判決（【25】——筆者註参照）」（大判昭三・三・二六 新聞二八三一・一九）。

またこの判例の立場は、多数の学説によつても支持されている（たとえば松本・前掲一二九頁、竹田・論叢一九巻九五四頁以下、田中(誠)・会社法九九頁、伊沢・註解二六一頁、ドイツにおいてこの見解をとる者としては、例えば J. v. Gierke, Handelsrecht u. Schiffahrtsrecht, 1949, S. 250)。しかしこのような判例の見解は果して妥当であろうか。前述のように【25】は、取引の相手方たる第三者の地位が不安定になるという上告理由をいれて、設立費用の債務を会社が負担するには創立総会の決議による会社の個別的引受を要するという原審の見解をしりぞけ、債務の会社による承継には定款における設立費用の記載と創立総会の承認決議があれば足るとしたのであるが、しかしたとえ債務の個別的引受を要しないとしても、このようにして会社の債務負担の範囲が会社内部の定款の記載と創立総会の承認によつて限定されることを認める以上、発起人を取引する相手方は依然として不安定な地位に立たねばならない（竹田・論叢一九巻九五五頁参照）。おそらく【25】は、このことを承知しながらも、法が会社財産保全のために設立費用を定款に記載せしめかつ厳重な検査を受くべきことを要求している以上、会社による設立費用の債務の負担が右の定款の記載及び創立総会の承認によつて条件づけられることはやむをえないとするのであろう（前掲【28】参照。竹田・前掲はこのような趣旨で【25】に賛成される）。しかし設立費用に関する規定の趣旨が会社財産の確保にあるにしても、そのために取引の相手方たる第三者に不安定な地位を強いてよいとする理由はない（東京地判明四三(ワ)七八七号新聞七二三・二一は、発起人が設立費用にあてるために第三者から金銭を借受けた事案において、創立総会が設立費用の数額を不当として変更した場合でも、発起人に設立費用を貸与した債権者は依然としてその権利を主張しうべく、かかる債権者の権利が創立総会の決議によつて左右されうべきものではないとし、その理由として、第三者が定款における設立費用の記載をみて設立費用を発起人に貸与した場合において、創立総会が発起人と共謀して設立費用を不当として否決してしまつたときは、その債権者は財力豊富な会社に支払を求め得ず貧弱な発起人にその支払を求めねばならない結果となり不慮の損失を蒙ることとなる、と述べているが、正当である。ただこの判例では、前述のように、設立費用を貸与した第三者が会社に請求しうるためには定款に設立費用の記載があることを要するのか否か明らかでない。解良・判民昭二年度六六事件は、この判例につき、定款における設立費用の記載が前提とされているものと解しているが、もしそうだとすれば不徹底といわねばならない）。ことにこの判例の見解によると、発起人が会社設立のため第三者となした契約が多数あつて、その総額が定款に定めた設立費用の額を超える場合には、何人に対する債務がいかなる範囲において成立した会社に帰属し又は発起人の債務としてとどまるかを定めなければならないが、その標準は契約の前後によるか（G. v. Gierke, S. 250参照）、又は按分比例によるか、ほとんど拾収のつかない困難な問題に直面せざるをえないこととなるであろう（大隅・前掲論文四五頁）。このような理由で、現在における多数の学説はこの判例の見解に反対している。ただ判例の立場が不当であるとするならば、これに反対の方向としては、設立費用の債務は常に発起人の負担に帰するものと解するか、又は常に会社が負担するものと解するかのいずれかでなければならない。学説もこの二つの方向に分れている。次にこの両説の大要を掲げよう。

(2)　発起人負担説　この説は、設立費用に関する債務は常に発起人に帰属し、会社が成立してもその債務は発起人の債務としてとどまるが、ただ発起人が右の債務を履行した場合において、定款に記載がありかつ裁判所の検査又は創立総会の承認を経た限度で、発起人から会社に対し求償しうるにすぎないとする（石井等・註解二四五頁、同・商法Ⅰ一六七頁、長岡・前掲論文一〇一三頁・一〇二〇頁）。すなわち、設立中の会社の機関としての発起人の権限は、法人たる会社の形成・設立それ自体を直接の目的とする行為、いいかえれば株式の引受に関する事項に限られ、それ以外の行為にもとづく権利義務は、たとえその行為が実質的には設立中の会社のために行われるものであっても、それは発起人個人としてなすものにすぎないから、会社が成立してもかかる行為による権利義務が当然に会社に帰属するものではないというのである。その理由としては、次の(3)の説のように設立中の会社の機関としての発起人の権限を会社の設立に必要な一切の行為に及ぼすことは、設立中の会社の観念を強調するのあまりこれを法律的にも成立後の会社と実質的には変らない関係と認めるもので、妥当でないということ（石井等・註解二四四頁、同・商法Ⅰ一六七頁）、発起人は自己のために会社を設立するのであるから設立費用は本来発起人が負担すべきであり、また第三者も発起人個人を相手とするもので設立中の会社を相手とするものとは認められないということ（長岡・前掲論文八三七頁・八三九頁）などがあげられている。

(3)　会社負担説　この説は、発起人が設立中の会社の機関として会社の設立に関してなした行為から生じたすべての権利義務は、会社の成立と同時に当然に会社に帰属し、従つて会社成立後は会社が名実ともに義務者となり、第三者に対してももつぱら会社が支払義務を負う。しかし会社は、定款に記載されかつ裁判所又は創立総会の検査を経た金額の範囲内でしか設立費用を負担しないのであるから、会社が右の債務を履行した場合には、定款に設立費用の記載がないか、又は記載があつてもそれを超えもしくは検査の結果削減された額については、発起人に対して求償することができるとする（大隅・前掲論文四四頁、同・二頁、同・基礎理論二六二頁、解良・判民昭二年度六六事件、北沢・全訂一七二頁、松田・概論八前掲二四九頁、なお田中(耕)・概論上二四九頁もこの説と思われる）。そしてその理由及び(2)の説に対する批判としては、権利能力なき社団としての設立中の会社の観念を認めないならばともかく、これを認め、発起人をその執行機関と解する以上、設立中の会社の目的は完全な株式会社になることにあるのであるから、そのために必要な行為はすべて発起人の権限に属すべきであつて（大隅・前掲論文四六頁、松田・概論八二頁）、これを(2)のように社団の形成それ自体を直接の目的とする株式の引受に関する事項にのみ限定すべき理由はなく、また実際にも不合理な結果になる（大隅・前掲論文四六頁）。発起人が株式会社の発起人なる名義をもつて行為をなす場合には、その相手方も発起人が将来成立すべき会社のためにその行為をなすものであることを知り、発起人自体と行為をなすのではなくして、その背後にある会社と取引するものと考えるはずであつて（田中(耕)・合名会社社員責任論二七三頁、大隅・前掲論文四六頁）、かかる場合に会社成立後も発起人のみが債務を負うとすることは、必ずしも債権者の保護にはならない、と説かれている（大隅・前掲論文四六頁以下）。

なお、以上と異り開業準備費用は、たとえこれを定款に設立費用として記載し創立総会が承認したとしても、成立した会社がこれを負担するものではなく、第三者との関係においても常に発起人が負担しなければならない（前掲【18】）。

このことは既に述べたように判例及び学説のほとんど一致して認めるところである。

六　発起人の受くべき報酬

一　意　義

発起人の受くべき報酬は、発起人が設立中の会社の機関として会社の設立のために提供した労力に対する報酬であつて、会社財産の負担の下に、通常一時に現金をもつて支払われ会社の経費として支弁されるものである（松本・前掲一二九頁、田中(耕)・概論二五八頁、大隅・全訂一七三頁、石井等・註解二四六頁）。この点で特別利益と異ることは、既に述べたとおりである。

発起人の受くべき報酬も、変態設立事項の一つとしてその総額を定款に記載し（商一六八Ⅰ7）、かつ裁判所又は創立総会の承認を受けることを要し（商一七三・一八一・一八五）、この記載がないか、又は記載があつても裁判所もしくは創立総会の変更により減額された額については、会社に対しこれを請求しえない。ただし定款には、その最高限度を記載すれば足り、裁判所又は創立総会がこれを変更しない以上、その範囲内における報酬金額の決定を取締役に一任することはさしつかえないものと解しうる（田中(誠)・会社法一〇〇頁、伊沢・註解二六一頁）。次の【30】は、前述の【1】と同様に、創立総会が定款変更によつて新たに発起人に対する報酬の付与を定めたのを有効と解した判例であるが、判旨は、報酬に関する定款の定めとしてはその金額の最高限度が定められておれば有効である旨を述べている。

【30】「定款ノ変更ハ其ノ決議アルヲ以テ足リ必シモ原始定款ノ文面ニ挿入削除ノ如キ変更ヲ加フルコトヲ必要トセサルノミナラス苟モ定款ヲ以テ発起人ノ受クヘキ報酬金ノ最高限度ヲ定ムル以上其ノ範囲内ニ於ケル報酬金額ノ決定ヲ取締役ニ一任スルハ適法ニシテ之ヲ無効トスヘキ理由ナキカ故ニ原審カ証拠ニ依拠シ上告会社ノ創立総会カ第一点ニ示シタルカ如キ定款変更ノ決議ヲナシタルコトヲ明ニシタル以上上告会社ノ原始定款ハ之ニ依テ有効ニ変更セラレタルモノト謂フヘク論旨ハ総テ採用スルニ足ラス」（大判昭一二・七・四大判全集三・三四五）。

二　報酬請求権の譲渡

会社の成立によつて具体化した発起人の報酬請求権は、原則として譲渡又は相続することができる（大隅・全訂一六七頁、石井等・註解二三一頁参照）。この報酬請求権の譲渡に関し、譲渡人たる発起人に株金の払込遅滞がある場合に、会社がその払込未了の旨をもつて譲受人に対抗しうるか否かが問題となつた事件として、次の判例がある。事実関係は明瞭でないが、発起人につき未払込株金があつたにもかかわらず、全額払込済として設立登記がなされ、その後二度にわたり資本増加がなされたところ、その発起人より報酬請求権を順次譲受けた譲受人が会社に対しその支払を求めたのである。原審は、右の債権譲渡についてはは単に通知がなされたにすぎないとして会社からの対抗を認めたが、大審院は次の理由で譲受人の主張を容れている。

【31】「……旧商法第二百十条ニ依レハ会社ノ資本金ハ株金全額払込ノ後ニ非サレハ之ヲ増加スルコトヲ得サルモノナルカ故ニ若シ……払込カ仮装ニシテ真ニ猶ホ未払込株金アルモノトセハ右会社ノ株金ハ全部払込ヲ完了シ居ルコトヲ幾重ニモ仮装シタルモノト云ハサルヘカラス果シテ然ラハ右会社ニ対スル債権ノ譲渡ヲ受ケタル上告人ハ特別ノ事情ナキ限リ善意ノ第三者ナリト認ムヘク随テ民法第九十四条第二項ノ精神ニ鑑ミ会社ハ未払込株金アルヲ以テ上告人ニ対抗スルコトヲ得サルモノト解スルヲ妥当トス」（大判昭一六・一〇・三一新聞四七六三・九）。

発起人の責任

竹内敏夫

はしがき

「発起人の責任」は、商法中、最も判例の堆積している事項の一つに属するが、戦後は、これに関する目ぼしい判例は、最高裁判所はもとより、下級審においても、ほとんど見当らない。敗戦経済においては、或る程度、社会資本を動員するような規模における株式会社の設立が極めて乏しかつたためとも思われるが、その結果として、茲に蒐集した判例も、若干の例外を除いてはすべて戦前のものに係つている。

他方、「発起人の責任」に関する規定については、商法制定後、明治四十四年、昭和十三年、及び昭和二十五年の三次にわたつて、法条の新設、或は改正が行われてきた。そのため、戦前の夥しい判例のうちには、現行法の立場から見る場合、或はその趣旨が、制定法化されることによつて既に意義を失うに至つたもの(例えば商一九八条の制定以前における擬似発起人に関する多数の判例)、或は、判旨について、現行法に即する解説を必要とするに至つたもの等が、尠くはないのである。本稿が、「概説」において、予かじめこのような法制的発展の跡を概観したのも、これらの点を考慮したからである。

一　概説

一　準則主義と設立に関する責任制度との関係

商法は、会社の設立について準則主義を採用しているが、株式会社は本来、大規模企業のための法的形態であるため、(1)通常その必要とする巨額の資本は広く社会資本に依存せざるを得ないばかりではなく、(2)これらの資本の集中過程としての、会社設立手続においては、発起人が専らその衝に当るのであるから、社会資本の集中体としての株式会社の成否は一に発起人が忠実、かつ適切にその任務を遂行するか否かに懸つているのである。従つて若し、発起人がその任務を怠り、或は更に進んでは、当初から詐偽的目的で、いわゆる泡沫会社を発起したような場合には、株式会社に関する限り、設立についての準則主義は、投資者その他の関係者の利益を保護し、延いては国民経済の健全な発達をはかる見地からすれば、甚だしい冒険であると認めねばならない。

それにもかかわらず、わが商法が他の外国法と共に、株式会社の設立について、特許主義、或は許可主義を排して、敢えて準則主義を採用している所以は、基本的には株式会社の設立において敏速性を要請する経済事情に由来するところではあるが、法的には、株式会社の設立に関する責任の制度によつて、準則主義から生ずる上述のような欠陥、弊害を或る程度、補いうるものと思考したために他ならない。而して、この設立に関する責任制度の中心をなすものは、発起人の責任であり、これに附加して、更に取締役、監査役及び設立賛助者の責任について規定が設けられているのである（準則主義と設立責任の制度との関係については、田中(耕)「株式会社発起人の責任を論ず」法協三五巻八号一頁以下・石井編著「註解株式会社法」四四五頁以下・小町谷「発起人の責任」株式会社法講座第一巻二六八頁以下等参照）。

二　発起人の責任に関する法体制の発展

このように、発起人の責任は、株式会社の設立に関する責任制度の中心をなすものであるが、それについての法体制には、「はしがき」においても附言した通り、商法改正の行われる毎に、法条の新設、或は改正が加えられてきたといつても過言ではないであろう。

（一）　明治三十二年法　　商法制定の当初は、発起人の責任については、「旧第百三十六条」（「引受ナキ株式又ハ第百二十九条ノ払込ノ未済ナル株式アルトキハ発起人ハ連帯シテ其株式ヲ引受ケ又ハ其払込ヲ為ス義務ヲ負フ。株式ノ申込カ取消サレタルトキ亦同シ」）と「旧第百三十七条」（「前二条（注・旧百三十五条は創立総会における変態設立事項の変更に関する規定であつた）ノ規定ハ発起人ニ対スル損害賠償ノ請求ヲ妨ケス」）とが設けられていたに止まる。

（二）　明治四十四年法　　明治四十四年の商法改正（法七三号）によつて、上述二箇条の他、(1)「旧第百四十二条ノ二」（現行法の第百九十三条・「発起人の損害賠償責任」）、(2)「旧第百四十二条ノ三」（現行法の第百九十四条・「会社不成立の場合の発起人の責任」）、(3)「旧第百四十二条ノ四」（現行法の第百九十五条（但し引用条文番号に修正あり）「発起人・取締役・監査役の責任の連帯性」）の三箇条が新設され、ここに発起人の責任に関する法体制格段の整備を見るに至つた（明治四四年の改正法については、松本「商法改正法評論」「日本会社法論」等参照）。

（三）　昭和十三年法　　昭和十三年の商法改正（法七二号）は、条文番号について全面的の改変を加えたのであるが（旧百四十二条ノ二・百四十二条ノ三・百四十二条ノ四の新条文番号は前掲）、従来の「旧百三十六条」と、「旧百三十七条」の一部とは、引用条文番号に修正を加えた上、これを一括して第百九十二条とした（「引受ナキ株式又ハ百七十条、百七十一条若ハ第百七十七条ノ規定ニヨル払込ノ未済ナル株式アルトキハ発起人ハ連帯シテ其ノ株式ノ引受又ハ払込ヲナス義務ヲ負フ株式ノ申込カ取消サレタルトキ亦同シ。第百八十六条ノ規定ハ前項ノ場合ニ之ヲ準用ス」）。ただし、旧第百三十七条のうち、創立総会において、変態設立事項に変更を加えた場合における、発起人の損害賠償責任に関する部分は、新たに第百八十六条として、之を存置したのである。

なお、発起人の責任関係に関連する問題として、この際附言すべきは、昭和十三年の改正によつて、従来会社の成立時期が、(1)発起設立の場合は、発起人が株式の総数を引受けたとき(旧第百二十三条)、(2)募集設立の場合は、創立総会の終結時(旧第百三十九条)とされていたのが、劃一的に、本店の所在地における設立登記の完了時とされるに至つたことである(商五七条)。昭和十三年以前の判例を援用する場合、特にこの点についての顧慮を要する場合が尠くはないのである。

以上のような、法条の改正以外、昭和十三年の改正によつて、別に、(1)発起人等の責任の免除(旧一九六条)、(2)発起人に対する訴(旧一九七条)、及び、(3)設立賛助者（擬似発起人）の責任(一九八条)について、新たに規定が設けられた(昭和十三年の改正法については、田中(耕)「改正商法及有限会社法概説」「株式会社法改正の要点」等参照)。

(四)　昭和二十五年法　昭和二十五年の商法改正(法一六七号)によつて、発起人の責任に関しては、次の諸点が変更された。(1)昭和十三年の改正によつて「旧百三十六条」と「旧百三十七条」の一部とが併合され、新たに「第百九十二条」が設けられたことは、上述した通りであるが、昭和二十五年の改正法では、これを三項に分け、(イ)第一項は、これを発起人の「引受担保責任」とし、更に(a)旧法では単に「引受のない株式」とされたのを「会社の設立に際して発行する株式にして会社の成立後なお引受なきもの」と改めた。また、(b)旧法では、会社の成立後引受のない株式があるときは、発起人が連帯してその株式の引受をなす義務を負うものとしていたのを、新法では、「発起人は共同してその株式を引受けたものと看做す」として、発起人について引受の意思表示をもとめることを不必要ならしめた(河村、二〇三条Ⅱ参照)。(ロ)第二項は、発起人の「払込担保責任」に関し、内容的には旧法と同一であるが、ただ「会社の成立後」の文句が新たに附加された。(ハ)第三項は、旧法第二項をそのまま継承したものに他ならない。

次ぎに、(2)改正法は、旧法第百九十六条及び第百九十七条を第百九十六条に一括することによつて(従つて、旧一九七条は削除された)、発起人の責任免除及び発起人の責任の追及に関する株主の代表訴訟について規定を新設した。最後に、設立賛助者の責任に関する旧法第百九十八条に挿入されていた、「自己を発起人と誤認して株式の申込をなしたる者に対し」の語句は、新法では削除された。これによつて規定の適用範囲が著しく拡張されることとなつたのである(昭和二十五年の改正法については、鈴木・石井共著「改正株式会社法解説」五四頁以下、大隅・大森共著「逐条改正会社法解説」八七頁以下等参照)。

三　発起人の意義

会社の設立に関する発起人の責任について、判例を検討するに当つては、まずその前提として、発起人の意義及びそれに関連する諸事項を判例によつて一応明らかにしなければならぬであろう。

(一)「発起人」概念の形式性　わが商法は、「発起人、定款ヲ作リ之ニ左ノ事項ヲ記載シテ署名スルコトヲ要ス」(商一六六条・旧商一二〇条)と規定しているため、「発起人」とは定款に署名(または記名捺印)した者を指し、実質的に会社設立の企画に参加したか否かを問わない、形式的概念であるとすることは、通説の認めるところである(例えば、松本「日本会社法論」一一二頁、石井「商法」I・一六四頁、田中(誠)「会社法」八四頁、鈴木「会社法」四四頁、大隅「会社法概説」五三頁等)。判例もまた、当初から一貫して、「発起人」とは、定款に署名した者だけを指すものとしている。

【1】「株式会社設立ノ発起人ハ商法第百二十条ノ規定ニ従ヒ定款ニ其ノ氏名住所ヲ記載シテ署名スルコトヲ要シ定款ニ発起人トシテ署名セサル者ハ仮令株式会社ノ設立ニ付キ実際発起人ノ如ク行動シタル事蹟アリトスルモ法律上会社設立ノ発起人ト見做スヲ得サルコトハ本院判例ノ示ストコロナリ」(大判大三・三・一二民録二〇・一七一、これ以前のものとしては、大判明四一・一・二九民録一四・二二、なお、大判大五・一〇・七民録二二・一八六七、大判昭七・六・二九民集一一・一二五七、大判昭一四・七・七民集一八・八三三、「判例民事法」昭和十四年度・五八事件)。

このような通説及び判例の立場に対し、異説がないわけではなく、(イ)わが商法には、ドイツ法(株式法二一条）のように、発起人の定義を示していないのであつて、商法第百六十六条によつて、発起人の概念を形式的に解すべきではなく、実際会社の設立に当り尽力した者は、皆実質的に発起人と認むべしとするもの（田中（耕）「改訂会社法概論」二四五頁、同じく「判例民事法」・昭和三年度・六九事件評釈参照。博士はこの立場において、同事件（大判昭三・八・三一）につき、定款の作成とこれにおける発起人としての署名以前に、発起人としてなされた株式の引受（商一六九条参照）を有効とされる（三五八頁）。たゞし、博士は発起人が設立中の会社の機関として権限を有し、かつ発起人としての責任を負担するためには、定款に署名することを必要とするものとし、また実際、発起人たる行動をなさないものであつても定款に署名した以上は法の外観主義にもとづいて、発起人の責任を免れ得ないものとされる）、或はまた、（ロ）発起人について、義務及び責任の方面と、その権利の方面との二面を区別し、各別に発起人の意義を定むべしとし、前者については「実質的」に設立中の会社の機関として行動した者を悉く発起人と解すべく、後者については、「形式的」に定款に署名した者だけを発起人とすべしとする（小町谷「商法講義・巻一」二〇六頁・同「発起人の責任」・株式会社法講座・第一巻二七三頁以下、この見解に対しての批判は石井編著「前掲」一五四頁。これに対する再批判は、小町谷「前掲」講座・二七五頁参照）。

（二）「発起人」概念の形式性とその関連事項　このように、通説及び判例は、「発起人」概念を形式的に決定するのであるが、これに関連する若干の事項について、附言せねばならぬであろう。

(1) 発起人の、署名しうる時期　発起人の資格取得の基準である署名は、会社の設立の過程において、如何なる時期迄は認められるか。発起人の署名は必ずしも同時に行う必要はないが（同趣旨・東京地判昭三・四・二八法律新報一一・一六）、昭和十三年法によつて（商一六七条公証人法一条）、定款は公証人の認証をもつてその有効要件とし、更に、この認証に関する事項は株式申込証の記載事項とされるに至つたため、発起人として署名し、これによつて発起人たる地位を取得しうる時期にも、おのずから制限が生じたのである。

（イ）発起設立の場合　この場合は、会社の成立（商五七条）の以前であれば、改めて認証をうける限り、既に定款の作成とその認証後においても、新たに発起人として、有効に署名しうるものと解される（田中（誠）「会社法」八二頁、松田・鈴木共著「条解株式会社法」二八頁）。

（ロ）　募集設立の場合　上述のように、昭和十三年法以来、定款の認証に関する事項が株式申込証の記載事項となつた以上、少くとも株式申込証作成後は、発起人として署名し、発起人たる地位を取得することは、認められないものと解さねばならない（田中(誠)「前掲」九四頁・同趣旨の判例として、定款の認証制度の設けられる以前のものであるが、大判昭一三・五・一七民集一七・九九六、豊崎光衛「判例民事法」昭和十三年度・六四事件）。

この点に関して、事案は昭和十三年法以前のものにかかるが（従つて、募集設立の場合、会社の成立は上述のように創立総会終結時とされていた（旧一三九条））、署名の追完について、これを創立総会後（従つて会社成立後）まで認めた判例がある。

【2】「……本件ニ於テハ被上告人等カ発起人タルニ必要ナルヘキ行為竝ニ会社及ヒ第三者カ被上告人等ヲ発起人ト認ムヘキ事実ノ実質ハ悉ク創立総会前ニ具ハリ居リタルモノニシテ唯上告人カ其ノ為ス可キ代行署名ヲ遅延シ居リタルカ為メ法定ノ形式ヲ備ヘサリシモノタルニ止マルモノト云フヘク此ノ如キ場合ニ於テハ縦令創立総会後ニ於テ上告人カ右署名ヲ代行追完シタルトキト雖モ既ニ会社カ他ノ発起人ニ依リ有効ニ設立セラレタル以上右追完ヲ有効ト為シ被上告人等ヲ発起人ト認ムルニ付キ之ヲ妨クヘキ何等ノ事由アルコトナキカ故ニ如上追完ハ之ヲ有効ト認ムルヲ以テ最モ事理ニ適シタル解釈ト認メサルヲ得ス」（大判昭八・四・二八民集一二・一〇一三）（石井・「判例民事法」昭和八年度七一事件、なお升本・新報・四三巻一二号参照）。

本判旨は一方において、(a)発起人とは定款に署名したものを意味するとする、大審院の一貫した従来の形式主義的態度に対して、実質関係を考慮に容れている点において問題があると共に、他方、(b)上述した発起人の追完を、株式申込証の作成時迄に限定した其後の判決（大判昭一三・五・一七民集一七・九九六）と牴触するものとも考えられる。(c)これを現行法に即して見れば、本判例は、会社の成立後、すなわち、設立登記後まで、発起人の署名の追完を認めるものとなるのである（石井教授は、これらの諸点について、実質あるも形式を備えない限り発起人と認め得ないということ、実質あるとき形式の補充は何時迄なしうるかは別個に考慮する余地が存するものとしてその者を除いて、七人の要件（商一六六）を具備する場合に限つて判旨を是認される。「判例民事法」昭和八年度二七五頁、石井編著「前掲」一七四頁。これに対し田中教授は、株式申込証作成後の署名者はすべて、表見発起人として責任を問うべきものとして、判旨に反対される、田中(誠)「前掲」九五頁）。

(2) 発起人の署名代理　以上のように、発起人の意義について、形式的見解をとる判例の立場からすれば、発起人総代が他の発起人から発起人として為すべき一切の行為を委任され、発起人間の契約書にも発起人総代なる記載があるとしても、発起人総代が定款に単に自己の署名だけをなし、本人の為めにする旨の記載をしない限りは、これらの者を発起人と認め得ないことは当然である。

【3】「株式会社ノ発起人ノ意義ニ関シテハ実質的方面ヨリ観察スルト形式的方面ヨリ観察スルトニヨリテ多少異ル見解行ハルト雖モ我商法ノ解釈トシテハ定款作成ニ当リ自ラ署名シ若クハ代理人ニ依リテ自已カ発起人タルコトヲ明確ニ表示セル者ノミヲ以テ発起人ト解スルヲ相当トスルカ故ニ仮令発起人タルコトヲ受諾シ定款ノ作成其ノ他設立手続ニ関スル一切ノ代理ヲ他人ニ委任シタル者ト雖モ代理人ニ於テ適当ニ処理セサリシ結果現ニ作成サレタル定款ニ其ノ者カ発起人トシテ表示サレタルコトノ認メ難キ以上ハ商法ニ所謂発起人トシテ之ヲ観察シ同人ニ対シ直ニ商法所定ノ責任ヲ負ハシムルハ正当ナラス……代理人ヲシテ定款作成ニ当ラシムルトキハソノ代理人カ本人ノ為メニスルコトヲ示シテ署名又ハ記名捺印スヘキハ当然ナルヲ以テ本人ノ為メニスルコトノ表示ナキ場合ハ代理人カ定款中ニ署名セル事実アリトテ之カ為メ本人カ発起人トシテ表示サレタルモノト云フヲ得ス」（大判昭七・六・二九民集一一・一二五七）（石井・「判例民事法」昭和七年度一〇〇事件）。

(3) 発起人の株式引受義務　発起人は定款に署名することを要するだけではなく、必ず一株以上の株式を引受けなければならない（商一六九条・一七五条Ⅱ9・旧一二六条）。この点は、現在、学説上、ほとんど異論のないところであり、判例もまたこれを認める。

【4】「株式会社ノ発起人ハ法律上必スヤ発起人タル資格ニ於テ若干ノ株式ヲ引受クルコトヲ要シ而モ其ノ引受タルヤ敢テ株式申込証ニ依ルコトヲ要セサルト同時ニ又一面ニ於テ普通ノ株式申込人トシテモ株式引受ヲ為スヲ妨ケサルカ故ニ今若シ或ル発起人ノ株式引受カ全然無効ニシテ従テ同人ニ於テ株主タル資格ヲ取得セサリシモノト解センカ為ニハ単リ其ノ引受カ適式ナラサル株式申込証ニ依リテ為サレタルコトノミヲ判示スルヲ以テ足レ

リトセス更ニ発起人タル資格ニ於テ為シタル引受モ亦其ノ効力ナキコトヲ確定スルノ要アルモノトス」（大判昭九・二・一九昭九・オ四三〇・法学四・六二六）。

本判例は、株式引受が発起人の資格要件ではなく、単なる義務にすぎない趣旨に立つものであると解せられるが（同趣旨の学説としては、石井「前掲」一六四頁、松田・鈴木「前掲」九頁、従つて発起人が一株も引受けなかつたことによつて、発起人たる資格を喪失せず、発起人としての責任を免れ得ないとする）判例としては、これを資格要件とするものもある（大判昭七・四・一九新聞三四〇五・一五は「株式会社ノ発起人タルニハ、単ニ定款ニ署名捺印スルノミヲ以テ足レリトセス、必スヤ株式ノ引受ヲ為スコトヲ要シ其ノ之ヲ為ササルニ於テハ未タ発起人タル資格ヲ有スルニ至ラサルモノト解スルヲ相当トス」としている）。

(4)　発起人となりうる資格　発起人となりうる資格には、自然人については制限がなく、無能力者もまた発起人たることができる。法人については、通説、判例は、その目的の範囲内においてのみ発起人となりうるものとしている（反対・田中(誠)「前掲」八五頁、服部「会社法提要」一二二頁、大森「会社法講義」七四頁）。

【5】　「会社カ株式会社設立ノ発起人ト為ルコトヲ得ルヤ否ヤヲ判定スルニハ先ツ其ノ発起行為カ定款ニ依リテ定リタル目的ノ範囲内ニ包含スルヤ否ヤヲ確定セサルヘカラス」（大判大二・二・五民録一九・二七）。

二　会社の成立した場合の責任

一　会社資本の充実責任

(1)　制度の趣旨　発起人は、(イ)会社の設立に際して発行する株式のうち会社成立後、なお引受のないもの、または株式の申込の取消されたものがあつたときは、共同してそれらの株式を引受けたものとみなされ（「株式引受担保責任」・商一九二条Ⅰ）、また、(ロ)会社の成立後、商法一七〇条（発起設立の場合）または商法一七七条（募集設立の場合）の規定による払込未済の株式があるときは、連帯してその払込を為す義務を負担する（「株式払込担保責任」・商一九二条Ⅱ）。これら、二つの場合の発起人の責任を一括して、「会社資本充実の責任」というが発起人の会社資本充実の責任は、前述したように、現行、「昭和二十五年法」に至るまで、法形式には屢々変更が加えられてきたのであり、事案は上述、「明治四十四年法」時代のものにかかるが、この責任制度の趣旨を明らかにしたものとして、次の判例をあげねばならない。

【6】「商法第百三十六条カ引受ナキ株式又ハ第一回ノ払込未済ノ株式アル場合其引受若クハ払込ニ付キ発起人ノ連帯責任ヲ認メ之ニ依リテ設立条件ヲ充実セサル株式会社モ法定ノ手続ヲ経テ創立総会ヲ終結シタル以上ハ必スシモ其成立ヲ妨クルモノニ非サル趣旨ヲ示シタルハ少数ノ株式引受又ハ払込ナキカ為メ一旦終結シタル創立会ノ決議ヲ無効トシ会社ヲ不成立ニ帰セシムルカ如キハ設立手続ヲ反覆スルヲ要スル不便アルト共ニ多数株式引受人其他第三者ノ予期ニ反スル結果ヲ来スコトアルヘキ虞レアルノミナラス大多数ノ株式引受払込アルニ於テハ僅少ナル不足分ニ付キ発起人ヲシテ之カ引受又ハ払込ノ責任ヲ負担セシメ因テ其欠缺ヲ補充スルヲ以テ足リ之カタメ毫モ会社資本ノ鞏固ヲ危フスルノ恐ナカルヘク強テ会社ヲ不成立ニ終ラシムルノ要ナキモノト認メタルニヨル従テ株式ノ引受又ハ払込ノ未済カ会社成立ノ運命ニ影響セサルモノト認ムヘキ場合ハ其未済カ株式総数ニ比シ重要ナラサル場合ニ限ルト為スヲ正当トスヘク株式全部ニ付テ其引受ナク又払込ナキ場合ハ勿論殆ント之ト同視スヘキ程度（勿論ソノ程度ハ社会ノ一般観念ニ基キ決定セラルヘシ）ノ引受又ハ払込アリタルニスキサル場合ノ如キハ之カ為メ資本団体タル株式会社ノ本質ヲ害シ一面会社ヲシテ其目的タル事業ヲ為ス能ハサラシムルト共ニ他面会社債権者ノ担保ヲ害スルコトトナリ資本ノ充実ヲ強制スル法意ニ牴触スルニ至ルヘキヲ以テ斯ル場合会社ノ成立ヲ認ムルハ会社経済上ノ基礎ノ薄弱ヲ来ス結果株主及会社債権者ノ利益ヲ害スル等経済社会ヲ攪乱スルノ外何等得ル所ナキニ帰着スヘシ」（大判大五・一〇・二五民録二二・一九七二）。

判旨は、発起人の会社資本充実責任制の趣旨を、（イ）株式会社の設立に際し、会社成立要件の一つとして要請される「資本確定充実原則」（商一七〇条・一七二条・一七七条）、について、欠缺或は瑕疵があつた場合、それが容認しうる程度のものである限り、（ロ）会社が一応成立した（「明治四十四年法」では、募集設立の場合、創立総会終結時後「昭和十三年法」からは、設立登記後）

形をとつた場合は、(ハ)発起人にこの欠缺或は瑕疵を補充せしめ、もつて、資本原則の違反による設立無効を可及的に回避せしめるためのものと解しているのである。

(2)　昭和二十五年の法改正以後　このような判旨の立場は、その後の判例においても変更されることなく、通説もまたこれを承認してきたのであるが(たゞ後述のように、(1)容認しうる瑕疵の程度の基準については、異説があり、また、(2)本制度の趣旨を、会社設立の有効無効とは直接関係がなく、むしろ表見主義の思想にもとづくものとし、会社成立の形式が現われた場合、取引安全、債権者保護の目的のため、資本の欠缺を補充する義務を発起人に負わしめたものとする見解もある。国歳「商法第百九十二条と形式主義」・(会社法の諸問題) 所収・三〇五頁)、前述、「昭和二十五年法」による法条の改正に伴つて上述判旨のように、本制度をもつて容認しうる程度の資本欠缺の場合においてのみ、会社の設立無効の救済に資するものと解する立場に対して、有力な異説が現われるに至つた。すなわち、この改正によつて、従来と異り、会社成立後なお引受未済の或は申込の取消された株式がある場合、発起人は何等意思表示をまたないで当然引受けたものとみなされることになつたから、結局において、引受の欠缺は生じ得ないわけであり、このように引受欠缺の程度の如何にかかわらず、発起人の責任によつて会社を成立せしめ得るとするならば、払込の欠缺の金額の程度如何は会社の成立に影響を及ぼすことはないのはもちろんであるとするのである(田中(耕)「前掲」二八五頁以下・同一の立場をとるが、理由の異るものとして、田中(誠)「前掲」一三七頁は「株式総数の引受は、昭和二十五年の改正により発起人の当然引受が認められた以上、これを欠いても設立無効とはならない。払込については資本維持の原則の問題であるから設立無効原因とは関係がないと解する」とし、鈴木「前掲」六五頁は、「いかに欠缺が大きくても発起人が本条の責任を履行して欠缺を現実に塡補し得た限り、設立を無効にする必要がないとともに、いかに欠缺が小さくても発起人により現実に塡補されない限り設立を無効にすべきではないかと思う」としている)。

これに対して、むしろ多数説は、昭和二十五年の法改正後も、依然として上述判旨と同一の立場を採るものと認めらるであろう(例、石井「商法I」一九七頁、松田「会社法」四六頁、大隅「会社法概説」六九頁、大森「会社法講義」九三頁、小町谷「前掲」(講座I)二七七頁等)。法改正後において、この点に関する適当な判例は少いのであるが、最近のものとしては、引受株式全部について払込のない、いわゆる「見せ金」設立の場合に関するが、次の判例をあげることができる(なお、この外、大阪地判昭二七・一〇・二

下級民集三・一〇・一三六六、東京地裁昭二九・五・二九判例時報二八・二一）。

【7】「ところで、被控訴人は、商法第百九十二条第二項の株金払込義務は、本件のように引受株式全部について払込がない場合には、適用がない、と主張する。なる程、右法条は払込のない株式について、発起人の責任を認めて欠缺した資本を充実し、以て設立無効を防止せんとするものであつて、いわば株式会社の成立存続を前提とするものであるということができるであろう。また引受株式全部について払込がない場合には、これを設立無効の原因となしうることはいうまでもないことである……」（東京高裁昭三一・六・二二判例時報九〇・一五）。

(3)　瑕疵の程度　以上のように、本制度をもつて、資本の瑕疵が、会社の成立を容認しうる程度のものである場合に、その設立無効を救済する性格のものと解する判例、及び多数説の立場からすれば、そのような設立無効に至らしめる、「瑕疵の程度、或は基準」如何が当然問題とならざるを得ない。この点についても、判例は一貫して設立無効の基準は、(イ)「会社資本の鞏因と事業遂行に障害を与えると否とを標準として判定すべく」、(ロ)「この事実の有無は、会社の目的、資本の総額、その他、諸般の事情を総合して判断すべきもの」としている。

【8】「……若シ其欠陥ノ程度軽微ニシテ之カ為メニ会社資本ノ鞏因ト事業ノ遂行ニ障碍ヲ生セサルモノナランニハ商法第百三十六条ニ依リ発起人ニ於テ其株式ヲ引受ケ又ハ其払込ヲ為スヲ以テ足ルヘク此等一部ノ欠陥ヲ理由トシテ一旦適法ニ終結シタル創立総会ノ決議ヲ無効トシ会社ヲ不成立ニ帰セシムルカ如キハ徒ラニ多数株式引受人ノ利益ヲ害シ設立手続ヲ反覆セサル可カラサルノ不便ヲ生スルニ過キサルナリ然レトモ若シ之ニ反シ其欠陥ノ程度重大ニシテ之カ為メニ会社資本ノ鞏因ト事業ノ遂行ニ障害ヲ与フルモノナルニ拘ハラス形式的創立総会ノ終結アリタルコトヲ理由トシテ会社ノ設立ヲ有効ナラシムルカ如キコトアラハ資本団体タル株式会社ノ基礎ヲ脆弱ナラシメ資本ノ充実ヲ強制スル叙上ノ法規ハ全然徒法空文ニ帰スルヤ明カナリ是レ当院カ株式ノ引受又ハ株金ノ払込ニ関スル欠陥カ会社資本ノ鞏因ト事業ノ遂行ニ障害ヲ与フルト否トヲ標準トシテ会社設立ノ有効無効ヲ

判定スルヲ相当トスル所以ナリトス(大正五年(オ)二九三号・同年十月二十五日判決参照)而テ其引受又ハ払込ノ欠陥カ会社資本ノ鞏固ト事業ノ遂行ニ障碍ヲ与フルモノナリヤ否ヤハ会社ノ目的資本ノ総額其他諸般ノ事情ヲ総合シテ判断スヘキ案件問題ナリトス」(大判大六・三・八民録二三・三四六)(本判例については、松本・法協三五・六、竹田・京法一二・一参照。なお同趣旨のものとしては、大判大七・三・二〇民録二四・四五三、大判大九・一〇・二一新聞一七四四・二二、大判昭二・三・四新聞二六六・一一、大判昭一〇・九・二〇新聞三八九四・一〇、大判昭一〇・九・二六・新聞三九二〇・一〇、大判昭一三・二・一五新聞四二四一・一六、大判昭一三・五・一七民集一七・一〇一〇等)。

しかしながら、この基準をもつてしても各個の具体的事例においては、判定に苦しまざるを得ないであろうことは、容易に察知しうるばかりではなく(具体的事例に当面する場合、判例がこの基準の適用において、如何に混迷しているかは、「商事判例集」一五二頁乃至一六〇頁・同追録一・五八頁乃至六一頁参照)、会社の設立の成否すなわち、法人格の存否という、抽象的法技術的問題の判定に当つて、判例のように、各個の場合、必然に無限の多様性を帯びる会社の経済的実体をもつて判断の基準とすることの妥当性も疑わしいのである(石井「前掲」一九七頁・同編著「前掲」四五三頁は「設立無効になるか否かの基準については、株式総数に対する引受ないし払込欠缺株式数の割合が一般的な社会通念において、とくに著しいか否かを具体的に判断するを要し、かつこれをもつて足る」とする。しかし、瑕疵の程度によつて、会社設立を無効とする学説は、判例の挙げる基準についても、概ね賛成する。例・松田「前掲」四六頁、大森「前掲」九三頁、大隅・「前掲」六九頁、小町谷「前掲」講座・二七七頁等)。

(4)　会社の設立無効の場合　発起人の資本充実責任は、(イ)会社の成立した場合に限られ、不成立の場合の問題ではないことは、判例【6】【8】によつても明らかであり、更に上述した通り、昭和二十五年法はこの点を特に明定したのである(商一九二条)。しかし、次ぎに問題となるのは、(ロ)会社の成立後、設立無効の場合(会社の設立無効は訴をもつてのみ主張することができる。商四二八条(旧商一三二条))である。設立無効原因を、判例及び通説に従つて、(a)資本の瑕疵の甚だしい場合と、(b)それ以外のものとに大別すれば、判例はそのいずれの原因による設立無効の場合にも、会社成立の場合と同様に、発起人の資本充実責任を認めている(発起人の資本充実責任によつて、資本欠缺による会社の設立無効を認めない学説も、一般の無効原因による設立無効の場合には、この責任を認め、むしろ、この場合において最も多くその責任が追求されるものとする。田中(耕)「前掲」二八六頁。なおこの制度をもつて会社の設立の有効無効と関係なく、取引安全、債権者保護の目的によるものとする立場からすれば、設立無効の場合にも当然、責任は生ずる。国歳「前掲」三〇六頁。通説は、判例と同一の立場をとる。松田・鈴木「前掲」七七頁、小町谷「前掲」二七九頁、石井編著「前掲」四五一頁等)。

【9】　「設立ノ無効カ発起人カ株式引受人ヲシテ第一回ノ払込ヲ為サシムヘキ法律上ノ義務ニ違背シタルニ原因スルモノナル場合ニ於テ其無効ヲ主張シテ株式払込ノ義務ヲ回避スルコトヲ得ルモノトセンカ義務違背ヲ以テ義務違背ノ責任ヲ免ルルノ抗弁ト為スニ帰スルヲ以テ斯ル抗弁ハ条理ノ上ニ於テ許ス可カラサルモノトス加之斯ル抗弁ヲ許ストセハ発起人ハ常ニ之ヲ以テ商法第一三六条ノ義務ヲ免ルヘキヲ以テ同条ハ空文徒法ニ帰シ其結果会社資本ノ欠陥ヲ来シ会社債権者及株式払込ヲナシタル株主ノ利益ヲ害スルコトナシトセサレハ利害関係者保護ノ上ヨリ論スルモ斯ル抗弁ハ之ヲ許ササルヲ以テ至当ナリトス」（大判大六・一〇・一三民録二三・一五八六）。

これに対して、後の判決には設立無効を生じたときにおいても、発起人がなお本責任を負担する理由を、発起人の責任、或は債務が会社の成立によつて確定債務となること、及び(ロ)設立無効判決の効果の不遡及（商四二八条Ⅱ・一三六条Ⅱ・一一〇条）にもとめているものもある。すなわち、後述の判決【16】がこれであるが（本判決の判旨中には、別に「従テ会社ノ事業着手後ハ其ノ設立無効ノ判決確定セサル限リ上告人等ハ商法第一三六条ニ依ル発起人ノ責任ヲ免ルヘキモノニ非ス」として、設立無効の判決が確定したときは、発起人は免責を受けるかのような言辞もあるが、その本意にあらざるべきことはもちろんであろう、鈴木・「判例民事法」昭和八年度・五九四頁参照）、最近のものとしては、上掲の判決【7】は、「しかしながら、それだからといつて、そのような場合には、常に発起人の株金払込責任はないと速断することは、いささか早計のそしりを免れないであろう。……設立無効の判決が確定してもその効果は既往に遡らず……そのことから考えても、たとえ払込欠缺の結果設立無効を生じたとしても発起人はなお払込未済の株式についてその払込をなす責任を負担するものということができるであろう」と述べている外、更に次の判決を引用することができるであろう。

【10】　「もつとものように設立に際して全株式について払込が欠けているときは、会社設立無効の原因となることはもちろんであるが、かような事由があるからといつてこのような場合に発起人が払込責任を免れるものと解すべき理由はない。けだし、発起人の払込義務は既に確定した債務であつて、設立無効の判決が確定しても

消滅しないことは疑のないところであるから、かような判決もなく会社が依然として存続している場合には、払込義務もまた存続することは当然のことといわなければならないからである」（東京地判昭二九・五・二九 判例時報・二八・二〇）。

(5) 会社が成立後、解散した場合　このように、判例は、会社の設立無効によって、いわゆる準清算（商四二八条Ⅱ・一三八条）が行われる場合にも、発起人の資本充実責任には消長のないことを明らかにしているが、判例は通常の清算会社についても、その会社の資産状態の如何を問わず、この責任を認めている。

【11】「商法第百三十六条ハ会社ノ資本充実ヲ期サンカ為メノ規定ニシテ、被控訴会社ノ如ク既ニ解散シタル会社ハ何等資本充実ヲ要セサルノミナラス被控訴会社ノ資産ハ負債ヲ超過シ居リ未払込株金ノ払込ヲ要セサルヲ以テ右法条ニ依ル発起人ノ義務ハ既ニ存在セサルニ至リタル旨主張スレトモ右商法ノ規定ニ依ル発起人ノ義務ハ会社カ解散シタルコト若クハ会社ノ資産状態ノ如何ニ依リ消長スヘキモノニアラサルヲ以テ控訴人ノ右ノ主張ハ採用スルニ由ナシ」（東京控判昭七・一二・一 新聞三三九九・八）。

(6) 会社の破産の場合　破産会社における発起人の資本充実責任の処置については、明治四十四年法時代のもの（当時は、現行商四三〇条に相当する二三四条は、現行一二六条に相当する旧九二条を、株式会社にも準用していた）にかかるが、次の判例がある。

【12】「株式会社カ其ノ発起人ニ対シテ商法第百三十六条ノ規定ニ依リ第一回払込未済ノ株式ニ付其ノ払込ヲ請求スル権利ハ一般株主ニ対スル将来ノ株金払込請求権ト異リ既ニ確定セル債権ナルヲ以テ会社破産ノ場合ニ於テハ破産団体ニ属スル債権トシテ他ノ普通債権ト毫モ異ル所ナク従テ破産管財人カ発起人ニ対シテ之カ請求ヲナスニハ会社財産ヲ以テ其ノ債務ヲ完済スルコト能ハサル場合タルト否トハ之ヲ問ハサルモノト解スルヲ相当トス」（大判昭六・五・二九 民集一〇・四五八）（田中（誠）「判例民事法」四七事件 升本重夫・新報・四二参照）。

(7) 現物出資の欠缺の場合　発起人の資本充実責任が、会社成立後、現物出資の不履行（現物出資の不履行は(1)例えば、現物出資に関する定款の記載変更に不服な発起人が株式の引受を取消したにかゝわらず（商一七三条Ⅲ・一八五条Ⅱ）、発起人が定款の変更をしないで設立登記をなしたとき、(2)現物出資による株式の引受が取消されたとき、（商一九二条Ⅰ）または、(3)現物出資者の給付未済のとき等に生ずる）があつた場合にも認められるかについては、学説は一致していない。（イ）通説は発起人の資本充実責任の範囲外と解し、引受未済、または給付未済が社会通念上、問題とならない程度の場合は別として、一般的には設立無効を招来するものと解しているが（その理由は、(1)法が「払込」と「現物出資の給付」とを、用語上、明確に区別していること（商一八〇条Ⅰ・一八四条Ⅰ2・一九二条Ⅱ）、(2)現物出資は本来、個性的、統一的な性格のものであること等を理由とする。石井「前掲」一九八頁・同編著「前掲」四五三頁・四五九頁、田中(誠)「前掲」一三〇頁。鈴木「前掲」六五頁、大隅・大森「前掲」一九一頁等）、（ロ）少数の反対説がある（小町谷「前掲」二八〇頁・二八五頁、国歳「前掲」三一〇頁等、小町谷教授は、出資の目的が不代替物であり、その不履行によって会社の目的を遂行し得ない事実がない限り、現金出資と同様に取扱うべきものとしている。）。

この点について、事案は、現物出資の給付未済のものに関するが判例としては、次ぎのものをあげることができる。

【13】「商法第百三十六条ニ於テ発起人ニ対シ連帯シテ払込義務ヲ負担セシメタルハ同法第百二十九条ノ払込換言スレハ第一回ノ払込ニ付未済アル場合ニ限ルモノナル所右第百二十九条ノ第一回ノ払込ハ金銭出資ノ場合ノミニ適用アリテ本件ノ如キ現物出資ニ付テハ之カ適用ナキモノト解スルヲ相当トス」（東京控判昭八・四・一三新聞三五六四・一一）。

【14】「按スルニ株式会社ノ設立ニ当リ或株式引受人カ定款ノ記載ニヨリ金銭以外ノ財産ヲ以テ出資ノ目的ト為スコトニ定メラレ且創立総会ノ承認ヲ得テ確定シタルニ拘ラス其ノ者ニ於テ会社成立前発起人ニ対シ又ハ成立シタル会社ニ対シ右財産ノ給付ヲ為シ又ハ其ノ引渡登記登録其他権利ノ設定移転ヲ第三者ニ対抗スルニ必要ナル行為ヲ為スコトヲ怠リタルトキハ発起人又ハ取締役ハ此ノ現物出資者ニ向テ裁判外ニ於テ之カ履行ノ請求ヲ為シ必要アラハ強制執行ノ手段ニモ出ツヘキモノニシテ其不履行ニ因リテ会社ニ損害ヲ生シタル場合会社ハ之ニ対シ損害賠償トシテ金銭ノ請求ヲ為スハ格別現物出資其ノモノノ請求ヲ舎キテ金銭債権トシテ其ノ払込ヲ求ムルハ之ヲ能クスヘキ所ニ非ルナリ（現物出資義務ノ履行不能ニ帰シタルカ為メ之ニ代ル金銭ノ請求ヲ為スハ即チ前述損害賠償ノ一ニ属スルコト言ヲ俟タス）然リ而シテ他面此ノ現物出資者ヲシテ出資義務ヲ履行セシムルニ付発起人又ハ取締役ニ任務懈怠アリタルトキハ之等ノ者ハ会社ニ対シ其ノ責ニ任セサルヘカラサルコト之有ルヘシト雖モ斯ノ場合発起人又ハ取締役ノ負フ所ノモノハ固ヨリ払込未済ノ株式ニ付払込ヲ為スノ責任換言スレハ商法第百三十六条所定ノ責任トハ全ク其ノ性質ヲ異ニスルモノナリ寧ロ株金ノ払込ニ対比スヘキ出資ソノモノハ出資セラルヘキ現物カ特定不動産ノ所有権ナルカ如キトキハ現物出資ノ事創立総会ノ決議ニ依リテ確定シ且会社ノ設立セラ

レタルトキハ之ト同時ニ不動産ノ所有権会社ニ移転シ茲ニ株金ノ払込ト同視スヘキ状態ヲ生シタルモノト謂フヲ得ヘシ残ルトコロハ唯現実ナル引渡乃至登記ノ如キ第三者ヘノ対抗要件ノ充足ノミ。……果シテ然リトセハ前述会社ノ発起人又ハ取締役ハ前説説示ノ如ク此ノ現物出資者ニ対シテハソノ給付乃至対抗要件ノ具備ハ之ヲ請求スヘキナレト之ヲ舎キテ金銭ノ出資（株金払込）ヲ求ムヘキニ非ス従テ又其ノ給付等無キ場合モ会社ニ対シ此ノ点ニ付テノ任務懈怠ノ責ヲ負フハ格別商法第百三十六条ニ依ル払込未済株式ニ付テノ責任ハ之ヲ担フヘキ限ニ在ラス……」（大判昭一三・一二・一四民集一七・二三七一）（鈴木・「判例民事法」昭和一三年度一四五事件竹田・民商雑誌・九・五・九四三等参照）。

すなわち、判例も此の点については、通説と同一の立場にあるものと認められるが、ただこれらの判決はいずれも、現物出資の履行時期が会社の自治に委ねられ、その履行の有無は会社設立の効力に関係のなかつた、明治四十四年法の時代のものにかかり、現行法（商一七二条・一七七条）とは、その法的背景を異にすることを注意すべきであるが（従つて、当時は現物出資の不履行について発起人の資本充実責任を認めて、設立無効を救済する必要もなかつた。鈴木「前掲」評釈（五五三頁）は、現物出資の履行が設立過程中に取り入れられた、昭和一三年法以後においては、一九二条は旧一三六条と立言を同じくするとはいえ、異別に解して、現物給付と株金払込と同様に取扱い、発起人の責任を認めて設立無効を救済すべきではないかとしている）、判旨のうち、現行法から見ても一応顧慮すべき点は、現物出資の場合、出資の目的たる財産が特定物の場合は、会社の成立とともにその所有権は当然に会社に移転し、実質的に株金払込があつたと同視すべき状態を生じ、従つて、その給付がない場合にも発起人は任務懈怠の責（商一九三条）を負うは格別、資本充実の責任を負うべき限りではないとしていることである。しかし、このような理由で本問題を解決し得ないことは、例えば、出資の目的物が実際に存在しなかつた場合、或は第三者の所有に属するような場合を考慮すれば明かであろう（殊に、引受未済の場合については、問題とはならない。なお、詳細は、鈴木「上掲」五五三頁参照）。

(8)　責任の免除禁止及び追及　発起人の責任の免除及び追求については、昭和二十五年法が、昭和十三年法を改正したことは前述した通りであるが、そのうち、まず（イ）「責任の免除」に関して、商法第二六六条第四項を準用する商法第一九六条は、発起人の資本充実責任について適用ありや否やが問題となる。学説は、昭和十三年法（旧一九六条）が、発起人の会社に対する損害賠償責任だけを免除しうる旨を明記していたように、新法においても、この点に変りはなく、会社債権者保護に関する資本充実の責任はたとえ総株主の同意をもつてしても免除し得ないものとしている（石井編著「前掲」四六五頁・四九二頁、小町谷「前掲」二八三頁、鈴木「前掲」六五頁）。

判例もまた、昭和十三年法以来、一貫して、発起人の資本充実責任の免除を認めていない。

【15】「株式会社ノ発起人ヲシテ株式ノ払込ナキ場合ニ於テ会社ニ対シ該株主ノ払込ヲ為スヘキ義務ヲ負ハシメタルハ右未払込ノ為メ資本団体タル株式会社ノ資本カ充実セス延ヒテ其ノ事業ノ遂行カ沮害セラルルト共ニ他面会社債権者ニ不利益ヲ及ホスニ至ルコトヲ防止スル目的ニ出テタルモノナレハ会社ハ漫リニ発起人ニ対シ其ノ義務ヲ免除スルコトヲ得サルモノト解スルヲ相当トス……発起人タル責任ニ基キ負担スル本件株金払込義務ノ履行ニ付之ヲ一時猶予スルカ如キ程度ノ和解ヲナスコトハ発起人ノ右責任ヲ認メタル法律ノ目的ニ悖ルコトナシ……」（大判昭一八（オ）四二四、同年九・二七総覧・民四・一五九）。

なお、最近においては、前掲【7】も、「次に被控訴人は、控訴会社の総株主から右株金払込義務の免除を受けたので、払込責任はないと主張しているけれども、総株主の同意を以て免除しうるのは商法第二百六十六条第一項各号の場合に限られるのであつて、発起人の株金払込義務は、その損害賠償義務と異なり、総株主の同意を以てするもこれを免除することができないことは、株式会社の資本の充実をはかり、以てその健全な活動を得せしめようとする法の趣旨からいつて当然のことであり（商法第百九十条第二百六十六条第四項参照）、被控訴人の主張は、それ自体理由がない」としている。

次ぎに（ロ）代表訴訟によつて（商一九六条・二六七条乃至二六八条ノ三）、発起人の資本充実責任が追求しうることは、まだ判例はないが、学説のすべて認めるところである。

（一）　引受担保責任　　発起人の資本充実責任は、上述の通り、(1)引受担保責任（商一九二条Ⅰ）と、(2)払込担保責任（商一九二条Ⅱ）とから成るが、そのうち、引受担保責任については、昭和二十五年法は、（イ）会社成立後（すなわち、設立登記後（商五七条））。引受未済の株式、または株式申込の取消があつた場合は、（ロ）発起人は共同してこれを引受けたものとみなすものとした。従つて、（ハ）それらの株式については、「株式の共有」に関する規定（商二〇三条Ⅰ）が適用され、発起人は連帯して、その払込を為す義務を負わねばならない。

(1)　引受担保責任を生ずる場合

（イ）　会社の成立したこと　　昭和二十五年法は、はじめてこの点を明定したが、判例は当初（明治三十二法以来）から、この立場をとることは前述の判決（【6】参照）によつて明らかである。会社の成立後、(a)設立無効となつた場合（【9】参照）、(b)解散した場合（【11】参照）、(c)破産の場合（【12】参照）にもその責任の生ずべきことは前述した通りである。

（ロ）　引受未済の株式のあること　　引受未済の株式については、(a)その「程度」の如何を問わない。何となれば、判例は、この発起人の引受担保責任によつて、会社設立の無効を救済しうる瑕疵の程度については、限度を認めてはいるが（【8】参照）、この程度を超えて結局、会社の設立が無効となつた場合にも、この責任を追及しうるものとしているからである（【9】参照）。(b)会社の成立後、なお株式の引受未済の生ずる「理由」は、種々ありうるが（たゞし、商一九一条参照）、たとえば、株式申込証中に偽造のものがあつた場合（大阪地判明四二・ワ四六二法律新聞六〇九・九）等もこれに属する。ただ、現物出資に関する定款の記載の変更に不服な発起人が株式の引受を取消した場合（商一七三条Ⅲ・一八五条Ⅱ）、発起人が定款の変更をしないで設立登記をした場合(小町谷・「前掲」講座・二八〇頁)、或は、現物出資による株式の引受があつたものとして会社が成立した後、その引受がなかつたことが発見された場合については、通説は上述の通り引受責任を認めない。この点を、直接明らかにした判例はないが、たゞ現物出資の給付未済の場合については、発起人の払込責任を認めない判例が存することは前述の通りである(【13】【14】参照)。

(ハ)　株式の申込が取消されたとき　会社の成立後は、詐偽もしくは強迫を理由として、株式の引受を取消し得ないから(商一九一条)、ここにいう取消は、(a)無能力を理由とする場合、(b)詐害行為にもとづく取消の場合、(民四二四条)、(c)否認権の行使があつた場合(破七六条)に限られることになる(石井編著「前掲」四五四頁。小町谷「前掲」二八〇頁)。

(2)　引受担保責任の性質及び内容

(イ)　発起人の法定引受　発起人は引受未済の株式、または申込を取消された株式については、当然に共同して引受けたものとみなされる。その結果、これらの株式の共有者として連帯して払込義務を負うことは(商二〇三条I)、上述した通りである。

(a)　無過失責任　この責任は発起人が無過失の場合にも発生する(石井「前掲」一九七頁、鈴木「前掲」六四頁、小町谷「前掲」二八一頁、大隅・大森「前掲」九二頁、田中(耕)「前掲」・法協・三五・一八〇八等)。

(b)　株主地位との関係　株式引受の欠缺が発見され、この責任が生じたとき、発起人が株主であるか否かは、もとより関係がない(大隅「前掲」一八六頁)。

(c)　相続性　引受責任の相続性については、引受責任には株金払込義務が当然に伴うため、限定承認との関連上、学説は必ずしも一致しない(小町谷「前掲」二八二頁は限定承認をしない限り、引受責任も相続人が承継するとする。なお、伊沢「注解新会社法論」三〇五頁、田中(誠)「前掲」一二八頁、石井・編著「前掲」四五五頁参照）。

判例は、一身専属性を否定する（東京高判昭七・二・一新聞三三九九・八）。

(d)　株式の引受を取消した発起人と引受担保責任　現物出資に関する定款の記載変更に不服ある発起人が、引受株式の全部を取消した場合、なお、引受担保責任を負うかについては、株式引受と発起人資格との関係（【4】参照）に対する見解の差異にも関連して、学説は一致を欠く（石井編著「前掲」四五五頁は、引受を取消しても当然に発起人資格を失わない以上、本責任を免れ得ないとし、松田・鈴木「前掲」九頁・四三頁は、株式の引受を発起人の資格要件とは認めないにもかゝわらず、引受けた株式全部を取消した発起人は、爾後発起人たる資格を失い、たゞこのとき迄に生じた事項については発起人としての責任を免れ得ないとする。同説・小町谷「前掲」二八一頁）。

（ロ）　引受時期　法定引受の生ずる時期については、引受時期は同時に株式払込義務の発生期に外ならないから、詳細は後述、「払込担保責任」の際の説明に譲るが、たゞ会社の成立後株式申込が取消されたときについては、その株式の引受・払込責任の確定は引受取消の時と解する見解が多数である（石井編著・「前掲」四五六頁、大隅・大森「前掲」九〇頁、鈴木・石井「前掲」五六頁。小町谷「前掲」二八二頁は、引受の取消があれば、既往に遡つて引受がなかつたことになるから、このような区別は妥当ではないとする）。

（ハ）　引受価額　発起人の法定引受の場合、引受価額については規定はないが、通説はこれを発行価額とする（石井編著・「前掲」四五六頁、小町谷「前掲」二八三頁）。

（二）　払込担保責任

(1)　払込担保責任を生ずる場合　会社の成立後、なお、払込未済の株式があるときは、発起人は、連帯して払込義務を負担するが（商一九二条II）、その払込担保責任が会社の成立後、(a)設立無効となつた場合（【9】参照）、(b)解散した場合（【11】参照）、(c)破産の場合（【12】参照）にも生ずること、また、この責任と払込欠缺の程度との関係（【8】【9】参照）、及び、現物出資の不履行の場合における責任の存否（【13】

【14】参照）等に関する判例の立場については、既に述べた通りであるが、発起人の払込担保責任については以上の外、なお次の諸点が問題となる。

すなわち、それら払込未済の株式は、まず、（イ）本来、何人の引受にかゝるものであるかは、これを問わない。従つて、もし、発起人中、その引受けた株式の払込をしないものがあるときは、その払込は発起人全体の連帯責任に帰する（石井編著「前掲」四五八頁、小町谷「前掲」田中(耕)「前掲」法論三五・一八二一）。

【16】「株式会社カ其ノ発起人ニ対シテ商法第百三十六条ニ依リ第一回払込未済ノ株式ニ付其ノ払込ヲ請求スル権利ハ一般株主ニ対スル将来ノ払込請求権ト異リ既ニ確定セル債権ナルヲ以テ、清算人ハ会社財産ヲ以テ其ノ債務ヲ完済スルコト能ハサルト否トヲ問ハス之ヲ取立テ得ヘキモノトス（大判昭和六・五・二九・民集一〇・四四七参照）。又上告人等ノ各自引受ノ株式ニ付第一回払込ナカリシトスルモ此場合ニ上告人等ハ該株式ノ第一回払込ニ付株主トシテ之カ払込義務ヲ負担スルト同時ニ発起人トシテモ商法第百三十六条ニ依ル払込義務ヲ負担スルモノニシテ発起人ハ自己引受株式ニ付同条ニ依ル払込義務ヲ負担セサルモノト為スヘカラス」（大判昭八・九・一二・民集一二・二三一二）（鈴木「判例民事法」昭和八年度一五八事件・竹田・京法・一三・五）

次ぎに、（ロ）当該、払込未済株式の引受人の特定の要否（「何人名義ノ幾株カコレニ相当スルヤヲ会社カ具体的ニ明示スルコトヲ要スルカ」東京地判昭六・一〇・二三新聞三三四〇・一二）については、学説は一致しないが（通説は、資本充実責任の性質上、特定を不要とするが（伊沢「前掲」三〇二頁、石井編著「前掲」四五九頁、田中(誠)「前掲」一二九頁等）引受人を明かにし得ないような場合は、発起人の任務懈怠にもとづくものとして、その金額を損害賠償（商一九三条Ⅰ）として請求すべしとする反対説もある（田中(耕)「前掲」法協三五・一八二一、竹田・京法・一三・四・一〇三等）。問題は、後述のように、払込未済株主に対する求償権にも関連する）、判例は一貫して、特定を不要としている。

【17】「商法第百三十六条ノ規定ニ依ル発起人ノ義務ハ会社ノ資本充実ヲ期スル為メ、発起人ニ課シタル法律上ノ義務ニシテ、其義務タルヤ保証債務ノ如キ従タル性質ヲ有スルモノニアラス独立ナル一個ノ義務ナリトス。而シテ発起人カ商法第百三十六条ノ規定ニヨル其義務ヲ履行シタル場合ニ於テハ或ハ発起人トノ間ニ求償ノ関係ヲ生スルコトアルヘシト雖モ此等ノ法律関係ハ第百三十六条ノ規定スルトコロニ非スシテ民法上ノ一般原則ニ依リ判断スヘキ事項ナリ即チ商法第百三十六条ハ単ニ会社ト発起人間ノ関係ノミヲ規定シタルモノト解スルヲ相当

トス従テ同条ニ依リ会社カ発起人ニ対シ義務ノ履行ヲ請求スルニハ払込未済ノ金額ヲ確定スレハ足ルモノニシテ其払込未済ノ株主カ何人ナルカヲ特ニ明示スルノ必要ナキモノト謂ハサルヲ得ス」（大判大六・六・一一民録二三・一〇五四、同旨大判昭一〇・九・二〇（昭九・オ・一三三三）法学・五・四九四、大判大六・六・一一については松本・法協三六・三・四四六竹田・京法・一三・四・五五七参照）。

(2)　払込担保責任の性質

（イ）　法定の独立義務　発起人の払込担保責任が法律によつて特に設定された独立の義務であり、払込未済株主と連帯債務、または保証債務の関係がないことは、上述【17】において、判例の認めるところであり、学説もまた、これを承認する（田中（耕）「前掲」法協三五・一八一九、石井編著「前掲」二八七頁）。

（ロ）　株主との関係

(a)　不真正連帯債務　発起人の払込担保責任の場合は、払込未済株式の株主が負担する払込義務と併存し（この点において、引受担保責任による発起人の払込義務（商二〇三条）と異る）、両者は、いわば不真正連帯債務の関係に立つ（石井編著「前掲」四六一頁）。

【18】「商法第百三十六条ニ依ル発起人ノ責任ハ法律カ会社資本ノ充実ヲ期スルカ為メ発起人ニ課シタル特別ノ義務ニシテ保証債務ノ如ク従タル性質ヲ有スルモノニアラスト雖モ同条ニ依リ発起人ノ負担スル第一回株金払込ノ義務ハ株式引受人カ株式引受ニ因リ負担スルニ至リタル基本的出資義務ニ胚胎スル第一回特定株金額払込義務ト同一ノ目的ヲ有シ之ト競合シテ存在スル義務ニシテ従テ株式引受人ノ払込義務ト発起人ノ払込義務トハ所謂不真正連帯債務ノ関係ニ在ルモノトス……」（大阪控判昭一二・五・一新聞四一四四・一〇）。

従つて、(b)未払込株金の払込をした発起人は、株主に対して負担部分による求償権（民四四二条）、或は、保証人としての求償権（民四五九条乃至四六三条）は行使し得ないが、発起人の払込によつて、株主の払込義務が消滅する以上、衡平の見地から、当然、発起人に求償権を認めねばならない。その取得すべき求償権の根拠については、学説は一致しないが（(1)不当利得の規定によるとするもの（松本烝治「前掲」一七四頁、大隅健一郎「前掲」一八六頁、田中（誠）「前掲」一二九頁）、(2)法定代位（民五〇〇条）の規定の適用により、会社の払込請求権について代位するとするもの（田中(耕)「改訂会社法概論」二八六頁、石井編著「前掲」四六一頁、松田・鈴木「前掲」八〇頁等）、(3)両者のいずれをも選択しうるとするもの（小町谷「前掲」二八六頁）等）、判例は、下級審に次のようなものがある。

【19】「株式引受人カ株金ノ払込ヲ為ササル為メ発起人カ責任上該株式引受人ノ為メニ其払込ヲ為シ創立総会ヲ完全ニ終了セシメタルトキハ右株式引受人ハ法律上ノ原因ナクシテ株式ノ払込ヲ完了セル利益ヲ享受シ発起人ハ之カ為メ該金円ニ相当スル損失ヲ被リタルモノナレハ民法第七百三条ニ則リ株式引受人ハ発起人ニ対シ右金額ヲ支払フヘキ義務アルモノトス而シテ商法第百三十六条ハ発起人ニ対シ保証ノ如キ従タル債務ヲ負担セシメタル趣旨ニアラスシテ……従テ不可分債務者保証人等カ弁済ヲナスニ付キ正常ノ利益ヲ有スルタメ民法第五百条ニヨル代位請求権ヲ取得スル場合ト全ク観念ヲ異ニシ発起人ハ同条ニ定ムル代位権ナキモノトス」（東京区判大一一・三・二二評論一一・商九二）。

（ハ）　連帯責任　　発起人は連帯して払込担保責任を負担する（商一九二条II）。従つて、払込をした発起人は、株主に対して上述のように求償権をもつと共に、他の発起人に対しても連帯債務から生ずる求償権（民四四二条）をもつ（これら、二種の求償権相互の関係については、石井編著「前掲」四六二頁、田中(耕)「前掲」法協三五・四四、伊沢「前掲」三〇六頁等）。

（ニ）　相続性　　払込担保責任の相続性は、引受担保責任について述べたところと異らない。判例は、払込担保責任についても、一身専属性を否定している。

【20】「株式会社カ旧商法第百三十六条ニ基キ其ノ発起人ニ対シテ有スル未払株金払込請求権ハ原判旨ノ如ク民法第四百二十三条ニ所謂債務者ノ一身ニ専属スル権利ニ非ルモノト解スルヲ相当トス」（大判昭一七・一〇・二四新聞四八一三・一四）。

なお、（ホ）払込担保責任が無過失責任であることも、上述、引受担保責任と異らない。

(3)　払込担保責任の内容

（イ）　払込義務の発生期　　発起人の払込義務の確定期は、前述、引受担保責任、及びそれに伴う払込義務の発生期と一括して考察すべき問題である。而して、発起人の資本充実責任制度の立法趣旨を、判決【6】のように、会社の成立後、株式の引受または払込の欠缺によつて生ずべき設立無効の可及的救済にもとめる立場からすれば、これらの責任の発生期は当然、会社の成立時すなわち、設立登記の時を基準とすべきことになる（大隅・大森「前掲」八九頁、松田「前掲」一一〇頁、田中（誠）「前掲」一二九頁、小町谷「前掲」二八三頁、なお、本制度の趣旨を、設立登記の外観にもとづく、取引安全保護にもとめる立場でも、同一の基準に帰着する。国歳「前掲」三〇八頁）。判例は、昭和十三年法以前のものにかゝるが（旧商一三九条は前述のように、募集設立のときは創立総会の終結時をもつて会社の成立期とした）、会社成立時、すなわち、創立総会の無事終結時において払込義務は確定するものとしている（この点に関する旧法当時の学説の詳細は、田中（誠）・「判例民事法」・昭和六年度一九四頁）。

【21】「然リ而シテ株式会社カ其ノ発起人ニ対シテ商法第百三十六条ノ規定ニ依リ払込未済ナル第一回払込株金若クハ本件ノ如ク株金ノ全額ヲ一時ニ払込ムヘキ会社ニ在リテハ該株金ノ全額ニ付キ其ノ払込ヲ請求スル権利ハ、会社ノ創立総会ノ終始ト同時ニ具体的ニ確立スル債権ナリト解スルヲ相当トスヘク……」（大判昭一四・六・六民集一八・六四〇）（鈴木・「判例民事法」・昭和十四年度四四事件、西原・民商・一〇・五等参照、なお、義務の発生期を「創立総会招集時」とするもの、大判昭一一・五・二〇新聞・四〇〇九・八）。

会社の成立時が、設立登記時に単一化された、昭和十三年法以後においては、この点に関する判例は見当らないが、学説には、現在においても昭和十三年法以前の判例と同じく、「創立総会の無事終結時説」をとるものがある（例えば、石井・「商法Ⅰ」一九八頁、鈴木・石井共著「前掲」五六頁、実方「前掲」二〇八頁、たゞし、この立場でも引受取消のときの払込義務は、取消の事実のあつたときとする）。なお、払込義務が確定債務となつた後、それについての払込請求権が、「譲渡性」をもつこと、従つてまた差押及び転付命令の目的となりうることは明かである（大判昭一八・一〇・一八民集二二・一〇二一）（鈴木「判例民事法」昭和十八年度六二事件参照）。

（ロ）　払込義務の範囲

(a)　払込未済の金額　払込未済の株式について、その払込をなす義務（商一九二条Ⅱ）とは、株式引受人の払込むべき金額について払込未済の金額の払込義務をいう。発起人の払込義務が上述のように「不真正連帯債務」に属する以上（【18】参照）、発起人の払込むべき金額は、株式引受人の引受価額（商一七五条Ⅲ）の限度迄は当然及ばねばならない。もし引受価額が不明なときは、発行価額（商一七〇条一七七条Ⅰ）が其の基準となる（石井編著「前掲」四六二頁、小町谷「前掲」二八七頁、田中(耕)「前掲」法協三五・一八二〇）。

(b)　遅延利息　発起人の払込担保責任に関連する遅延利息については、(甲)株式引受人が払込期日に払込まなかつたために払込期日後、会社に対して負担するものと、(乙)発起人の払込義務が確定した後、発起人が会社に対して、負担するものとの二つを区別して考察しなければならない。而して、(甲)については、この株主の負担すべき遅延利息（過怠金）を発起人が負担すべきやが、また(乙)については、定款に株金払込の遅滞に対する遅延利息が一般的に規定されている場合、発起人担保責任による払込についてもその適用ありやが問題となる（田中(耕)・「判例民法」大正十一年度・三六八頁参照）。通説は、前者については、発起人の払込義務が前述のように、資本充実のため特に認められた「法定の独立義務」であることに鑑み、これを消極に解し（石井編著「前掲」四六三頁、田中(誠)「前掲」一二九頁、松田・鈴木「前掲」七九頁、実方「前掲」二〇七頁、小町谷「前掲」二八七頁、鈴木「前掲」六五頁、反対・松田「前掲」一一〇頁。これは発起人の損害賠償問題として（商一九二条Ⅲ・一九三条）具体的に判断すべしとする。石井「商法Ⅰ」一九八頁、松田・鈴木「前掲」七九頁）、後者については、すべてその適用を認めているが、判例は前者については、通説とは反対の、また後者については、通説と同一の立場をとる。

【22】　「商法第百三十六条ニ於テ発起人ヲシテ連帯シテ第一回払込未済ノ株金ヲ払込マシムル義務ヲ負担セシムル所以ノモノハ会社資本ノ充実ヲ謀ルノ目的ニ因由セルコト多言ヲ要セスシテ明ナリ故ニ第一回払込未済ノ株金払込ニ関スル発起人ノ義務ト其ノ払込ヲ怠リタル株主ノ義務トノ間ニ何等ノ区別ヲ設ケタル規定ナキ以上発起人カ同条ニ依リ株主ノ支払ハサル第一回払込未済ノ株金払込ヲ為ス場合ニ於テ其ノ払込ヲ怠リタル株主ノ負担スヘキ遅延利息ハ発起人ニ対スル右株金払込請求ノ以後ナルト将又其以前ナルトニ拘ハラス発起人カ当然之ヲ支払ハサルヘカラサル義務アルモノト謂フヘキモノニシテ因ヨリ此ノ点ニ於テ時ノ前後ニ因リ其ノ支払義務アリト否

トノ差異ヲ生スヘキ道理アルコトナシ左レハ定款ニ因リ其ノ株主ヲシテ負担セシメタル株金払込遅延利息ニ関スル規定ハ発起人カ第一回払込未済ノ株金払込ヲ為ス場合ニ於テモ亦之ヲ適用セラルヘキモノト認ムヘキコトハ当然ノ筋合ナルヲ以テ発起人カ右株金払込ヲ為ス場合ニ於テ支払フヘキ遅延利息ハ其ノ株金ノ払込ヲ為ササル株主ト同様其ノ定款ノ規定スル所ノ利率ノ割合ニ従ヒ其ノ株主ノ負担スヘキ損害利息ノ金額ヲ支払フ義務アルヤ論ヲ俟タサル所ナリ」（大判大一一・一〇・一〇民集一・五七三）（田中(耕)「判例民法」八五事件真野・法学志林・二六・四一）。

本判決は、会社成立後、発見された払込未済の株式について、会社から発起人たりし者に対して、右未払込株金の支払をもとめ、かつ株金払込遅延の場合に一定の遅延利息を徴収する旨の定款の規定に依りこれにもとづいて発起人に対しても、創立総会後の損害金を請求した事案に関するものであるが、判旨は、結局において、発起人も定款の規定にもとづいて、創立総会の翌日から判決執行済に至るまでの延滞利息の支払義務ある旨を認めながら、判決理由においては、払込を怠つた株主の支払うべき遅延利息と、その払込担保責任による発起人の払込についての遅延利息とを混同しているものと認めねばならない（田中(耕)「判例民法」大正十一年度、三六八頁参照）。それにもかゝわらず、前掲【16】は、本判旨を援用して「第一回払込未済ノ株金払込ニ関スル発起人ノ義務ハ商法第百三十六条ノ規定ニ依リ其ノ払込ヲ怠リタル株主ノ負担スヘキ遅延利息ニ及フヘキモノトス。之レ同条ノ解釈上明ニシテ当院ノ既ニ判例トスル所ナリ（大判大一一・一〇・一〇民集一・五六八参照）」と述べている（なお、大判昭一一・五・二〇新聞四〇〇九・八は、同じく、本判旨を援用して、発起人の払込義務に関する遅延利息について「定款ニ因リ株主ニ負担セシムル株金払込ノ遅延利息ニ関スル規定ハ発起人カ第一回払込未済ノ株金払込ヲ為ス場合ニ適用セラルヘキモノナルコトハ、当院判例（大正十一年十月十日判決参照）ノ示ス所ニシテ今之ヲ変更スヘキ理由ナシ」としている）。

(4)　払込担保責任の消滅

（イ）時効による消滅　発起人の払込義務は、学説、判例ともに一般の払込義務と同じく十年の期間で時効によつて消滅するものとする(石井編著「前掲」四六五頁、田中(誠)「前掲」一二九頁、小町谷「前掲」二六七頁。反対、國歳「前掲」三〇九頁)。

【23】「商法第百三十六条ノ発起人ノ責任ハ会社ノ資本充実ヲ期スル為メ特ニ法律上発起人ニ課シタル義務ナルコト前段認定ノ如クンテ之ヲ以テ商行為ニ基ク債務ト謂フコトヲ得サルハ勿論商行為ニ関スル規定ヲ準用スヘキ根拠亦ナキヲ以テ原告ノ被告等ニ対スル債権ハ五年ノ時効ニ因リ消滅スルモノニアラスソノ時効期間ハ民法所定ノ十年ナリトス」(東京地判昭六・一〇・二三新聞三三四〇・一八)。

次ぎに、(ロ)時効の起算点は、上述のように、払込義務の発生期を会社の成立時とする、通説の立場からすれば、これを、会社の成立時とすることは当然であるが(小町谷「前掲」二八七頁)、判例もまた、昭和十三年法以前のものにかゝるが(当時、発起人の払込義務の発生期については【21】参照)、同じく、この起算点を会社の成立時、すなわち、創立総会の終結時としている。

【24】「商法第百三十六条ニ規定スル発起人ノ払込義務ニ付テハ発起人カ株式引受人ヲシテ創立総会開催ノ日迄ニ第一回払込金ヲ払込マシムヘキ法律上ノ義務ニ違背シタル結果ニ出ツルモノト解スルヲ相当トスルカ故ニ発起人ハ前記払込金ニ付創立総会終結ノ翌日ヨリ遅滞ノ責ニ任スヘキモノトス」(東京地判昭四・二・八新報一八六・二一)。

なお、現行法においても、発起人の払込義務の確定期を、募集設立の場合、創立総会の無事終結時とする学説(石井編著「前掲」四六四頁、発起設立のときは検査役の設立検査報告終了時・石井「商法I」一九八頁)も、時効の起算点は会社成立のときとする(石井編著・「前掲」四六五頁、なお、発起人の払込義務をもつて、「弁済期限の定めなきもの」とし、会社から払込方の請求をしたときから、遅滞の責に任ずべきものとする判例もある。東京地判大二・四・二六評論二・商六六〇、田中(誠)・「判例民事法」・昭和六年度・一九八頁も、これと同じく、債務の発生期と履行期とを区別し、発起人の払込義務は創立総会の終結によつて確定債務となるが履行期は会社の払込催告の時期とする。)。

(ハ)　株式引受人の払込義務の時効による消滅と発起人の払込義務　判例はこのように、発起人の払込義務については、時効による消滅を認めるだけではなく、更に進んで株式引受人の払込義務が時効によつて消滅すれば、発起人の責任もまた消滅するものとしている。

【25】「然レトモ商法第百三十六条ノ払込未済ナル株式トハ既ニ確定シタル株式引受人アリテ株金払込ノ義務ヲ負担スルニ拘ラス之ヲ履行セサルモノヲ謂フモノナレハ株式引受人ノ株金払込義務ニシテ既ニ時効ニヨリ消滅シタル後ハ発起人ノミ独リ之カ払込ノ義務ヲ負フモノト做スヘキニ非ス……」（大判昭一二・一二・一五民集一六・一九二八）（水口・「法律論叢」一七・一二・一〇一、竹田・「民商法」七・六・七五、大隅「商事判例」(2)昭和十二年度・五〇、佐々「新報」・四八・七・一一二九、田中(誠)「判例民事法」昭和十二年度・一三八事件、何れも判旨に反対）。

すなわち、判旨は、単に商法第一三六条（現行・一九二条）の「払込未済の株式」に関する上述のような解釈を根拠とするものであるが、このような解釈は条文の文言から見て決して自明なものではなく、むしろ、前掲判決、【17】が、(a)発起人の払込担保責任の成立には、払込未済株式の引受人の特定を不要とし、また、(b)この責任が会社資本充実を期するため特に発起人に課した独立の法律上の義務であつて、保証債務のように従たる性質をもつものではないとしている立場と基本的に矛盾するものとしなければならない。

なお、(c)本判決は、その前審である控訴審判決【18】を支持したものであるが、【18】は前述のように、発起人の払込義務と払込未済の株主の払込義務とは、「不真正連帯債務」であるとしながら、引用は省略したが、その結論において、株式引受人の払込義務が時効によつて消滅したとき、もし、発起人の払込責任の消滅を認めないとすれば、発起人は引受人に対する求償権を行使し得ないこととなり、衡平の理に反するものとしている。しかし、この点については、大審院は、民法第七一五条の使用者責任と、被用者自身の責任との関係を「不真正連帯債務」と認めると共に、被用者自身の責任に付ての時効完成は、使用者の責任に効力を及ぼさない旨を明らかにしているのである（大判昭一二・六・三〇民集一六・一二八五）（川島「判例民事法」昭和十二年度・八九事件）。従つて、何れの点から見ても、【25】の判旨の不当なことは明かであつて（これらの点の詳細は、上掲・田中(誠)「判例民事法」・昭和十二年度・一三八事件・評釈参照）、学説もまた一致してこれに反対している（田中(誠)「前掲」一二九頁、大隅「前掲」一八五頁、石井編著「前掲」四六五頁、小町谷「前掲」二八七頁、野津「新会社法概論」九

四頁、伊沢「前掲」九四頁、松田・鈴木「前掲」七九頁等）。

最後に、(二)発起人の払込担保責任の発生後、会社は払込欠缺株式に相当する資本額を減少して、発起人の払込担保責任を消滅せしめうるかについては、昭和十三年法以前のものにかゝるが、次の判例がある。

【26】「第一回株金払込未済ノ株式アル場合ニ於テ発起人ノ負担スル該株金払込ノ義務ハ株式引受人カ第一回ノ株金ヲ其払込期日ニ払込マサルトキハ直ニ発生スルモノナレハ仮令其後ニ於テ会社カ減資ヲ行ヒ株式ヲ消却シタリトスルモ之カタメ既ニ発生シタル発起人ノ右株金払込義務カ遡及的ニ消滅スヘキ理由ナク右ハ減資ノ為メ消却シタル株式中ニ第一回株金払込未済ノ株式ヲ包含スルト否トニヨリ異ルトコロナキモノナリ」（東京地判昭六・一〇・二三新聞三三四〇・一八）。

判旨は、発起人の払込義務の確定期に関する点を別とすれば（上述(3)(イ)及び【21】参照）、正当であるといわねばならない（石井編著「前掲」四六六頁、小町谷「前掲」二八八頁）。

二　会社に対する損害賠償責任

(一)　制度の趣旨　発起人が会社の設立に関してその任務を怠つたときは、その発起人は会社に対し連帯して損害賠償の責を負う（商一九三条Ⅰ・一八六条・一九二条Ⅱ）。すなわち、発起人をもつて、「設立中の会社」の機関と認めるならば、発起人は善良なる管理者の注意をもつて設立事務を執行する任務を有することは当然というべきで（商二五四条ノ二参照）、もし発起人がその任務を怠つた場合には、設立中の会社は発起人に対して、損害賠償の請求を為しうべく、この請求権は成立後の会社に当然帰属することを法が明定したものに他ならない（田中(耕)「前掲」二八七頁、石井「前掲」一九五頁、松田「前掲」一一〇頁、小町谷「前掲」二八九頁等参照）。本制度の沿革については既に上述したところであるが、この責任を規定している基本的法条は、商一九三条第一項であつて、商一八六条及び商一九二条第三項は、商一九三条第一項の適用例を示したものにすぎない（この通説に対し、田中(誠)「前掲」一二九頁・一三〇頁は、一九二条Ⅲの責任は、一九三条とは別個の無過失責任とする）。

（二）責任の性質

(1) 会社の成立後の責任　発起人の会社に対する損害賠償責任は、後述、第三者に対する損害賠償責任と同じく、会社が成立した場合において発生する。従つて会社の不成立の場合にはこの責任は発生しないが（【31】参照、田中(誠)「前掲」一三〇頁）、会社成立後、設立が無効となつた場合も、発起人はこの責任を免れ得ない（石井編著「前掲」四六八頁）。

【27】「株式会社カ……其設立無効ノ判決確定シタル場合ニハ解散ノ場合ニ準シ清算手続ヲ為スヘキモノニシテ此場合ニ於テハ会社ハ商法第百四十二条ノ二ニ依リ発起人カ会社設立ニ関シ其任務ヲ怠リタル為ニ生シタル損害ノ賠償ヲ発起人ニ請求シテ之ヲ会社財産ニ組入レ会社財産ノ増殖ヲ図リ会社債権者ニ弁済シタル残余財産ハ之ヲ株主ニ分配スヘキモノナルヲ以テ株主ハ清算手続以外ニ於テ一旦払込ニ依リ会社財産ヲ組成シタル株金ノ返還ヲ自ラ直接ニ発起人ニ対シ請求スルコトヲ得サルモノト謂ハサルヘカラス」（神戸地判大一〇・六・一〇新聞一八八五・二〇）。

(2) 法定の特別責任　本責任は、権利侵害、或は違法性を要件とはしないから、不法行為上の責任の一種と認め得ないとともに、発起人は会社に対し、如何なる契約上の債務をも負担しないから、通常の意味の債務不履行にも該当しないのであつて、結局、法が特に認めた損害賠償責任と解さねばならない（田中(耕)「前掲」法協三五・一九九七頁、石井編著「前掲」四七〇頁、たゞし「債務不履行」に準じ民法の規定の適用あるものとする）。

(3) 過失責任　発起人の会社に対する損害賠償責任は、前述の資本充実責任のように、無過失責任ではなく、(イ)設立に関する任務について、(ロ)これを怠ること、すなわち、故意または過失によつて、任務に違反することを責任要件とする。そのうち、(イ)設立に関する任務とは、単に法律に規定のある場合(例、商一六六条I・一七五条II・一七七条・一八〇条・一八一条・一八二条等)に限らず、すべて設立に必要または有益な一切の行為を含む(石井編著「前掲」四六八頁、小町谷「前掲」二二八九頁)。次ぎに、(ロ)任務の懈怠についての判例としては、次のものをあげることができる。

(a) 株式を公募して、額面超過金の吸収に努むべきを怠った場合(田中(誠)「前掲」一三〇頁は「これだけでは任務懈怠」とはいえないとして判旨に反対)。

【28】「当初会社創立ノ際株式総数一万二千株中被告等発起人ニ於テ七千株ヲ引受クル意思ヲ以テ其後各株式引受申込証ニ表示スルニ至リタル事実ヲ認定シ得ヘク然ルニ被告等発起人ニ於テ其実僅ニ二千八百株ヲ引受ケタルコト争ナキカ故ニ其差株四千二百株ハ全部公募株トシテ其余ノ株式ト共ニ一般株式募集ノ手続ニ出テ将来設立セントスル会社資本ノ充実ヲ図リ比較的多額ノ額面超過金ノ吸収ニ努ムヘキハ当然ノ責務ナリトス当時公募株五千株ニ付額面超過金一株五円五十銭トシテ募集シタルトコロ財界好況ノ結果原告主張ノ如ク裕ニ四十七万二千二百二十株ノ応募者ノアリタルコト及右応募申込者ニ対シテ僅々五千一株ヲ割当テタルニスキサリシコトハ当事者ニ争ナキ事実ナルヲ以テ若シ被告等発起人ニ於テ残余ノ四千百九十九株ヲモ公募株トシテ一般株式募集ノ手続ヲナシ其割当ヲナシタリトセムカ少クトモ設立当時一株ニ付額面超過金五円五十銭宛合計二万三千九十四円五十銭ノ利益ヲ収メ得ヘキコト毫モ疑ヲ容レス然ルニ被告等ハ事爰ニ出テスシテ其任務ヲ怠リ公募手続ヲ為サス前顕四千百九十九株ヲ何レモ券面金額ヲ以テ自己ノ家族其他ニ対シテ割当ヲナシ原告会社ノ正ニ得ヘカリシ二万三千九十四円五十銭ノ利益ヲ喪失スルニ至ラシメタルハ畢竟被告等カ原告会社ノ発起人トシテ任務ヲ懈怠シ之ニ因テ原告会社ニ損害ヲ被ラシメタルニ外ナラサルカ故ニ被告等ハ商法第百四十二条ノ二ノ規定ニ従ヒ連帯シテ本訴請求ニ応スヘキ義務アルモノトス」(静岡地判大一五・九・二八新聞二六〇六・八)。

(b) 設立事務の一切を他人に委託した後、その為すがまゝに放任し、もって重大な資本の欠缺ある会社を成立せしめた場合。

【29】「本来発起人ハ会社ノ設立ニ関スル一切ノ行為ヲ為シ得ル権限ヲ有スルト共ニ之カ責任ヲ負フモノナレハ自ラ他ノ発起人ト協同シテ此等ノ行為ヲ為スハ蓋発起人トシテノ職務ヲ完ウスルニ適スルモノナリト雖必スシ

モ常ニ自ラコレヲ為ササルヘカラスト解スルヲ要セス他人ヲシテ自己ノ代理人トシテ会社設立ニ関スル一切ノ行為ヲ為サシムルコトモ亦妨ケナシト云フヘシ然レトモ発起人カ代理人ニ対シ会社設立ニ関スル一切ノ行為ヲ委セタル後其ノ為スカママニ放任シ全ク設立事務ニ無関心タル場合ニハ発起人トシテ任務ノ懈怠アリト観ラルヘキヲ以テ商法第百九十三条ノ規定ニ従ヒ会社又ハ第三者ニ対シ損害賠償ノ責ヲ負フコトアリ得ヘシ……」（大判昭一六・六・七大判全集八・七三五）。

(c)　発起人が有名無実の権利を現物出資して、会社を成立させた場合。

【30】「然ラハ控訴人等ハ少クトモ干潟埋立権ニ関スル限リハ前記ノ如ク所轄官庁ノ許可ナク従ツテ未タ権利トシテ存在セサル有名無実ノモノナリシニ拘ハラス現実ニ右権利カ移転セラレタルモノトシテ前掲会社ヲ成立スルニ至ラシメタルモノト謂フ可ク而モ控訴人等ニ於テ相当ノ注意ヲ以テ之ニ付調査ヲ為シタル事実ハ控訴人等ノ証拠ニヨリテハ之ヲ認ムルニ由ナキヲ以テ此ノ点ニ於テ発起人タル控訴人等ハ会社ノ設立ニ関シ故意又ハ過失ニヨリ其任務ヲ怠リタルモノト為スノ外ナク従テ控訴人等ハ商法第百四十二条ノ二ニ基キ会社ニ対シ之ニ因リテ被ラシメタル損害ヲ賠償スヘキ義務アルコト明白ナリ」（東京控判昭八・四・一三新聞三五六四・一二）。

なお、発起人が悪意または重過失による任務懈怠によつて、第三者に対して損害賠償の責を負う場合については、後述の通り判例は相当多数に上つているが、此等の判例は、当然すべて会社に対する任務懈怠の事例として援用しうるであろう。

三　第三者に対する損害賠償責任

（一）　制度の趣旨　発起人が会社の設立に関し其の任務を怠つたときは、発起人に悪意または重大な過失があつたときは、その発起人は第三者に対してもまた、連帯して損害賠償の責を負う（商一九三条Ⅱ）。すなわち、本制度は、取締役が第三者に対して、損害賠償責任を負担する（商二六六条ノ三）のと同一の趣旨において、設立中の会社の機関であつた発起人についても、第三者に対する賠償責任を認めたものに外ならない（石井編著「前掲」四七一頁、小町谷「前掲」二九二頁、田中(耕)「前掲」法協三五・二〇〇五等）。

(二)　責任の性質

(1)　会社成立後の責任　本責任が会社成立後、発起人（正確には発起人たりし者）の第三者に対し負担するものであること、及び設立無効の場合にも生ずべきことは、会社に対する責任の場合と異ならない（【27】参照、学説にも殆んど異論はない）。

【31】「商法第百四十二条ノ二第二項ノ規定ハ会社ノ成立シタル場合ニ適用アルモノニシテ実際会社ノ成立セサル場合ハ発起人等カ成立シタルカ如ク装ヒタルトキト雖モ適用スヘキ規定ニ非ス」（名古屋控判大五・三・二九評論五・商・四七五）。

【32】「会社カ事業ニ着手シタル後（筆者注・旧商一三二条「会社カ事業ニ着手シタル後、株主、取締役又ハ監査役カ其設立ノ無効ナルコトヲ発見シタルトキハ訴ヲ以テノミ其無効ヲ主張スルコトヲ得」）設立無効ノ訴ニ依リ其ノ設立ヲ無効トスル判決カ確定シ解散ノ場合ニ準シテ清算カ為サルルニ至リシ場合ト雖モ之カ為メ会社ト第三者トノ行為ノ効力ニ影響ナク会社ハ成立シタル場合ト同様ニ取扱ハルルカ故ニ発起人ノ賠償責任ニ関スル右商法第百四十二条第二項ノ規定ハ此ノ場合ニモ均シクソノ適用アルモノト解スルヲ相当トス」（大判昭七・五・二二民集一一・一二三四）（田中(誠)「判例民事法・昭八年度・八七事件。なお同旨大判昭一五・三・二〇評論二九・商一八〇）。

(2)　法定の特別責任　この責任は、法律の規定による特別の責任であつて、不法行為上の責任ではない。けだし、(イ)責任が軽過失の場合に存しないこと、(ロ)悪意または重過失が被害者に対してではなく、会社に対する任務懈怠について存すべきこと、及び、(ハ)権利侵害、或は違法性を要件とはしないからである（田中(耕)「前掲」上巻・二八八頁、石井編著「前掲」四七二頁、田中(誠)「前掲」一三一頁、伊沢「前掲」三〇九頁。(反対)松田「前掲」一一一頁「機関の地位にもとづき軽過失を免除した特殊の不法行為上の責任とする。同説、小町谷「前掲」二九三頁、大隅「前掲」二二二頁）。

判例は、通説と同じく、本責任をもつて、商法の規定による特別の責任と解する（【43】【41】参照）。なおこの点を詳論したものとして、下級審であるが次の判決がある。

【33】「民法ニ規定セル不法行為ノ責任ハ商法ニ規定セル発起人ノ責任（同法第百四十二条ノ二第二項）トハ自ラ其性質ヲ異ニシ前者ハ権利侵害ヲ以テ其客観的原因トスレトモ後者ハ任務懈怠ノ結果損害ヲ生スレハ足リ第三者ノ権利カ侵害セラルルト否トヲ問ハス又前者ハ其主観的原因ヲ広ク故意過失トナシ過失ノ軽重ヲ区別セサルモ後者ハ悪意又ハ重過失ニ付テノミ之ヲ認メ而モ其責任原因ハ前者ハ被害者ニ対スル関係ニ於テ存在スル事ヲ要スレトモ後者ハ会社ニ対スル関係ニ於テ存在スヘキモノニシテ被害者タル第三者ニ対スル関係ニ於テ存在スル事ヲ要セサル等両者ニハ著シク異ル点アリ畢竟右発起人ノ責任ハ商法ノ規定ニヨリ生スル特別ノ責任ニシテ不法行為上ノ責任ノ一変例トハ解シ難シ」（東京地判昭三・四・二八新報一五一・一六）。

(3)　不法行為責任との関係　第三者に対する発起人の責任を不法行為責任とは異る法定の特別責任と解する通説及び判例の立場においては、発起人が別に当該第三者に対して不法行為の要件を具える場合には、発起人について、不法行為責任の成立も妨げないものとする（この場合にも、会社と契約関係に立つ第三者に対しては不法行為責任は成立しないとする見解がある。石井「前掲」I二〇〇頁）。しかし上述のように、これを特殊の不法行為上の責任と解する見解からは、当然、これは否定され（小町谷「前掲」二九三頁）、請求権の競合は生じないものとされる（松田・鈴木「前掲」一八二頁）。判例は、この点においても通説と同調している。

【34】「商法第百四十二条ノ二第二項ハ不法行為ニ対スル民法ノ規定ノ適用ヲ排斥スル法意ヲ含マス従テ右商法ノ規定ニ依リ律スヘキ行為ト雖モ他面ニ於テ不法行為ヲ構成スル以上被害者ハ民法不法行為ノ規定ニ基キ損害賠償ヲ請求スルコトヲ妨ケサルモノト解スヘク而シテ本件ニ於テ被上告人等ハ上告人等ノ不法行為ヲ原因トシテ損害賠償ヲ請求シタルモノナレハ原審ハ只該行為ノ存否ヲ判断スレハ足ル」（大判昭一四・五・一〇評論二八・商三四九）。

なお、目論見書の作成公表は株式会社の設立に際して発起人の為すべき商法上の義務ではないから、その中に誇大または隠秘不明な記載をしたためそれを信頼した株式引受人が意外な損害をうけたとしても、株式引受人は、発起人に対して、本責任による損害賠償を請求し得ない（石井「判例民事法」昭和八年度・二一〇事件評釈参照）。判例には、目論見書の隠秘不明な記載について発起人の責任を認めたものがあるが（大判昭八・一二・二八民集一二・二九七八）、判旨はこれを民法の不法行為に基く責任とするものであるか、或は本責任を根拠とするものであるか、必ずしも明瞭ではない（石井「上掲」七八六頁参照）。しかし、現在、「証券取引法」が不実の目論見書等の使用者の賠償責任を特に規定するに至つた以上（同法二七条）、此等の点は、すべて証券取引法の問題であつて、本責任は成立の余地がないものと認めねばならない。

(4)　連帯責任　発起人の第三者に対する損害賠償責任は悪意または重過失によつて任務を懈怠した発起人の連帯責任である（商一九三条II）。その際、もし、取締役または監査役が同じく、悪意または重過失によつて（松田・鈴木「前掲」八六頁、石井編著「前掲」四八八頁参照）、商法第一八四条（創立総会における調査報告）第一項及び第二項に定める任務を怠つたため、第三者に対して損害賠償の責に任ずべき場合において、発起人も亦その責に任ずべき場合には、これらすべての者は連帯債務者とされている（商一九五条）。

【35】（事実）　本件会社は株式の引受払込があつたものとして創立総会を終結し成立したが、実際は現物出資された試掘権は有名無実でこれを出資として会社に引渡し得なかつたばかりではなく、株式の募集成績も不良で払込額は現物出資を除いた予定額の三分の一未満にすぎないのに、発起人総代が創立総会において虚偽の報告をなし、取締役及び監査役は何等の調査をしないで右報告を承認して設立登記をした。このような設立経過のため会社は当初より資本の充実を欠き事業の遂行が不可能なため、終に設立無効の確定判決をうけ株式は融通性を失つて全く無価値となつたため、原始株主（会社成立後、発起人総代の名義の株式を仲買店を通じて更に買増している）から、発起人、取締役及び監査役に対して損害賠償をもとめた。

（判旨）「……然レハ原審カ被上告人等ニ於テ当時ノ状勢ヨリ右会社カ資本ノ充実ナク且正当ノ手続ヲ以テハ到底設立ノ運ニ至ラサルコトヲ些少ノ注意ヲ為サハ容易ニ之ヲ知リ得ヘカリシニ拘ラス叙上ノ如ク創立事務ハ挙ケテ南英吉外、一、二名ノ発起人ニ委ネ其ノ為スカ儘ニ放任シ鉱区其他ニ付毫モ調査ヲ為ササルカ如キハ会社設立ニ関スル発起人等ノ任務懈怠ニシテ之ニ付故意ナカリシトスルモ少クトモ重大ナル過失ナリ又取締役若クハ監査役ニ選任セラレタル以上株式総数ノ引受ノ有無現物出資ノ給付ノ存否並第一回ノ株金払込ノ有無等総テ善良ナル管理者ノ注意ヲ以テ之カ調査ヲ為シ其ノ結果ヲ創立総会ニ報告スヘキモノナルニ拘ラス之ヲ怠リ漫然南英吉等ノ言ヲ過信シ単ニ形式上ノ調査ヲ為スニ止メテ不実ノ報告ヲ為シ会社ヲ成立スルニ至ラシメタルハ是亦取締役又ハ監査役タル任務懈怠ニシテ之ニ因リ上告人タル株主ニ対シ加ヘタル損害ニ付連帯シテ其ノ賠償ノ責ニ任セサルヘカラサル旨認定シタルハ相当ナリ」（大判昭一五・三・三〇民集一九・六四五）（鈴木「判例民事法」昭和十五年度三六事件、大隅「論叢」四三・三二九、西原「民商」一二・七二〇、坂「法と経済」一四・五八五等参照）。

（三）　責任原因

(1)　悪意または重過失　発起人が第三者に対して賠償責任を負うのは、会社に対する任務懈怠について、悪意または重過失があることを要する。次ぎに「悪意または重過失」の存否に関する判例の見解を列挙する。

（イ）　発起人が資本の欠缺ある会社を設立し、よつて設立無効に至らしめた場合には、特別の事情がない限り、悪意または重過失に因るものと認む。

【36】「……然ラハ訴外会社ノ設立ニ当リ株金全額ノ払込アリトセハ右会社ハ充分ノ資力ヲ有シ被控訴人ハ前示手形金ノ支払ヲ得ヘキニ其払込ナカリシ為手形金ノ支払ヲ得クルコトヲ得ス従テ訴外会社ニ対スル前示貸金二千五百円ヲ回収スルコト能ハスシテ之ニ相当スル損害ヲ被リタルモノト謂フヘク且反証ナキ限リ被控訴人ハ右訴外会社カ株金ノ払込アリテ有効ニ成立シタルモノト信シテ之ニ対シ手形ノ振出ヲ受ケテ金員ノ貸与ヲ為シタルモノト認ムヘキニヨリ右損害ハ畢竟同会社ノ発起人全員カ同会社ノ設立ニ関シ株金全額ノ払込ヲ完了シタル上創立総会ヲ招集スヘキ任務ヲ有スルニ拘ラス之ヲ怠リタルニ基因スルモノト謂フヘク而モ特別ノ事情ノ認メ得ラレサル本件ニ於テハ発起人等ノ右任務ノ懈怠ハ悪意又ハ少クトモ重大ナル過失ニ因ルモノト認ムルヲ相当トス然ラハ訴外会社ノ発起人等ハ商法第百四十二条ノ二第二項ニ従ヒ被控訴人ニ対シ連帯シテ右損害ヲ賠償スヘキ義務アルモノト謂ハサルヘカラス」（東京控判昭七・一〇・二〇民集一二・一二四四）。

【37】「……原判示ノ如ク公海漁業株式会社ノ発起人タル上告人ノ重過失ニヨリ同人等ニ於テ資本総株金二百

五十万円ニ付僅ニ金十七万九百二十円ノ払込アリタルニ過キサルコトヲ気付カス右総株金ノ払込アリタルモノトシテ創立総会ヲ終結セシメシモ設立無効ノ判決確定シ竟ニ被上告人西島等ヲシテ其譲受ケタル同会社ノ株式ノ無価値ナルコトニ因リ損害ヲ被ラシメタルモノナル以上該損害金ニ対シテハ上告人ニ賠償ノ責任アルモノト謂ハサルヲ得ス」（大判昭一二・三・一二新聞四一二三・一八）（なお、この外、【35】【43】【47】はいずれも同旨）。

（ロ）　創立事務を他の発起人に一任し、資本の欠缺ある会社を成立せしめ、設立無効に至らしめた発起人には、特別の事情がない限り重大な過失ありと認む。

【38】　「原審ハ……被上告人……等カ大日本殖産会社ノ発起人ト為リタルニ拘ラス其創立事務ハ同シク発起人タル訴外瀬越住太郎等三名ニ一任シ毫モ該事務ニ関与セス全然株式ノ申込又ハ株金払込ノ実状ヲ知悉セス而シテ右会社ハ資本金二十万円一株ノ金額二十円ニシテ全額払込ノ定ナルニ創立総会ニ至ル迄ニ現実払込アリタルハ僅ニ一万数千円ニ過キス然ルニ右瀬越等ハ全額払込アリタルカ如ク仮装シ創立総会ヲ欺瞞シ以テ会社設立完了シ其目的タル事業ニ着手シタル為メ会社ハ其後設立無効ノ判決ヲ受ケ該判決ハ確定スルニ至リタル事実ヲ認定シ而モ以上ノ事実ハ未タ前記創立事務ニ関与セサリシ発起人等ニ悪意又ハ重大ナル過失アリト為スニ足ラスト判示シタリ然レトモ発起人ハ会社ノ設立ヲ任務トスルモノナルニ此任務ヲ怠リ右原審認定ノ如キ事実ナルニ於テハ特別ノ事情ナキ限リ重大ナル過失アリト謂ハサルヘカラス」（大判大一五・三・二五民集五・二二六、同旨大判昭一四・一二・二三民集一八・一六三五及び【29】・【35】・【43】・【47】、なお、田中(誠)「判例民事法」、大正十五年度二六事件参照）。

【39】　「原判決ハ前出山本ハ上告人外廿一名ニ対シ発起人トナルコトヲ懇請スルニアタツテ金銭上ノ迷惑ヲカケヌコト従テ発起人トシテ引受ケタ株式ニツイテハ払込ヲ要シナイコトヲ条件トシテイル一方会社設立ノ事務ハ挙ケテ山本ノ為スカママニ放任シテオリ山本ハ信用ノオケヌ人物テアツタコトヲ認定シテイルサウシタ状況ノ会社ニアツテ上告人等発起人ハ会社カヤカテ設立無効トナリ延ヒテソノ設立ヲ信シテ株式ノ払込ヲシタ引受人等ニ対シ損害ヲ蒙ラシメルテアラウコトハ容易ニ予見テキタモノト認ムヘキテアルカラ上告人カ前示ノヤウナ会社ノ発起人トナツテ山本ノヤウナ人物ニソノ設立事務一切ヲ専行サセタノハ事ニ処シテアヤマリナキヲ期スヘキ普通人ノ注意力ヲ著シク欠イタモノト断セサルヲ得ナイ」（大判昭二二・五・一・昭二二(オ)七・総覧民一・七五）。

（ハ）　発起人の任務の懈怠は直ちにこれを重過失とは認め得ない。

【40】　「上告人ハ其ノ引受ニ係ル株式ニ付テハ完全ニ払込ヲ了シ又若干ノ創立費ヲ出捐シタル外大阪方面ノ株式募集ニ従事シ相当ノ成績ヲ挙ケタルコトヲ確定シタル次第ナレハ判決ノ如ク上告人ニ創立事務ヲ挙ケテ少数発起人ニ一任シタル懈怠アリトハ云ヒ難キモノアリ又上告人主張ノ如ク上告人カ創立総会ニ弁護士秋山治士及田中藤作ヲ代理人トシテ出席セシメ総株ノ引受並払込ノ有無ニ付調査シタル事実アリ且発起人団ヨリノ株式募集及払込成績ノ優良ナル報告ニ接シ之ヲ措信シタル事実アルニ於テハ自己カ引受ケタル株式ニ付払込ヲ完了シタルコトニ照合シ総株ノ引受並払込アリタルコトヲ信スルモ深ク咎ムヘキニ非サルニヨリ上告人ニ於テ総株ノ引受及払込ノ有無ヲ調査セサリシ重大ノ過失アリト做ス判示モ亦猝ニ首肯スルコトヲ得ス従テ亦叙上ノ事実関係ノ下ニ於テ上告人カ少数発起人ノ任務違反行為ヲ未然ニ防止セサリシコトニ付上告人ニ監視懈怠ノ責任アリトシ且其ノ懈怠ニ重過失アリト做スニハ更ニ首肯スルニ足ルヘキ特別ノ事由アルコトヲ要スルハ勿論ナリトス」（大判昭一二・三・一二昭一一(オ)一八六二・法学六・九一七）。

【41】　「原判決ハ或ハ上告人等ノ発起人カ何等発起人トシテ会社ノ事務ヲ執ルコトナク漫然之ヲ創立委員長タル山本権三郎ニ委託シ且上告人ノ大部分ハ自己ノ引受ケタル株式ノ払込スラ之ヲ右山本権三郎ニ委嘱シ何等顧ル所ナカリシ事実ヲ以テ重大ナル過失アリタルモノト為スノ趣旨ニモ解シ得ラレサルニアラス然レトモ発起人タリシ上告人等ハ原審ニ於テ此点ニ付キ前記山本権三郎ハ地方ニ於ケル名望家ニシテ屈指ノ資産家ノ女婿タリ且相当ノ学識ヲ有シ分家スルニ当リ十数万円ノ資産ノ分与ヲ受ケ当時有数ノ地方的紳士ナリシヲ以テ上告人等ハ同人ヲ信頼シテ会社創立事務ノ遂行ヲ委託シタルモノナリト主張シタルコトハ記録上明白ニシテ若シ本件会社ノ創立ヲ発意シタル山本権三郎ノ学識資産信用ノ程度カ何人ト雖モ之ニ信頼ヲ置クカ如キモノナランニハ上告人等カ同人ノ勧誘ヲ受ケテ発起人ト為リタルモ会社創立ニ関スル事務ノ一切ヲ挙ケテ同人ニ委嘱シ又自己ノ引受ケタル株式ノ払込ヲモ之ニ委嘱シ自ラ何等創立事務ニ関与セサリシトスルモ必スシモ之ヲ以テ重大ナル過失ナリト速断スヘキニアラス」（大判昭一五・一二・二四民集一九・二四三〇）（兼子「判例民事法」昭和一五年度・一三二事件、中村(宗)「民商」一三・六・九一、河本「日法」七・六・八五一、前野「新報」五一・八・一一八九等参照）。

判決【41】について、兼子教授は、発起人はその任務である個々の事項の性質、種類に依つて其の注意義務の程度は自ら異るべきである。ところが株式の引受並に払込の有無等は、発起事務の完遂に最も重大な事項である以上、このような事項の不調査は、発起人として重大な過失を犯したものと云うも過言ではないとして、寧ろ原審の認定に賛すべきものとされる（兼子「前掲」五三八頁）。

(2) 相当因果関係　発起人の第三者に対する賠償責任は、上述のように法定の特別責任ではあるが、広い意味では不法行為的のものといいうるから（後述「過失相殺」の項参照）、その損害賠償の範囲も相当因果関係によらなければならない（この責任を一種の不法行為責任の変形とする立場では、論をまたない、小町谷「前掲」二九四頁）。このような考慮は上述した設立無効にもとづいて発起人に対し賠償を要求する場合（(三)(イ)(ロ)参照）等において特に必要であるといわねばならない。けだし、株式の無価値化によって、第三者の蒙った損害と発起人の故意または重過失ある行為との間には、例えば会社成立後の経営者の無能等も介在しうるわけで、両者は必ずしも常に相当因果関係に立つものとは限らないからである（「相当因果関係」については、田中(誠)「判例民事法」昭和十四年度一〇二事件、評釈及び豊崎「判例民事法」昭和十五年度・一八事件・評釈参照）。判例は一般的に見て本責任について、相当因果関係の問題には必ずしも慎重であるとは認め難い（【47】【43】参照）。但し次のような判決もある。

【42】「資本団体タル株式会社ノ本質上設立ニ際シ資金ノ充実ヲ欠ケルカ如キモノハ本則トシテ会社取締役ノ事業ノ執行ノ如何ニ関ハラス既ニ破綻ノ運命ヲ担ヘリト断言スルモ敢テ過言ニアラス……本件ニ於テモ右取締役等（筆者注・発起人から取締役に就任した者）ハ目的事業執行ノ為メ僅少ノ資金ヲ以テ種々劃策スルトコロアリシモ会社設立ニ際シ既ニ定マレル運命ニ支配セラレテ徒ニ会社破綻ノ勢力ヲ助長シ其後他ノ取締役等ノ就任シタルトキニ於テハ会社ハ既ニ破綻ノ悲運ニ沈淪シ居リタルコトヲ認メ得ヘク会社ノ株金払戻不能ノ状態ハ結局本件会社設立ニ基因ヲ発シタルニ帰シ従テ被告等ノ任務懈怠ト原告等ノ損害トノ間ニ相当因果関係ナシト断スルヲ得ス」（東京地判大一五・五・一二新聞二六一四・九）。

(四) 過失相殺

(1)　本責任と民法第七二二条第二項との関係　　発起人の第三者に対する賠償責任をもつて特殊の不法行為責任と解する立場においては、第三者に過失があるときは、民法第七二二条第二項が適用され、裁判所は損害賠償の額を定めるにつき、これを斟酌し得るものとする（松田・鈴木「前掲」八二頁、小町谷「前掲」二九三頁）。しかし、これをもつて、法定の特別責任とする通説判例もまた、本責任をもつて、広義の不法行為責任と認め、民法第七二二条第二項の準用を認めている（「類推適用」すべしとする見解もある、田中（誠）「前掲」一三一頁）。上述、判決【41】は、

「発起人カ株式会社設立ニ関スル任務懈怠ニ付キ悪意又ハ重大ナル過失アリタルニ因リ第三者ニ対シテ損害賠償ノ責ニ任スヘキ場合ニ於テ其ノ第三者ニ過失アリタルトキハ民法第七二二条第二項ヲ準用シ裁判所ハ損害賠償ノ額ヲ定ムルニ付之ヲ斟酌スルコトヲ得ルモノト解スルヲ相当トス蓋シ発起人ノ右責任ハ不法行為上ノ責任ト大差ナケレハナリ」（なお、株主の払込懈怠と発起人の過失との相殺について「民法第四一八条」を適用すべしとするもの、大判昭一二・三・二〇大判全集四・二八五及び【44】）。

としている。

(2)　第三者の注意義務の程度　　このように本責任についても、判例通説は過失相殺を認め、被害者の側にも責むべき主観的事情が存するときは、賠償額の算定に当つて衡平の見地からこれを斟酌すべきものとしているが、その場合、第三者の過失を認定するに当つて、どの程度の注意義務を求むべきかに関しては、学説は必ずしも判例と立場を同じくはしていない。すなわち上述判決【35】が、

「然レハ原審カ上告人ハ当初会社ノ設立趣意書及企業目論見書等ノ記載ヲ盲信シ事業ヲ有望ナリト信シ原始株式ノ申込ニ依リ百株ノ引受ヲ為シ其ノ後本件会社ノ事業ニ関スル誇大広告及株式特別売出広告等ニ迷ハサレ経済界ニ於ケル一般株式ノ価格ハ漸次下落ノ傾向ニ在リタルニ拘ラス会社ノ内情ニ付其ノ真相ヲ究メスシテ南英吉二葉屋株式店井上常朗等ノ言ヲ盲信シ遂次買増ヲ為シ合計千五百株ヲ取得スルニ至リタルモノニシテ其ノ間尠シク慎重ニ調査セハ直ニ会社ノ内情ヲ察知シ得ヘカリシニ拘ラス事茲ニ出テス因テ以テ上告人ニ於テ右ノ如キ不測ノ損害ヲ蒙ルニ至リタル過失アリタルモノナレハ本件損害賠償ノ額ヲ定ムルニ付被害者ノ右過失ヲ斟酌スヘキモノト

シ被上告人等ノ上告人ニ対スル損害賠償額ヲ金一万千百円（筆者註・上告人はその株式取得のための出捐総額一万八千五百円の賠償を請求したのである。）ト定ムル旨認定シタルハ相当ニシテ所論ノ如キ違法ナシ」。

としたのに対し、学説は、(イ)株式を引受け、或は株式を買入れる第三者は、発起人の所為その他外見的事実に対する信頼を許され、従つてその注意義務は極めて低く軽減されるべきであるとするもの（例、鈴木「前掲」評釈・一四九頁、兼子「判例民事法」昭和十五年度五三八頁、石井編著「前掲」四七三頁、西原「民商」一二・二七〇頁等）と、(ロ)注意義務の程度は両者共に、相当ないい注意を要するのであり、この点差異はなく、差異があるとすれば、注意すべき事項から生ずるにすぎないとするもの（小町谷「前掲」二九四頁）、等とに分かれている。

(3) 払込を懈怠した株式引受人と過失相殺

【43】（事実）上告人（控訴人・被告）は第一審の被告四名等とともに昭和四年資本金一〇万円、株式総数五、〇〇〇株全額払込の株式会社の設立を発起した所、総計六〇〇株の引受があつたのみであり、払込は僅か被上告人須郷慶幸の全額払込一〇〇円に止まつたのに、昭和五年二月二七日に創立総会を開き全株引受払込済の旨報告して総会の承認を得、設立登記をして営業を開始した。その後同年十月頃までには上告人及び被上告人（被控訴人・原告）等が合計九、六〇〇円（引受済六〇〇株の株全額の約五分の四）の払込を了したが、昭和八年八月に至り会社の設立無効の判決が確定した。こゝにおいて被上告人等は、引受けた株式について、各払込金額及びこれに対する払込日以後年五分の法定利息に相当する損害を蒙つたとして発起人に賠償をもとめた。第一審では原告の勝訴、原審では原告中の二人が創立総会において取締役及び監査役に選任されているから、これら二人を除いて被控訴人（原告）の勝訴となつた。

（判旨）「依テ按スルニ被上告人須郷慶幸以外ノ被上告人等又ハ其ノ先代ハ其ノ引受ケタル株式ニ付任意ニ本件株式会社ノ創立総会終結後ニ至リ始メテ株金払込ヲ為シタルコト並ニ本件株式会社ハ其ノ創立総会当時現金ノ払込アリタル株金僅ニ金百円ニ過キサリシ為メ遂ニ設立無効ノ判決確定スルニ至リタルコトハ原審ノ確定セル事実ナリトス左レハ本件会社ノ設立無効ノ原因ハ当時株金ノ払込ヲ為ササリシ被上告人等又ハ其ノ先代ノ不法ナル所為ニ基因スルモノト云フヘキカ故ニ自ラ其ノ無効原因ヲ不法ニ作成シナカラ該会社カ設立無効トナリタル責ヲ

他人ニ帰セシメ得ルモノニアラサルコト多言ヲ要セサル所ナリ」（大判昭一五・三・六民集一九・三四六）（豊崎「判例民事法」昭和十五年度・一九事件長岡「民商」一三・三〇五頁等参照）。

判旨は、創立総会までに株金の払込を怠つた株式引受人は発起人の責任を問い得ないとするものであるがその論拠は、過失相殺的考慮によるものと推測しうる（豊崎「上掲」評釈・七三頁も、同様の解釈を前提とした上、更に判旨に反対して「前者の払込の懈怠と後者の任務の懈怠とを同一視して、直ちに発起人の責任を全然免除することは実質的に不当だと思う。今一歩立入つて個々の引受人が無効原因の存在を知りつゝ払込をしたか或は知らざるにつき過失があつたか等の点を明にすべく、かくして始めて過失相殺の原則の適用に入り得るものと考へる」とする。同旨・石井編著「前掲」四七三頁）。

これに対して、払込を懈怠した株主につき、明確に、過失相殺の規定によつて発起人の損害賠償の責任及び其の金額を定むべしとするものとして次の判決がある（たゞし、本判決は上述【41】とは異り、民法第七二二条第二項にはよらないで、民法第四一八条によるものとする）。

【44】「原審ノ確定セル事実ニ依レハ被上告人山本房一ハ本件会社ノ株式五十五株ヲ引受ケタルカ大正十五年八月八日ノ創立総会迄ニ払込ヲ了シタルハ其ノ内二十五株分ノ株金ニ過キスシテ残余ノ三十株分ハ訴訟ノ結果其後約十年ヲ経過シタル後転付ヲ受ケタル債権者ニ之カ支払ヲ為シタリト云フニ在ルカ故ニ其株金払込ノ延滞ハ特別ノ事情ナキ限リ上告人ノ任務懈怠ト相俟テ本件会社カ設立無効ノ判決ヲ受ケ延テ右被告人カ判示ノ損害ヲ受クルニ至リタル原因ヲ為スモノト云ヒ得サルニアラス然レハ原審ハ須ラク民法第四百十八条ヲ適用シ右株金延滞ノ事実ヲ斟酌シタル上其請求ノ当否ヲ判断スヘキモノニシテ原審カ事茲ニ出ツルコトナク論旨摘録ノ如ク判示シテ上告人ノ抗弁ヲ顧ル所ナカリシハ違法ナリ」（大判昭一二・四・一四大判全集四・四四九）。

（五）第三者の範囲

第三者に対する発起人の賠償責任に関して、判例は第三者とは広く会社以外のものを指し、株式引受人または株主を含むと解している。すなわち、(1)前掲、判決【38】は、旧第一四二条ノ二第二項について「同条ハ広ク第三者ト規定シ株式申込人ヲ除外セサルカ故ニ株式申込人ヲモ包含スルモノト解スルヲ相当トス」として第三者には株式引受人（原始株主）を含む旨をはじめて明らかにしたのであるが（なお、大判昭八・一二・二八民集一二・二九七八等）、次いで、(2)承継株主、すなわち、会社成立後株式を取得した者も同じく、第三者に包含される旨を示したものとして次の判決がある。

【45】「株式会社ノ利益ハ実質上株主ノ利益ナルヲ以テ会社ニシテ損害賠償ヲ得タルトキハ同時ニ株主ノ利益モ保護セラルヘシト雖モ之ニ依リテ株主固有ノ損害ノ未タ賠償セラレサルモノナキニ非ルノミナラス会社カ其権利ヲ行使スルト否トハ其自由ニ属スルカ故ニ会社ニ於テ損害賠償ノ請求権ヲ抛棄シタルトキハ株主ハ之ヲ如何トモスルコトヲ得サルモノトス即チ株主モ亦発起人ニ対スル損害賠償ヲ請求シ得ヘキモノトスルニ非レハ株主固有ノ損害ヲ救済スルニ由ナキヲ以テ商法第百四十二条ノ二第二項ノ規定ハ株主ニ対シテモ損害賠償請求権ヲ認容シタルモノニシテ従テ同規定ノ第三者中ニハ株主ヲモ包含スルモノト解スルヲ相当トス特ニ右ノ第三者中ニハ株式申込人ヲ包含ストスル当院判例（大正十五年三月二十五日）ノ趣旨ニ依ルモ亦斯ク解釈スヘキモノトス而シテ発起人中会社ニ対シテ既ニ損害ノ賠償ヲナシタトキハ更ニ同一ノ損害ニ基キ株主ニ賠償ヲ為ス義務ナキヲ以テ発起人カ二重ノ賠償負担ノ結果ヲ生スルコトナキモノトス」（大判昭二・二・一〇民集六・二〇）（同旨【35】【37】、なお、小町谷「判例民事法」昭和二年度・四事件、竹田「論叢」一八・一四四参照）。

要するに判旨は、会社が損害の賠償を得ても、株主には、これによつて塡補されない固有の損害がありうることを理由とするものであり（判旨のいわゆる、発起人に対する賠償請求権の抛棄云々は、現在、商一九六条が設けられている以上もはや理由とはならない）、通説もまたこれと同一の見解に立つている（田中(耕)「前掲」上・二八八頁、実方「前掲」二〇九頁。なお、田中(誠)「前掲」一三一頁は、「法文上、第一項と第二項を対照するとき、第二項の第三者中には会社以外の者はすべて入ると解するを妥当とする」とし、松田「前掲」一一二頁は「株主は株式の価格について独自の利益を有するに至つたからである」とし、石井「前掲」1二〇〇頁は「株式引受人ないし株主を第三者から除外したのでは本条はほとんど無意味となる」とする）。

これに対し、第三者中には株主を含まずとする反対説は、株主が例えば発起人の任務懈怠による株価下落等によつて直接に損害を蒙つた場合は、第三者としての資格において受けた損害に外ならないのであり（従つて之れを株主というか、第三者というかは用語の問題にすぎない）、株主が株主としての資格において受けた損害、すなわち、会社の損害を通じて、株主のうけた間接損害については、株主に独立の請求権を与える理由が尠いことを主たる理由とする（竹田「論叢」一八・一四六、西本「会社法」二七九頁、大隅「前掲」二一二頁、小町谷「前掲」評釈・一六頁、なお、小町谷「前掲」講座・二九五頁は、株主の間接損害についても株主に請求権を与えるならば「株主会社債権者に優先して弁済をうける不都合な場合すら生ずるであろう」とする。尤も、通説は株主の直接損害についてのみ、第三者中に株主を含むものとしている。たゞし、判例【46】及び、田中(誠)「前掲」一三一頁は、間接損害についても第三者中に包含するものと解する）。

（六）　株主の賠償請求権と会社の賠償請求権

(1)　両者の関係　　株主が第三者として、会社とは別個に発起人に賠償を請求しうるのは、株主固有の損害がありうるからであるとする通説の立場からすれば、発起人の同一の行為によって、同時に会社にも損害を与えかつ株主にも直接に損害を与えた場合には、たとえ、(a)会社が損害賠償を得てもそれによって株主の賠償請求権は消滅しない筈であり、また、(b)株主が賠償を得ても、会社の請求権は依然として存続するわけである。判決【45】は、上述のように、株主には固有の損害がありうることを認めながら（事案も、株主の直接、固有の損害に関する）、その判旨は究極において、この固有の損害についても(a)の論理を否定するかの如くであるが、もし然りとすれば、その不当なことは論をまたない（松田「前掲」一一二頁、たゞし「会社が発起人から既に賠償を得た結果、株式の価格が回復したときはその限度において株主の賠償請求権は消滅する」とする。石井編著「前掲」四七五頁）。

次ぎに(b)の場合に関しては、次の判決がある。

【46】「発起人カ会社ノ設立ニ関シ其ノ任務ヲ怠リタルニヨリ会社ト株主トカ損害ヲ受ケタ場合ニ於テハ会社カ損害ノ賠償ヲ受クルモ之ニ因リテ株主固有ノ損害ハ賠償セラルヘキモノニ非ス又会社カ損害ノ賠償ヲ受ケ之ニ依リテ同時ニ株主ノ損害カ賠償セラルヘキ場合ニ在リテモ会社カ賠償ヲ得サル限リ株主ハ直接発起人ニ対シテ賠償ヲ請求シウルモノト解スルヲ相当トス但株主カ直接ソノ賠償ヲ得タトキハソノ限度ニ於テ会社ノ右損害賠償請求権ノ消滅スヘキヤ論ヲ俟タス」（大判昭七・一二・二一新聞三五〇八・一三）。

たゞし、本判旨が、若し、株主の固有損害、間接損害の別なく、株主が直接に発起人から賠償を得たときは、その限度において、常に会社の賠償請求権が消滅するとの趣旨であるとすれば、上述(b)の理論から見て、その点は容認しがたいものといわなければならない。

(2)　株主の賠償請求権の行使期　　上述のように株主は発起人の行為によって固有の損害を蒙りうるものとすれば、会社の財産状態とは関係なく第三者として独立にその請求権を行使し得なければならない筈である。しかし、判例はこの点についても、株主の請求権の独立性を認めてはいない。

【47】（事実）　上告人に、発起人に対する賠償請求権を譲渡した訴外佐古吾一及び河野茂馬は文化工業株式会社の株式を引受け其の第一回の払込をしたのであるが、同会社は発起人であった被上告人において、右会社の払込株金額が極めて僅少であったにもかかわらず、その重過失に基いて大正十二年五月、同会社成立の手続を遂行したのであるが、資本欠缺の理由に基いて昭和五年八月設立無効判決が確定して会社は準清算手続に入ったため、前記訴外人等は右払込金の返還をもとめ得ないに至った。原審はこれら訴外人等の被った損害は清算の結果残余財産の分配を受けうるや否を確定しなければ其の数額不明であるから、右清算手続が終了しない以上、右訴外人等の前示払込株金額に該当する損害賠償請求権を譲受けたと主張する上告人等の本訴請求はこれを容認し得ないとした。

（判旨）　「然レトモ果シテ叙上原判示ノ如キ事情ノ下ニ発起人タリシ被上告人等ノ重過失ニ因リ敢テ訴外会社ヲ成立セシメ為ニ該会社設立無効ノ判決ヲ受クルニ至リタリトセンカ他ニ別段ノ事由ナキ限リ其株式引受人タリシ訴外佐古河野等ニ於テ遂ニ返還ヲ受クルコトヲ得サルニ至リタル上掲払込金額ニ相当スル損害ヲ被リタルモノト推認シ得ヘク此場合必スシモ清算手続ノ終了ヲ俟ツニ非サレハ発起人ニ対シ右損害賠償ノ請求ヲ為シ得サルモノト断シ得ヘキモノニ非ス若シ夫レ後日清算ノ結果前示佐古河野等ニ於テ会社ヨリ残余財産ノ分配ヲ受ケ得ヘキ関係ニ立テリトセハ民法第四百二十二条ノ規定ニ準シ其ノ賠償ヲ為シタル被上告人等ニ於テ会社ニ対シ右ノ分配ヲ請求シ得ヘキモノト解スルヲ相当トスヘシ」（大判昭一四・一二・二三民集一八・一六三五）（田中（誠）「判例民事法」昭和一四年度・一〇二事件、竹井「民商」一一・九九二、大隅「論叢」四二・八二一、長岡「法と経済」一三・七七〇参照）。

すなわち、判旨が発起人に対する賠償請求について清算手続をまつ必要なしとしたのも、発起人に対する直接の賠償請求権を会社とは独立に株主に与え、その固有の損害について救済を与えようとする法の精神を承認したためでなく、むしろ、単に清算結了時における株主の損害が推認可能であるという見地に立つて清算結了時迄請求を延引せしめることによる不当な結果の回避を図つたにすぎないのである（田中（誠）「上掲」評釈・三九三頁参照）。たゞ判旨にもいう如く、例えば発起人が株主に対して、払込株金額全部の賠償をしたような場合、会社が残余財産の分配をなすならば発起人について民法第四二二条の準用ないし類推適用を認むべきことは、衡平の見地から見て当然であると認めねばならぬ。

三　会社不成立の場合の責任

一　制度の趣旨

以上述べたところは、会社が成立した場合における発起人の責任に係るのであるが、会社が成立に至らなかつた場合には、発起人は会社の設立に関して為した行為に付いて連帯して其の責に任ずる（商一九四条I）。この場合、会社の設立に関して支出した費用は発起人の負担となる（商一九四条II）。

本制度の趣旨ないし、立法理由については、周知の通り、種々の学説が対立するのであるが（学説の詳細は、田中（誠）「前掲」一三二頁、松田「前掲」一一三頁、小町谷「前掲」二九八頁、石井編著「前掲」四七七頁、実方「前掲」二一〇頁等参照）、要するに、会社不成立の場合、株式引受人を含めて第三者の利益保護のため、発起人の責任を厳化したものに外ならない。

二　会社不成立の意味

（一）　設立無効は不成立ではない　会社の不成立とは設立に着手したが成立に至らなかつた場合である。従つて、成立後、設立無効となつた場合は、不成立に該当しない（【32】参照）。

【48】「商法第百四十二条ノ三ニ所謂会社カ成立セサル場合トハ会社カ実質上成立セサル場合ノミナラス形式

上ニ於テモ亦成立セサル場合タルコトヲ要スルモノト解スルヲ相当トス株式会社カ株主総会ヲ終結シテ設立ノ登記ヲ為シ事業ニ着手シタル場合ニ於テハ株主取締役又ハ監査役カ訴ヲ以テスルニ非レハ其無効ヲ主張スルヲ得サルヘク設立無効ノ判決カ確定シタルトキハ解散ノ場合ニ準シテ清算ヲ為スコトヲ要スルモノナルヲ以テ此場合ニアリテハ会社ハ形式上成立シタルモノニシテ商法第百四十二条ノ三ニ所謂会社カ成立セサル場合ニ該当セサルモノトス」（東京地判大一〇・四・一九評論一〇・商一四三）。

（二）　不成立の確定　こゝに会社の不成立というのは、会社が不成立に確定したことをいう。すなわち、会社の設立に着手し成否未定の状態にあるような場合は、まだ会社の不成立とはいい得ない。では何をもつて、不成立の確定というべきかについては、学説は各個の場合に諸般の事実によつて（例えば創立総会が設立廃止の決議をしたとき、数年間、創立総会の招集がないとき、株式の引受払込がなく設立が挫折したとき等）、これを決する外なしとするが（田中「前掲」法協三五・二〇一三頁、小町谷「前掲」三〇〇頁、石井編著）、この点については、次の判決がある。

【49】　「商法第百四十二条ノ三ニ所謂会社カ成立セサル場合トハ敢テ会社カ成立セサルコトニ確定シタル場合ノミニ限ラス株式申込証ニ記載セル一定ノ時期迄ニ成立セス且其後ニ於テモ成立ノ運ヒニ立到ラサリシカ如キ場合ヲモ包含スルモノト解スルヲ相当トスヘク而シテ会社カ成立セサル場合ニ於テ株式申込人カ特ニ申込取消ノ意思表示ヲ為スニ非レハ発起人ニ対シ其払込ニ係ル証拠金ノ返還ヲ請求スルコトヲ得サルモノト解スヘキ何等ノ理由ナシ」（東京地判昭八・一一・二九新聞三六五八・一八）。

株式申込証に記載した、申込を取消し得る時期迄に創立総会が終結しなかつたというだけで会社の不成立が確定するという趣旨の判決は、上掲の外、下級審に、なお尠くはないが（東京地判大一四・五・四新聞二四七六・一五・大阪区判昭九・一一・一二新聞三六八七・一〇）、学説は一致して、それだけでは不成立の確定とは認め難いとする（田中「前掲」法協・三五・二〇一三頁、小町谷「前掲」三〇一頁、石井編著「前掲」四七九頁）。

三　責任を負うべき発起人

会社不成立の場合、責任を負うべき発起人は、その全員である。全発起人の無過失連帯責任である点において、上述、会社成立の場合の損害賠償責任と異るが、問題は、発起人団体、或は発起人組合へ、追加加入した発起人、及び中途、脱退した発起人の責任の範囲如何である。この点は、全発起人が無過失連帯責任を負担する上述「資本充実責任」(商一九二条)の場合においても同様に論ずることができる。

(一)　追加発起人の責任

【50】「定款ヲ始メテ作成シタルハ明治四十三年三月十一日ニシテ被告等ノ発起人トシテ加入セルハ同年八月十一日ナレハ右定款作成ノ時ヨリ加入ノ時マテ設立準備ニ付幾多ノ権利義務ノ発生セルコトハ被告等カ発起人トシテ加入スルニ当リ当然予想セラル可キ筋合ナレハ被告等カ定款ニ同意ヲ表シ発起人トシテ加入セル以前ニ成立シタル権利義務ニ付テモ之ニ加入スヘキ意思アリタルモノト認メ得ルノミナラス被告等三名カ追加発起人トシテ加入スルヤ被告芦田鹿之助ハ創立委員長タル島喜久男ヨリ事務ノ引継ヲ受ケ代リテ創立委員長トナリタル事実ニ徴スルモ被告等ニ前示意思ノ存在シタルコトヲ推認シ得ルカ故ニ被告等カ前示金額カ発起人トシテ加入スル以前ニ払込マレタル故ヲ以テ其責任ヲ辞スルヲ得ス」(大阪地判明四四・ワ四一六 新聞七四六・二四)。

すなわち、判例はこの場合、民法組合の法理は考慮せず(末川「債権各論」四一〇頁、我妻・有泉「債権法」四七六頁参照)、追加発起人について既存債務に対する責任負担の意思を推認することにより、他の発起人とともに、連帯責任を負うべきものとするのである。上述、本制度の立法趣旨(商一九二条についても同じ)よりすれば当然であろう(なお、小町谷「前掲」三〇三頁は、「加入発起人は恰も合名会社の新入社員に比すべきものであつて、既存の事実から生ずる危険を覚悟して発起人となつた者と解し、他の発起人とともに、当然に、連帯責任を負うことを要する」とする)。

(二)　脱退発起人の責任

【51】「被告等カ発起人団体ヨリ脱退シタリト称スル明治四十三年六月二十七日以前ニ係ル同月二十五日原告ノ株式引受ハ確定シタルコトヲ認メ得レハ此ノ時ニ於テ原告ト被告等間ニ引受ニ関スル権利義務発生シタルモノナリ故ニ被告等ハ六月二十七日ニ於テ発起人団体ヨリ脱退スルモ少クトモ引受人タル原告ニ対シ引受ニ関スル権利義務ヨリ脱退スル手続ヲ為スニ在ラサレハ其ノ権利義務ハ依然継続ス原告ノ為シタル株金払込ハ被告等ノ脱退

シタル以後ニ属スルモ此ノ払込ハ単ニ発起人ニ対スル引受ニ関スル義務ヲ履行シタルモノ又被告等ハ之カ履行ヲ受ケタルモノト認ムヘキモノナルヲ以テ被告等ハ脱退シタリトノ理由ニ基キ責任ヲ免ルヲ得ス」（大阪地判明四四ワ四一六、新聞七四六・二四）。

脱退発起人については、⑴脱退前の債務についての責任と、⑵脱退後の債務についての責任とを考察することを要する。⑴発起人団体については、脱退を認めうるか否かが抑も問題であつて（判例は、公募着手後、或は、第三者との関係を生じた後においては正当な事由がなければ、脱退し得ないとし、東京控判昭一〇・九・三〇新聞三九三一・一二、また他の発起人、及び第三者の全員の同意がなければ一方的意思表示では脱退し得ないとする。東京地判昭九・一一・二八新報三八三・二二）、判決【51】は、脱退前に生じた個々の債務について個々的に脱退手続をなしうるかの如く判旨するが妥当ではないであろう。

次ぎに、⑵脱退後の債務については、民法組合の法理によれば、脱退発起人は当然、責任を負わないわけであるが、学説には、その事実を知つて株式の引受をなした者、または取引をなした者に対してだけ、その責を免れうるとするものがある（小町谷「前掲」三〇三頁）。

四　責任の性質

（一）　責任の相続性　本責任は、一身専属的のものではないから、相続性をもつことは、上述、各責任と異るところはない（【52】参照）。

【52】「発起人ノ相続人ハ発起人ノ資格ヲ承継スルモノニアラサルモ発起人トシテ先代カ負担シ居タル財産上ノ債務ハ条件附ノモノナルト否トヲ問ハス総テ家督相続ニ依リ相続人之レヲ承継スヘキハ言ヲ俟タサルトコロナリ然ラハ控訴人先代カ発起人トシテ本件株式申込証拠金ノ授受ニ当リ負担シタル株式引受不成立ノトキハ該証拠金ヲ被控訴人ニ返還スヘキ債務ハ同人ノ死亡ニヨリ控訴人ニ於テ相続シタルコト疑ナク前示会社カ不成立ニ確定シタルニヨリ株式引受ハ不能ニ帰シ茲ニ条件成就シタルヲ以テ同控訴人ハ他ノ発起人ト連帯シテ本件証拠金ヲ返還スヘキ債務ヲ有スルモノトス」（東京控判昭九・六・一新聞三七三〇・一五）。

(二)　連帯・無過失責任　発起人団体は、民法上の組合の性質を有するが、法は会社不成立の場合、第三者の利益保護のため、(1)発起人が会社の設立に関して行つた行為から生じた債務については特にこれを全発起人の連帯債務とし(比較・民六七五条)、また(2)会社の不成立について、発起人の過失の有無を問わない(松田・鈴木「前掲」八五頁、石井編著「前掲」一四八〇頁、小町谷「前掲」三〇三頁、たゞし、鈴木「前掲」七一頁、大隅「前掲」二一三頁参照)。

五　責任内容

(一)　設立に関して為した行為　発起人が連帯して責に任ずべき「設立に関して為した行為」の意義は必ずしも明白ではない。この点に関する代表的な判例として、次のものを挙げることができる。

【53】「按スルニ商法第百四十二条ノ三第一項ニ所謂発起人カ設立ニ関シテ為シタル行為トハ株式ノ募集株金ノ払込受領等ノ如キ会社設立行為自体ニ属スルモノ及ヒ設立ニ必要ナル行為例ヘハ設立事務所ノ貸借事務員ノ雇傭株式募集広告委託ノ如キヲ謂フモノニシテ発起人カ設立ニ関シ必要ナル行為ニ要スル費用ヲ他ヨリ借受クル行為ノ如キハ右会社設立ニ関シ為シタル行為ト謂フヲ得サルモノニシテ右借受行為カ発起人団体トシテ為サレタルヤ将又発起人個人トシテ為サレタルヤニ依リ毫モソノ性質ヲ異ニスヘキ理由存セサルモノトス……然ルニ原審カ之ヲ以テ右ノ設立ニ関シテ為シタル行為ナリト判定シタルハ右法条ノ解釈ヲ誤リ不法ニ同条項ヲ適用シタル違法アルノミナラス上告人カ特約ニヨリ連帯責任ヲ負担シタルヤ否ヤニ付審理不尽ノ違法アルモノニシテ此ノ点ニ於テ論旨理由アリ原判決ハ破毀ヲ免レサルモノトス」(大判昭一四・四・一九民集一八・四七二、(豊崎「判例民事法」昭和一四年度三二事件、西原「民商」一〇・五一六頁、佐々「新報」四九・一六二六頁、小町谷「法学」九・八八〇頁、安藤「銀論」三三・二・四二頁、水口「銀研」三七・五・一〇七頁)。

すなわち、判旨は、この場合の設立に関する行為とは、(1)会社の設立行為自体に属するものと、(2)会社の設立に直接必要な行為(なお、この点、大阪地判昭七・二・五・評論二二、商一六〇参照)とを指すものであつて、設立費用の借入行為のように、間接的、手段的行為はこれを含まないとする。

学説としては、(1)多数説は判旨に賛するが(田中(誠)「前掲」一三三頁、西原「上掲」五一六頁、佐々「上掲」一六二六頁)、(2)判旨によれば、設立費用の借入行為に就いては各発起人は連帯責任を負担しないことゝなり、会社不成立の場合、第三者の利益保護を目的とする本条の立法趣旨に反するばかりではなく、設立費用は設立に必要不可欠であると共に、それが不足な場合は之を他に求める外はなく、従つてその借入行為は「実質的」に見て、直接設立に必要な行為と異るものではないとして、反対するものも尠くはない（豊崎「上掲」一一一頁、なお、小町谷「前掲」三〇一頁、松田・鈴木「前掲」八四頁参照）。

しかし判旨よりも更に厳格に、(3)設立自体を目的とする行為以外のものは、すべて会社が成立すると否とを問わず、第三者に対する関係では、常に発起人自身が責を負うべきであり、たゞそれに要した費用は、会社が成立した場合に限つて、定款に記載した設立費用（商一六八条Ⅰ7）の範囲内で会社に求償し得るにすぎず、本条の適用を問題とすべきものではないとする見解もある（石井編著「前掲」四八〇頁、長岡「民商」一二・五号・六号）。

なお、判旨からも推察しうるように設立に関して為した行為とは認め得ないものについては、本条（商一九四条Ⅰ・旧商一四二条ノ三）の適用はなく、従つて発起人は連帯責任を負担しない。なお、この点を明らかにしたものとして次の判決がある。

【54】「会社ノ成立ヲ見越シ其開業ノ準備トシテ醸造器具ヲ買入レ土蔵ヲ修繕シ其ノ為メニ要セシ費用ニ付被控訴人ト貸借ヲ為シ甲第一号証ノ借用証ヲ差入レタルモノナルコト証人ノ証言ニ徴シ認メ得ヘク然ルニ此ノ如キ行為ハ商法第百四十二条ノ三ニ所謂会社ノ設立ニ関シテ為シタル行為ニ該当セサルコト明カナルヲ以テ此点ヨリスルモ控訴人ハ発起人トシテ連帯責任ヲ負フヘキ理由ナシト云ハサルヘカラス」（東京控判大六・一二・二三新聞一三八〇・二五）。

しかし、学説には、このような設立に関する行為と云い得ないようなものについても、取引に関与した発起人に関する限りは、会社不成立の場合は、連帯責任を負う黙示の特約のもとに、この取引をしたものと解するのが当事者の意思に合致するとするものもある（小町谷「前掲」三〇五頁）。

なお、このような創立費用の借入行為を、創立委員長の地位を有しない発起人の一人が、全発起人の名義をもつて行い、会社が不成立に終つた場合については、判例は他の発起人は何等の責を負わないものとしている（田中（誠）「前掲」八七頁参照）。

【55】「株式会社設立ノ為メノ発起人ノ団体ハ民法上ノ組合ニ外ナラサレハ其業務執行ハ発起人全員ノ共同ニナスヘキモノニシテ一人ノ発起人カ組合ノ為メ為シタル行為ハ他ノ発起人ノ委任アルカ若クハ其ノ結果カ組合ノ利益ニ帰シタルニ非ル限リハ他ノ発起人ニ於テ第三者ニ対シ其責ニ任スヘキモノニ非ス」（大判大七・七・一〇民録二四・一四八〇）。

㈡　株式引受人に対する責任　発起人が会社の設立に関して為した行為を、このように、会社設立それ自体を目的とする行為と、会社設立に直接必要な行為とに分けうるとすれば、前者は株式引受人発起人間の契約であり、後者はその他の第三者と発起人間の契約となる。そのうち、株式引受契約は、会社不成立の結果として、遡及して消滅するから、発起人の責任は原状回復義務に帰着するが、その具体的内容は次の如くである。

⑴　払込金額の返還義務　会社不成立の場合には発起人は払込金額を株式引受人に返還しなければならない。

【56】「控訴人等ノ発起人カ株金ヲ受取リタルハ会社ノ設立ニ関シテ為シタル行為ナルヲ以テ会社カ成立セサリシ以上ハ商法第百四十二条ノ三第一項ニ依リテ連帯シテ之ヲ被控訴人ニ返還スルノ義務アリ」（東京控判大四・一一・一八新聞一〇八七・一五）。

この場合には、民法不当利得の規定（民七〇三条以下）の適用があるから（東京地判大一五・三・一五新聞二五七九・九）、発起人が利息を取得したときは、これをも返還しなければならない（石井編著「前掲」四八二頁）。なお払込金額の返還義務は、会社の不成立の確定と共に直ちに発生し、特に株式引受人において株式申込の取消の意思表示を必要とはしない（田中(耕)「前掲」法協三五・二・二一一頁）。

(2)　申込証拠金の返還義務　会社不成立の場合、発起人は申込証拠金をも返還する義務を負う。しかしその法的根拠については、(イ)返還義務自体を証拠金契約の内容と解する見解もあるが（従つて、商一九四条Iの適用なしとする。田中(耕)「前掲」法協三五・二〇二三頁）、(ロ)通説及び判例は上述、払込金額の返還義務と異る所なしとする（伊沢「前掲」三一四頁、石井編著「前掲」四八二頁、実方「前掲」二一〇頁等）。

【57】「然レトモ苟モ発起人ニシテ株式ノ一部ヲ一般ヨリ募集シ之ニ応シテ株式ノ申込ヲ為シタル者ヨリ証拠金ノ払込トシテ現実ニ金円ヲ受取リタル以上其ノ行為ハ右株式申込カ有効ナルト無効ナルトニ拘ラス総テ会社ノ設立ニ関シテ行ハレタル行為ナリト云フヘク従テ其ノ会社カ遂ニ成立スルニ至ラサリシ場合ニ於テハ発起人ハ商法第百四十二条ノ三ノ規定ニ依リ連帯シテ右株式申込人ヨリ現実ニ払込ヲ受ケタル証拠金ヲ返還スヘキモノト謂ハサルヘカラス」（大判昭八・五・八民集一二・一〇八四）（田中(誠)「判例民事法」昭和八年度一七八事件）。

なお、これ以前の大審院の判決中、申込証拠金の法的性格について、この判決【57】とは別箇の見解をとり、その見地から、申込証拠金の保管中、利息を生じた場合については、特約がなければ返還の必要なしとするものがある。

【58】「株式申込ノ証拠金ナルモノハ申込人カ他日株式ノ成立シタル場合ニ払込ムヘキ株金ノ払込ヲ怠リテ失権シタル場合ニ於ケル違約金トシテ株式引受カ成立セサルトキハ之カ返還ヲ受クヘキ条件ノ下ニ其ノ処分ヲ許シテ発起人ニ寄託スルモノナルハ一般ノ慣習トシテ認メラレタル所ナレハ申込人カ株式ノ割当ヲ受ケサルニ於テハ発起人ハ之ヲ申込人ニ返還セサル可カラサルハ勿論ナリト雖モ是レ寄託関係ヨリ生スル義務ヲ履行スルモノニシテ不当利得トシテ返還スヘキモノニ非ス而シテ証拠金ハ発起人ニ於テ之ヲ処分スルコトヲ得ルモノナル以上ハ其所有権ハ払込ト同時ニ発起人ニ移転シ従テ発起人カ之ヲ利用シテ利息ヲ得ルコトハ其当然ノ権利ニ属スルカ故ニ特別ノ約束ナキ限リハ其ノ利息ヲ申込人ニ返還スル義務ナキモノトス」（大判明四四・一一・九民録一七・六八五）。

学説には、本判旨と同じく利息は返還するを要しないとするものもあるが（伊沢「前掲」三一四頁、なお、田中（耕）「前掲」法協三五・二〇二四頁は、「証拠金契約は証拠金返還の際に利息を返還せざる旨の合意をも包含するもの」とする）、反対説は、申込証拠金の返還義務の法的性質が、払込金の返還義務と異らない点からして、利息についても、異別に解する理由に乏しいとしている（石井編著「前掲」四八三頁）。

（三）　一般第三者に対する責任　第三者にとつては、会社の成否は契約上、原則として問題ではなく、発起人が常に形式的にも実質的にも契約の当事者である以上、会社不成立の場合も、契約の履行義務には影響がない。たゞその契約が、設立に関する行為に属しないときは（【53】参照）、発起人は本制度による連帯責任を負わず（東京控判大六・一二・二三新聞一三八〇・二五）、民法組合の規定（民六七五条）によつて責を負うに止まる。

六　設立費用の負担

発起人は会社不成立の場合、会社の設立に関して支出した費用はこれを負担しなければならない（商一九八Ⅱ条）。本条項の立法趣旨については、学説は必ずしも一致しないが、判例としては次のものがある。

【59】　「凡ソ会社カ不成立ノ場合ニ発起人カ会社ノ設立ニ関シテ為シタル行為ノ責任ノ発起人ニ帰スヘキコトハ商法第百四十二条ノ二第一項ノ規定スルトコロナルヲ以テ発起人カ会社ノ設立ニ関シテ支出シタル費用カ発起人ノ負担ト為ルハ右法条ノ解釈上当然ノ理ニシテ敢テ右第二項ノ規定ヲ俟ツノ要ナシ而カモ法律カ特ニ明文ヲ設ケテ之レヲ発起人ノ負担トシタルハ同法第百二十二条第五号ニ所謂会社ノ負担ニ帰スヘキ設立費用ハ会社不成立ノ場合ニ株式申込人ノ負担トナルニアラサルヤノ疑アルヲ以テ此ノ疑ヲ避クルノ趣旨ニ出テタルモノトス従テ右設立費用ニ包含セラレサルモノハ何人ノ負担ニ属スヘキヤト謂フニ此ノ点ニ付キ発起人団体ニ於テ別段ノ定アルニ於テハ固ヨリ之ニ従フヘク若シ之ナルトスレハ之亦発起人全員ノ負担ト為ルヘキモノト解スルヲ相当トス蓋シ発起人ハ会社設立ナル共同ノ目的ヲ遂行スルタメニ結合スルモノナレハ其ノ設立ニ要シタル費用ハ其ノ共同目的遂行ノ必要ニ出ツルモノニシテ発起人全員ニ於テ之ヲ引受クルヲ当然トスレハナリ要之苟モ会社ノ設立ニ要シタ

ル費用ハ会社成立ノ場合ニ其ノ負担ニ帰セシメ得ヘキモノタルト否トニ拘ラス会社カ不成立ニ了リタル以上ハ発起人ノ負担ト為ルモノト解スルヲ相当トス故ニ発起人ノ一員カ発起人団体ノ委任ニヨリ右費用ヲ立替支出シタル場合ニ於テハ爾余ノ発起人ハ各其負担部分ニ付キ別段ノ定メナキ限リハ各自平等ノ割合ヲ以テ此ノ義務ヲ負担スルモノト解スヘキハ亦多言ヲ要セサルトコロナリ」（東京控判昭八・一一・三〇新聞三六六二・一八）。

すなわち、判旨は本条項の立法趣旨を、旧商法第百二十二条第五号（商法一六八条Ⅰ7）に掲げられた「設立費用」との関連において（大判昭二・七・四民集六・四三四頁参照）設けられた、注意規定と解する（同説・田中（耕）「前掲」法協三五・二〇二六頁、大隅「前掲」一八九頁、石井編著「前掲」四八五頁。ただし、これを株式引受人に責のないことを明らかにした特別規定とするもの、田中（誠）「前掲」一三二頁）。従ってこのような判例学説の立場からすれば、設立費用の負担について、責任の連帯如何を論じた次の判決（【53】【54】参照）は不可解といわねばならない。連帯の有無は、上述のように設立に関して為した行為に該当するか否かによって決すべき問題に外ならないからである。

【60】「商法第百四十二条ノ二第二項ハ会社不成立ノ場合ニ於ケル設立費用ニ付発起人ニ責任アルコトヲ定メタルモ之カ連帯負担ノ旨ヲ規定セス従テ叙上消費貸借ニ付右商法ノ規定ノ適用ニ依リ発起人ニ連帯責任アル旨ヲ主張スルハ其ノ当ヲ得サルモノトス」（大阪地判昭七・二・五評論二一・商一六〇）。

区裁判所判例

行政裁判所判例

最高裁判所判例

控訴院判例

高等裁判所判例

地方裁判所判例

判例索引

大審院判例

著者紹介

大隅健一郎（おおすみけんいちろう）　京都大学教授

服部栄三（はつとりえいぞう）　東北大学教授

今井宏（いまいひろし）　大阪府立大學助教授

竹内敏夫（たけうちとしお）　横浜国立大学教授

総合判例研究叢書　商法 (2)

昭和32年7月25日　初版第1刷印刷
昭和32年7月30日　初版第1刷発行

著作者　大隅健一郎
服部栄三
今井宏
竹内敏夫

発行者　江草四郎

印刷者　長久保慶一

東京都千代田区神田神保町2ノ17
発行所　株式会社　有斐閣
電話九段(33) 0323・0344
振替口座東京370番

印刷・大日本印刷株式会社　製本・稲村製本所

総合判例研究叢書 商法(2)
(オンデマンド版)

2013年1月15日 発行

著 者 大隅 健一郎・服部 栄三・今井 宏・竹内 敏夫
発行者 江草 貞治
発行所 株式会社 有斐閣
〒101-0051 東京都千代田区神田神保町2-17
TEL 03(3264)1314(編集) 03(3265)6811(営業)
URL http://www.yuhikaku.co.jp/

印刷・製本 株式会社 デジタルパブリッシングサービス
URL http://www.d-pub.co.jp/

AG483

ISBN4-641-91009-X Printed in Japan